# 中国科普统计

## 2009年版

中华人民共和国科学技术部
政策法规司

科学技术文献出版社
Scientific and Technical Documents Publishing House
北　京

# 前　言

科普是指“以公众易于理解、接受、参与的方式，普及科学技术知识、倡导科学方法、传播科学思想、弘扬科学精神的活动”。胡锦涛总书记指出：“科技创新与科学普及，是科技工作的两个重要方面。”

我国党和政府一贯重视科普工作。新中国成立60年来，特别是改革开放30多年来，我国的科普事业取得了显著进步，科普人员队伍持续壮大，科普经费投入不断增加，科普基础设施建设进展明显，科普传播媒介形式多样，科普活动内容日益丰富，公民科学素质逐渐提高。

1994年12月，《中共中央、国务院关于加强科学技术普及工作的若干意见》发布，这是党中央和国务院共同发布的第一个全面论述科普工作的纲领性文件。2002年6月《中华人民共和国科学技术普及法》的颁布，及2007年12月修订通过的《中华人民共和国科学技术进步法》中有关科普的规定，充分体现了党和政府对加强科普工作的高度重视，标志着科普工作纳入了法制化轨道。2006年3月，国务院发布了《全民科学素质行动计划纲要（2006—2010—2020）》，提出实施全民科学素质行动计划，提高公民科学素质，进一步推动了我国科普事业的发展。

科普统计是贯彻落实《中华人民共和国科学技术普及法》的重要举措，是了解和掌握全国科普工作状况的重要数据基础。通过科普统计和统计数据分析，可以为政府部门制定科普政策、法律法规及有针对性地开展科普工作提供支持，也可以让广大公众及时了解我国的科学技术普及事业发展现状。

全国科普统计自2004年开展以来，发布的数据成为社会各界了解我国科普事业发展状况的重要窗口，成为国内外政府部门和研究机构普遍引用的权威数据。全国科普统计由科学技术部政策法规司负责牵头组织实施，中国科学技术信息研究所具体承担数据汇总和分析工作，中央、国务院相关部门负责本系统及直属机构的科普统计，各级科技管理部门组织协调开展本地区的科普统计。

科普统计也是科学技术行政部门依法开展科普工作督促检查的基础。为了加快建立全国性的科普统计制度，20世纪90年代末，科学技术部支持有关研究机构开展了科普统计指标体系的研究工作，并在北京、上海、江苏、四川和湖南等5个省市进行了科普统计试点；在总结试点经验的基础上，对科普统计的指标体系及统计方法进行了系统研究。2002年，在第三次全国科普工作会议上确定“将科普统计纳入到全国科技统计工作的序列之中，为开展科普工作和制订规划提供翔实、可靠的基础性数据”。2003年，科学技术部政策法规司（原“政策法规与体制改革司”）综合各方面意见，制定了全国科普统计方案和指标体系，并于2004年初组织了全国范围内的科普工作试统计。2004年底，第一次获得了我国科普工作状况的主要数据。2005年科普统计正式成为国家科技统计的重要组成部分，该项统计为每两年调查统计一次。

2009年开展的科普统计涉及全国31个省、自治区、直辖市（不含香港特别行政区、澳门特别行政区和台湾省），包括科技管理、科协、教育、国土资源、农业、文化、卫生、计生、环保、广电、林业、旅游、中科院、地震、气象、共青团组织、妇联组织、工会和国防科工等19个部门的中央、省级、地市级和县级四级单位，国防科工系统为新增加的部门。统计时间为2008年1月1日至2008年12月31日。统计内容涉及科普人员、科普经费、科普场地、科普传媒和科普活动五大类75个指标。本次统计共回收有效调查表42565份，比2006年度增加5827份。

《中国科普统计2009年版》一书是对第3次全国科普统计数据的全面解析。全书共分为6个部分：综述、科普人员、科普场地、科普经费、科普传媒和科普活动。在本书的最后部分，收录了全国科普统计报表制度以及2004年到2008年的分类统计数据。

科学技术部政策法规司李永葳、邱成利同志负责全书的统稿工作。中国科学技术信息研究所的佟贺丰、张泽玉、刘润生、曹燕、于洁、崔伟、王险峰、杜红亮和封颖等同志负责具体的统计工作及本书的撰写。

科普统计是科技统计中新设立的一个专项统计，尚处在不断完善的过程中。同时，由于水平所限，错误和疏漏在所难免，欢迎广大读者批评指正。衷心感谢各地、各部门及相关单位和个人对科普统计提供的支持和帮助。

# 科普统计数据和分析的有关说明

从2004年的试统计开始，全国科普统计尚处于完善的过程中。为了更加真实、有效地反映全国科学技术普及事业的发展状况，科普统计方案、统计范围和统计指标处于适度的调整、变动过程之中。统计范围的变化，会造成数据分析中有关变化率的计算并不是基于相同的统计口径。一些指标数据的变化就受到此方面因素的影响，因此在解读、引用此类数据时，须注意相关信息。

# 目　　录

# CONTENTS

# 综　述

作为科技统计中新设立的专项统计，科普统计还处于逐步摸索和完善的过程中。为了更加真实地反映全国科普事业发展的实际情况，每次的科普统计都会适时调整统计指标和调查范围，具体的变化见表 1。具体到各省、自治区和直辖市（以下简称省），也因为统计范围的变化，每次回收调查表的情况有所不同。

表 1　2004—2008 年科普统计统计变化情况

| | 2004 年 | 2006 年 | 2008 年 |
|---|---|---|---|
| 二级指标数（个） | 65 | 75 | 75 |
| 调查部门数（个） | 17① | 18② | 19③ |
| 有效调查表（份） | 30514 | 36738 | 42565 |

①包括：科技管理、科协、教育、国土资源、农业、文化、卫生、计生、环保、广电、林业、旅游、中科院、地震、气象、共青团组织、妇联组织 17 个部门。部分地区增加了未涵盖在以上部门的调查表，则归类为其他部门（下同）。

②新增了工会系统数据。

③新增了国防科工系统及部分创新型企业数据。

2008 年度科普统计要求每个“科普场馆”单独填报一份报表，应该说这一次获得的科普场馆数据更加全面、真实地反映了我国目前的科普场馆状况。

## 一、统计数据初步分析

统计数据表明，2008 年我国科普事业处于良好的发展态势。科普人员和经费投入显著增加，新建、扩建了一批科普场馆，多种形式的科普作品大量涌现，以科技活动周为代表的群众性科普活动产生了广泛的社会影响。

### 1．全国科普人员数量保持相当水平

2008 年全国共有科普人员 176.10 万人，比 2006 年增加 8.5%；全国每万人口拥有科普人员 13.4 人，比 2006 年增加 1.1 人。其中，科普专职人员 22.97 万人，占科普人员总数的 13.0%，比 2006 年提高了 0.7 个百分点；科普兼职人员比 2006 年增加 10.79 万人，达到 153.14 万人，占科普人员总数的 87.0%。2008

年全国科普兼职人员共投入工作量 212.99 万人月，比 2006 年减少 2.6%；科普兼职人员人均投入工作量为 1.39 个月。

2008 年全国共有中级职称以上或大学本科以上学历的科普人员 74.36 万人，占科普人员总数的 42.2%。中级职称以上或大学本科以上学历的科普专职人员 11.21 万人，占科普专职人员总数的 48.8%；中级职称以上或大学本科以上学历的科普兼职人员 63.15 万人，占科普兼职人员总数的 41.2%。

2008 年全国共有 59.81 万名女性科普人员，占科普人员总数的 34%。其中，女性科普专职人员 7.54 万人，占科普专职人员数的 32.8%；女性科普兼职人员 52.28 万人，占科普兼职人员数的 34.1%。

2008 年全国共有农村科普人员 56.99 万人，占科普人员总数的 32.4%。其中，农村科普专职人员 8.13 万人，农村科普兼职人员 48.86 万人。与 2006 年的统计结果相比，农村科普专职人员减少了 0.6 万人，农村科普专职人员则增速较快，增加了 5.08 万人。2008 年全国每万农村人口拥有科普人员数比 2006 年增加 0.9 人，达到 7.9 人，但与城镇每万人口中拥有 19.6 人的科普人员数相比，还存在较大差距。

2008 年全国共有科普管理人员 4.5 万人，占科普人员总数的 2.6%。与 2004 年和 2006 年的统计结果相比，管理人员总数有所增加，但所占比例进一步下降。

2008 年专职从事科普作品创作的人员有所减少，为 8526 人，占全国科普专职人员数的 3.7%，总体规模较小。

2008 年全国共有注册科普志愿者 76.78 万人，与 2006 相比年均增长 46.6%，占科普兼职人员总数的 43.6%。

**2．科普场地建设得到各级政府的广泛重视**

截至 2008 年底，全国共有建筑面积在 500 平方米以上的各类科普场馆 1107 个，比 2006 年增加 248 个，增长了 28.9%。这不仅是因为新建了一批科普场馆，也和调查范围的扩大有关。在这些场馆中，科技馆 285 个，科学技术博物馆 380 个，青少年科技馆（站）442 个，分别比 2006 年统计结果增加 5 个、141 个和 102 个（见表 2）。285 个科技馆建筑面积合计 179.92 万平方米，比 2006 年增长 12.0%；展厅面积合计 83.26 万平方米，比 2006 年增长 38.3%；参观人数共计 2282.19 万人次，比 2006 年增长 37.3%。380 个科学技术博物馆建筑面积合计 228.14 万平方米，比 2006 年增长 17.1%；展厅面积合计 118.61 万平方米，比 2006

年增长 75.5%；参观人数共计 3875.25 万人次，比 2006 年增长 135.6%。

表 2　2004-2008 年全国各类科普场馆对比（单位：个）

| | 2004 年 | 2006 年 | 2008 年 |
|---|---|---|---|
| 科技馆 | 265 | 280 | 285 |
| 科学技术博物馆 | 185 | 239 | 380 |
| 青少年科技馆（站） | 254 | 340 | 442 |
| 合　计 | 704 | 859 | 1107 |

除了科普场馆的建设，公共场所的科普宣传设施在我国的科学技术普及工作中也发挥了重要的作用。截至 2008 年底，全国共有科普画廊 18.7 万个，比 2006 年增长 39.0%；城市社区科普（技）活动专用室 5.6 万个，比 2006 年增长 19.0%；农村科普（技）活动场地 26.5 万个，比 2006 年增长 12.8%；科普宣传专用车 1414 辆，比 2006 年减少了 218 辆，缩减了 13.4%。

截至 2008 年底，全国共有省级以上科普（技）教育基地 2360 个。国家级科普（技）教育基地 387 个，因为没有进行新的命名，与 2006 年保持同样的水平，其中享受过税收优惠政策的有 46 个，占总数的 11.9%，与 2006 年相比有所下降。省级科普（技）教育基地 1973 个，比 2006 年增长了 21.1%，其中享受过税收优惠政策的有 154 个，占总数的 7.8%，也比 2006 年有所下降。

### 3．科普经费投入显著增加

2008 年全社会科普经费投入 64.84 亿元，比 2006 年增长 38.5%。其中，各级政府财政拨款近 47 亿元，占投入总金额的 72.5%，这一比例比 2006 年有所提高。在政府拨款的科普经费中，科普专项经费 24.42 亿元，比 2006 年增长 56.7%。全国人均科普专项经费 1.84 元，比 2006 年的人均 1.18 元增加了 0.66 元。

从科普经费筹集额的增长看，各项经费来源与 2006 年相比都有较大幅度的增加，增长最快的是其他收入部分，其次是来自政府的科普经费投入，增速较缓的是社会捐赠部分（见表 3）。

表 3　2004—2008 年科普经费筹集额构成的变化（单位：亿元）

| | 2004 年 | 2006 年 | 2008 年 |
|---|---|---|---|
| 政府拨款 | 15.51 | 32.50 | 64.84 |
| 捐赠 | 0.45 | 0.78 | 0.83 |
| 自筹资金 | 6.22 | 10.62 | 12.30 |
| 其他收入 | 1.98 | 2.92 | 4.82 |

2008 年度全国科普经费使用额共计 62.31 亿元，比 2006 年增长了 35.4%。其中行政支出 8.87 亿元，科普活动支出经费 36.03 亿元，科普场馆基建支出 11.91 亿元，其他支出 5.58 亿元。从科普经费的使用情况可以看出，2008 年科普经费使用额中的大部分支出用于举办各种科普活动，占支出总额的 57.8%。全国科普场馆基建支出几年来持续增加，但基建支出占全部支出额的比例自 2004 年以来一直持续下降。

### 4. 科普传播媒介形式多样

2008 年全国共出版科普图书 3888 种，比 2006 年增加了 726 种，占 2008 年自然科学技术类图书的 5.5%，比 2006 年下降了 0.05 个百分点；2008 年全国共出版科普图书 0.45 亿册，比 2006 年减少了约 400 万册，占 2008 年全国自然科学技术类图书总量的 9.7%，比 2006 年下降了 2.59 个百分点。这一方面是由于 2008 年科普图书出版量出现了下降，另一方面也是由于 2008 年自然科学技术类图书总量出现了大幅增长，由 3.99 亿册增加到 4.67 亿册，增长了 17.0%。尽管 2008 年科普图书出版发行量比照 2006 年有所下降，但总体来说，平均发行量依然高于自然科技类图书。

2008 年全国科普期刊出版种数和出版总册数分别为 561 种、1.43 亿册，分别占自然科学类期刊出版种数和出版总册数的 11.7%和 29.7%。

全国共发行科技类报纸 3.72 亿份，平均每万人拥有科技类报纸 2802 份。2008 年我国发行科普（技）音像制品达到 8147 种，全国播放科普（技）电视节目 21.92 万小时，电台播出科普（技）节目 18.28 万小时，全国共有科普网站 1899 个。

### 5. 科普活动成为科技惠及公众的重要平台

2008 年全国共举办科普（技）讲座 95.47 万次，听众达 1.60 亿人次，比 2006 年增长 8.0%；举办科普（技）专题展览 11.50 万次，参观人数超过 1.97 亿人次，比 2006 年增长 35.6%；各类机构共举办科普（技）竞赛 4.69 万次，参加人数达到 4839.65 万人次，比 2006 年增长 14.6%。

从科普活动的级别比较中可以看出，区县级单位举办的科普活动参加人数远远高于其他级别举办活动的参加人数，占全年参加总人数的 80.9%。

2008 年全国共举办参加人次在 1000 人以上的大型科普活动达 2.61 万次。科技活动周作为我国重要的群众性科普活动，2008 年全国科技活动周共投入相关经费 2.72 亿元，比 2006 年增长 22.8%。其中政府拨款 1.88 亿元，企业赞助约

1675 万元。科技活动周期间，共举办科普专题活动 9.63 万次，吸引了 8986.86 万人次参与其中，参加人次比 2006 年增长 3.7%。全国平均每万人口科普受益人数为 677 人次，比 2006 年增长 2.6%（见表 4）。

表 4　2004—2008 年科技活动周举办情况

| | 2004 年 | 2006 年 | 2008 年 |
|---|---|---|---|
| 科普专题活动举办次数（次） | 94172 | 104132 | 96305 |
| 参加人数（万人次） | 8283 | 8669 | 8987 |
| 每万人口受益人数（人次） | 640 | 660 | 677 |

2008 年共建有青少年科技兴趣小组 31.81 万个，参加人数超过 2153 万人次。青少年科技夏（冬）令营活动 2008 年全国共举办了 1.43 万次，参加人数 348.07 万人次。

国家鼓励科研机构和大学利用科研设施、场所等科技资源向社会开放开展科普活动，2008 年全国共有 2766 个单位向公众开放，约有 467.07 万人次参加，平均每个开放单位年接待 1688 人次。科普国际交流参加人数快速增长，全年共举办科普国际交流 2290 次，共有 47.21 万人参加。

## 二、地区科普发展特征

### 1. 各地都在加大科普投入

自 2006 年《国家中长期科学和技术发展规划纲要(2006—2020 年)》和《全民科学素质行动计划纲要（2006—2010—2020 年）》发布以来，各地区把对科普工作的重视体现在实际工作中。从表 5 可以看出，全国大部分地区的万人科普人员数和三级人均科普专项经费都保持增长状态。

表 5　2006 年和 2008 年全国各省万人科普人员数和三级人均科普专项经费

| 地区 | 2006 年 | | 2008 年 | |
|---|---|---|---|---|
| | 万人科普人员数（人） | 人均科普专项经费（元）① | 万人科普人员数（人） | 人均科普专项经费（元）① |
| 北京 | 27.6 | 5.48 | 25.28 | 11.59 |
| 天津 | 26.6 | 1.11 | 31.63 | 3.06 |
| 河北 | 5.8 | 0.38 | 5.16 | 0.39 |
| 山西 | 13.2 | 0.7 | 14.20 | 1.40 |
| 内蒙古 | 6.4 | 0.45 | 13.06 | 0.50 |
| 辽宁 | 10.6 | 1.13 | 15.73 | 1.67 |

**表 5　续表**

| 地区 | 2006 年 | | 2008 年 | |
|---|---|---|---|---|
| | 万人科普人员数（人） | 人均科普专项经费（元）① | 万人科普人员数（人） | 人均科普专项经费（元）① |
| 吉林 | 8.8 | 0.52 | 11.23 | 0.51 |
| 黑龙江 | 7.6 | 0.23 | 11.47 | 0.24 |
| 上海 | 15.9 | 4.07 | 17.07 | 11.82 |
| 江苏 | 12.1 | 1.16 | 12.30 | 1.57 |
| 浙江 | 23.2 | 2.67 | 25.24 | 2.99 |
| 安徽 | 11.3 | 0.51 | 11.07 | 0.92 |
| 福建 | 11.8 | 1.23 | 20.08 | 1.77 |
| 江西 | 10.4 | 0.68 | 11.81 | 0.79 |
| 山东 | 5.0 | 0.54 | 6.36 | 0.62 |
| 河南 | 8.6 | 0.34 | 11.60 | 0.57 |
| 湖北 | 9.8 | 1.43 | 12.68 | 0.75 |
| 湖南 | 13.7 | 0.77 | 17.48 | 1.15 |
| 广东 | 15.9 | 1.58 | 10.26 | 2.28 |
| 广西 | 10.0 | 0.72 | 12.31 | 0.87 |
| 海南 | 5.5 | 0.82 | 15.26 | 0.78 |
| 重庆 | 18.5 | 0.46 | 14.83 | 1.20 |
| 四川 | 17.2 | 0.29 | 13.97 | 0.66 |
| 贵州 | 11.0 | 0.5 | 15.44 | 0.90 |
| 云南 | 17.5 | 1.43 | 19.80 | 1.48 |
| 西藏 | 2.2 | 0.22 | 2.34 | 0.28 |
| 陕西 | 11.8 | 0.36 | 18.25 | 0.60 |
| 甘肃 | 22.3 | 0.47 | 13.14 | 0.53 |
| 青海 | 15.3 | 0.93 | 16.80 | 0.57 |
| 宁夏 | 11.7 | 0.98 | 11.55 | 2.06 |
| 新疆 | 16.0 | 0.94 | 12.30 | 1.27 |

① 人均科普专项经费即三级人均科普专项经费，指省、地（市）、县三级科普专项经费之和除以本地区人口数。

**2. 地区科普资源分布不均衡**

大多数统计指标表明，东部地区科普资源量远高于中部和西部地区。东部地区科技馆的建筑面积是中、西部地区科技馆建筑面积总和的 1.6 倍左右，展厅面积更是中、西部地区之和的 2 倍还多。特别是大、中型科技馆，大多分布在东部沿海地区（图 1）。

图 1　全国科技馆和科学技术博物馆的地区分布

从主要指标的绝对数看，西部地区各省都处于相对落后的状态（见表 6），西部地区每个省平均只有 45143 名科普人员，科技馆的数量也只有 4 个，每个省的科普经费筹集额在 1 亿元左右。

表 6　2008 年东、中、西部地区主要科普指标比较

| 地区 | 每省科普人员总数（人） | 每省科技馆数量（个） | 每省科普经费筹集额（万元） | 每省科技活动周参加人数（人次） |
|---|---|---|---|---|
| 东部 | 62100 | 13 | 36898 | 3646296 |
| 中部 | 67029 | 12 | 13928 | 2556983 |
| 西部 | 45143 | 4 | 10922 | 2441954 |

**3. 西部地区的相对指标并不落后**

如果考虑到地区的人口数量和经济发展状态，西部地区的一些统计指标相

对要好于东、中部地区。西部地区的万人科普人员数、科普经费占GDP的比例、每万人的科技活动周参加人数都处于3个地区的首位，只是人均科普专项经费和万人科技馆展厅面积相对靠后（见表7）。这说明西部地区虽然经济条件有限，但在科普方面仍然在努力加大投入。

表7 2008年东、中、西部地区主要科普指标相对值比较

| 地区 | 万人科普人员数（人） | 科普经费占GDP万分比 | 人均科普专项经费（元） | 万人科技馆展厅面积（米²） | 万人科技活动周参加人数（人次） |
|---|---|---|---|---|---|
| 东部 | 13.07 | 2.12 | 3.41 | 10.75 | 767.21 |
| 中部 | 12.76 | 1.43 | 0.79 | 3.73 | 486.75 |
| 西部 | 14.83 | 2.25 | 0.89 | 3.11 | 802.34 |

如果将各地科普经费筹集额占地区生产总值的比例定义为科普经费强度，它的分布不同于R&D经费强度（R&D经费/地区生产总值），一些地区生产总值相对较低的省份也有很好的表现（见表8）。云南、贵州、宁夏、新疆、海南等地虽然R&D强度较低，但科普经费强度都排在全国的前10位。

表8 各地科普经费强度与R&D强度①对比

| 地区 | 科普经费/GDP（‱） | R&D/GDP（%） | 地区 | 科普经费/GDP（‱） | R&D/GDP（%） |
|---|---|---|---|---|---|
| 北京 | 12.86 | 5.4 | 湖北 | 2.80 | 1.21 |
| 天津 | 1.72 | 2.27 | 湖南 | 1.78 | 0.8 |
| 河北 | 0.42 | 0.66 | 广东 | 1.39 | 1.3 |
| 山西 | 1.47 | 0.86 | 广西 | 2.27 | 0.37 |
| 内蒙古 | 0.56 | 0.4 | 海南 | 2.60 | 0.21 |
| 辽宁 | 1.10 | 1.5 | 重庆 | 2.51 | 1.14 |
| 吉林 | 0.77 | 0.96 | 四川 | 1.62 | 1.32 |
| 黑龙江 | 0.57 | 0.93 | 贵州 | 3.82 | 0.5 |
| 上海 | 3.65 | 2.52 | 云南 | 5.87 | 0.55 |
| 江苏 | 1.51 | 1.67 | 西藏 | 0.59 | 0.2 |
| 浙江 | 2.21 | 1.5 | 陕西 | 1.47 | 2.23 |
| 安徽 | 1.57 | 0.97 | 甘肃 | 1.24 | 0.95 |
| 福建 | 2.52 | 0.89 | 青海 | 1.95 | 0.49 |
| 江西 | 1.50 | 0.89 | 宁夏 | 3.35 | 0.84 |
| 山东 | 0.47 | 1.2 | 新疆 | 2.73 | 0.28 |
| 河南 | 0.88 | 0.67 | | | |

① R&D强度为2007年数据，来源于《中国科学技术指标2008》。

## 三、数据反应的一些问题

从上述数据可以看出，我国的科普工作已经取得了可喜的进步，但仍然存在一些不足。

一是科普创作人员匮乏。2008 年我国专职从事科普文学作品创作、科普影视作品创作、科普展品创作以及科普理论研究等工作的人员仅为 8509 人，占全部科普人员的 0.5%，人数比 2006 年降低 1.8%。在我国的 285 个科技馆中，只有 327 名科普创作人员，并且其中 226 个科技馆没有一名创作人员。创作人员的稀缺，使我国的科普缺乏原创性。

二是教育部门的科普场馆有待进一步开放。截至 2008 年，教育部门共有 20 个科技馆，50 个科学技术博物馆，这些场馆大多分布在高校中。教育部门的科技馆平均参观人次只有 14636 人，远低于全国平均的 80076 人。教育部门的科技博物馆平均参观人次只有 20395 人，远低于全国平均的 101845 人。在保证学校正常教学的情况下，促进高校科普场馆的社会共享，有利于提高科普设施的利用率。

三是社会科普经费增长较慢。我国的科普投入整体处于快速增长状态，但来自社会的资金相对增长较慢。2008 年科普经费筹集额比 2006 年增长 38.2%，但其中捐赠部分只增长了 6.4%。科技活动周的经费筹集额中，来自企业赞助的部分，比 2006 年还下降了 45.8%。

四是基层科普人员素质有待提高。我国的科普人员主要分布在基层，县级的科普人员占全部人员数的 78.3%，县级农村科普人员更是占全国农村科普人员数的 87.6%。但也应看到，县级单位的科普人员学历相对较低。中央部门单位的中级职称以上或大学本科以上学历科普人员比例为 78.7%，而区县级仅为 38.0%。进一步提高县级科普人员的素质，有利于我国科普工作的整体发展。

# 1　科普人员

科普人员是指科普活动的组织者、科学技术的传播者，是我国人才队伍的重要组成部分。按从事科普工作时间占全部工作时间的比例以及职业性质，科普人员可以分为科普专职人员和科普兼职人员。

科普专职人员是指从事科普工作时间占其全部工作时间60%及以上的人员，包括各级国家机关和社会团体的科普管理工作者，科研院所和大中专院校中从事专业科普研究和创作的人员，专职科普作家，中小学专职科技辅导员，各类科普场馆的相关工作人员，科普类图书、期刊、报刊科技（普）专栏版的编辑，电台、电视台科普频道、栏目的编导和科普网站信息加工人员等。

科普兼职人员是科普专职人员队伍的重要补充，他们在非职业范围内从事科普工作，工作时间不能满足科普专职人员的要求，主要包括进行科普（技）讲座等科普活动的科技人员、中小学兼职科技辅导员、参与科普活动的志愿者和科技馆（站）的志愿者等。

## 1.1　科普人员概况

据统计，2008 年全国共有科普人员 176.10 万人，比 2006 年增加 8.5%；全国每万人口拥有科普人员 13.4 人。其中，科普专职人员 22.97 万人，占科普人员总数的 13.0%，比 2006 年提高了 0.7%；科普兼职人员比 2006 年增加 10.79 万人，达到 153.14 万人，占科普人员总数的 87.0%。2008 年全国科普兼职人员共投入工作量 212.99 万人月，比 2006 年减少 2.6%；科普兼职人员人均年度投入工作量 1.39 个月。

### 1.1.1　科普人员类别

2008 年全国共有中级职称以上或大学本科以上学历的科普人员 74.36 万人，占科普人员总数的 42.2%。中级职称以上或大学本科以上学历的科普专职人员 11.21 万人，占科普专职人员总数的 48.8%；中级职称以上或大学本科以上学历的科普兼职人员 63.15 万人，占科普兼职人员总数的 41.2%。

2008 年全国共有 59.81 万名女性科普人员，占科普人员总数的 34%。其中，女性科普专职人员 7.54 万人，占科普专职人员数的 32.8%；女性科普兼职人员 52.28 万人，占科普兼职人员数的 34.1%。

我国政府历来重视农村地区的科普工作。农村科普工作面广量大，任务繁重。农村科普人员主要包括农业管理部门的专职科普人员、农技咨询协会工作人员和农函大教员等。2008 年全国共有农村科普人员 56.99 万人，占科普人员总数的 32.4%。其中，农村科普专职人员 8.13 万人，农村科普兼职人员 48.86 万人，与 2006 年的统计结果相比，农村科普专职人员减少了 651 人，农村科普兼职人员增速较快，增加了 5.08 万人。2008 年全国每万名农村人口[1]拥有科普人员数比 2006 年增加 0.9 人，达到 7.9 人，但与城镇地区的每万人口名科普人员数 19.6 人相比，还存在较大差距。

管理是科普工作必不可少的组成部分，科普工作需要管理者的组织。2008 年全国共有科普管理人员 4.5 万人，占科普人员总数的 2.6%。与 2004 年和 2006 年的统计结果相比，管理人员总数有所增加，但所占比例进一步下降。

科普创作人员包括科普文学作品创作人员、科普影视作品创作人员、科普展品创作人员以及科普理论研究人员等。2008 年专职从事科普作品创作的人员有所减少，为 8526 人，占全国科普专职人员数的 3.7%，总体规模较小。

2008 年全国共有注册科普志愿者 76.78 万人，与 2006 相比年均增长 46.6%，占科普兼职人员总数的 43.6%。

### 1.1.2 科普人员分级构成

按中央部门、省级、地市和县级的科普人员分布来看，我国县级科普人员最多，而中央部门科普人员最少（图 1-1）。全国县级科普人员共有 138.04 万人，占全国总量的 78.4%，比 2006 年提高近 2.8 个百分点。分布在中央部门的科普人员有 1.52 万人，仅占全国科普人员总数的 0.9%；其中 22.8%的科普专职人员是科普管理人员，科普兼职人员比例由 2006 年的 71.5%增加到 75.7%。

1 根据国家统计局数据，2008 年底我国城镇人口 60667 万人，农村人口 72135 万人。

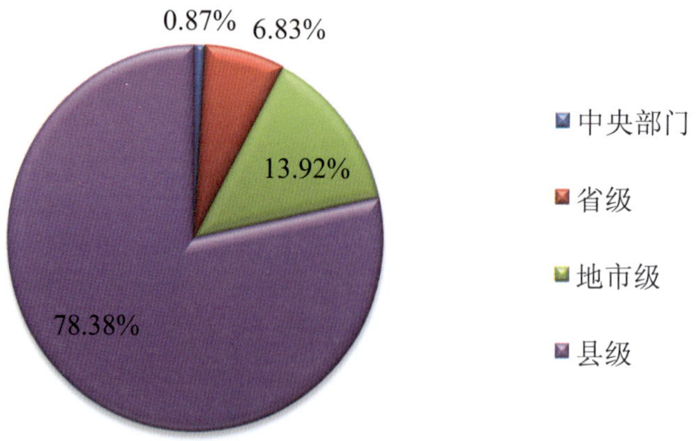


**图 1-1　2008 年全国四级科普人员构成比例**

从科普专职人员占同级科普人员比例来看（表 1-1），2008 年中央部门达到 24.3%，地市级科普人员中科普专职人员比例最低。从科普人员的职称及学历看，在中央部委 78.7%的科普人员具有中级职称以上或大学本科以上学历；在县级仅有 38%的科普人员具有中级职称以上或大学本科以上学历，但比 2006 年有所改善；省级科普人员中中级职称以上或大学本科以上学历人员占同级科普人员比例为 52.9%。从表 1-1 还可以看出，2008 年中央部门的女性科普人员比例最高；县级农村科普人员比例最高。

**表 1-1　2008 年科普人员构成情况**

| 层级 | 科普专职人员占同级科普人员比例（%） | 中级职称以上或大学本科以上学历人员占同级科普人员比例（%） | 女性科普人员占同级科普人员比例（%） | 农村科普人员占同级科普人员比例（%） |
|---|---|---|---|---|
| 中央部门 | 24.3 | 78.7 | 40.6 | 12.4 |
| 省级 | 13.7 | 52.9 | 30.8 | 12.1 |
| 地市级 | 12.2 | 58.7 | 35.3 | 22.2 |
| 县级 | 13.0 | 38.0 | 34.0 | 36.2 |

### 1.1.3　科普人员区域分布

2008 年东部、中部和西部地区的科普人员数分别为 68.31 万人、53.62 万人和 54.17 万人（图 1-2），与 2006 年的统计结果相比，东部、中部和西部地区的科普人员数分别增长 7.5%、18.1%和 1.4%，中部地区科普人员增长依然相对较快。

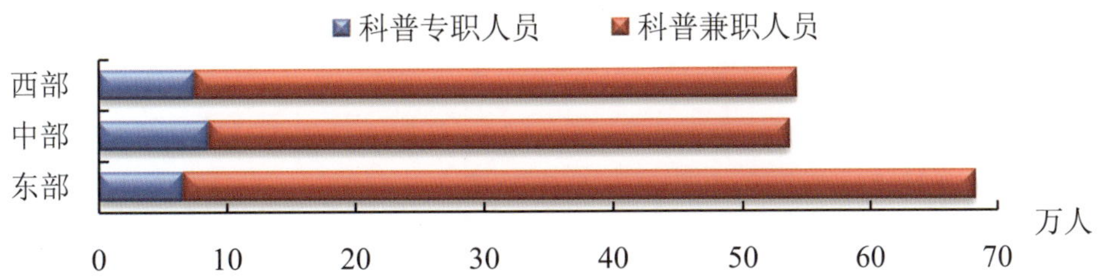


**图 1-2　2008 年东、中、西部地区科普人员数**

图 1-3 反映了我国科普人员在东部、中部和西部地区的分布情况。西部地区人口占全国的 27.9%，但各类科普人员数占全国的 30.8%。中部地区科普专职人员相对较多，占全国的 37.8%；东部地区科普专职人员少，仅占全国的 29.1%。

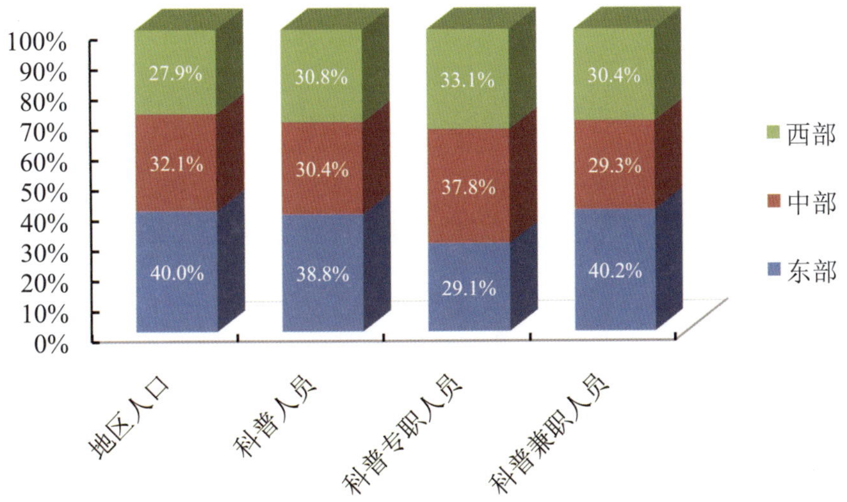


**图 1-3　2008 年东、中、西部地区人口及科普人员占全国的比例**

2008 年东部、中部和西部地区每万人口中的科普人员数分别为 13.1 人、12.8 人和 14.8 人，依然呈现出东、西部地区高，中部地区低的特征，但中部地区与东部和西部地区的差距有所缩小。

从各地区科普人员的专兼职情况来看（图 1-4），中部地区科普专职人员比例相对较高。2008 年东部、中部和西部地区的科普专职人员比例分别为 9.8%、16.2%和 14.0%，西部地区比 2006 年提高 1.9 个百分点。

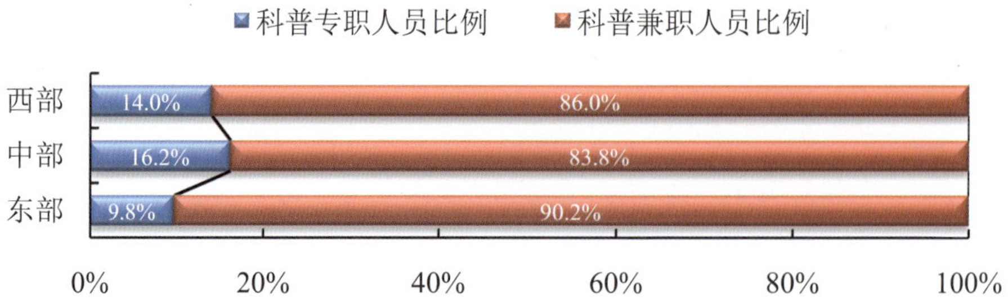


**图 1-4　2008 年东、中、西部地区科普人员构成**

科普人员中中级职称以上或大学本科以上学历人员的比例从高到低依次是东部、中部和西部地区（图 1-5）。东部地区科普人员中中级职称以上或大学本科以上学历人员的比例达到了 45.4%，西部地区仅为 38.3%。此外，在 3 个地区中，科普专职人员的这一比例均高于科普兼职人员。

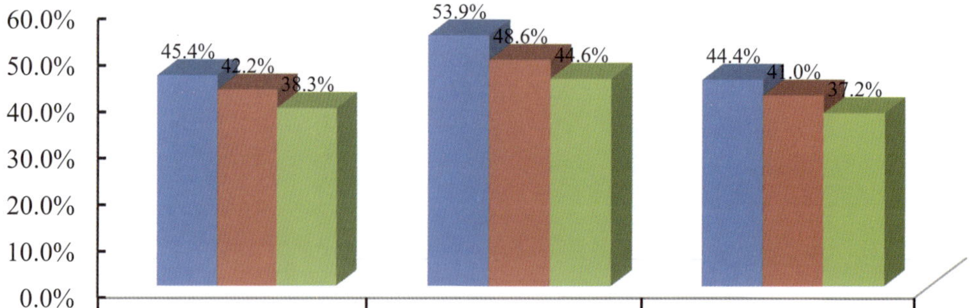


| | 科普人员中中级职称以上或大学本科以上学历人员比例 | 科普专职人员中中级职称以上或大学本科以上学历人员比例 | 科普兼职人员中中级职称以上或大学本科以上学历人员比例 |
|---|---|---|---|
| 东部 | 45.4% | 53.9% | 44.4% |
| 中部 | 42.2% | 48.6% | 41.0% |
| 西部 | 38.3% | 44.6% | 37.2% |

**图 1-5　2008 年东、中、西部地区科普人员的职称及学历情况**

2008 年东部、中部和西部地区的农村科普人员总数分别为 17.75 万人、20.60 万人和 18.63 万人，比 2006 年均有不同程度增加。从科普人员中农村科普人员的比例来看，中部地区农村科普人员比例最高，达到 38.4%；其次是西部地区，为 34.4%；东部地区这一比例仅为 26%。此外，在中部和西部地区，农村科普专职人员分别占科普专职人员的 39.4%和 38.2%；在东部地区，这一比例仅为 27.0%。与2006年相比，东部、中部和西部地区的农村科普专职人员比例分别下降了 5.9%、

3.8%和 7.9%。

中部地区科普人员中女性科普人员比例略低，为 32.2%；东部和西部地区的女性科普人员比例相差不多，分别为 34.7%和 34.9%。与 2006 年相比，西部地区女性科普人员比例有所增加。

从专职科普创作人员数量看（图 1-6），东部和中部地区分别有科普创作人员 4225 人和 2620 人，占全国总量的 49.6%和 30.7%；西部地区只有科普创作人员 1681 人，还不到东部地区的一半。中部地区科普创作人员减少幅度较大，比 2006 年减少了近 450 人。这可能是部分人员不再参与科普创作，也可能与统计口径的变化有关。

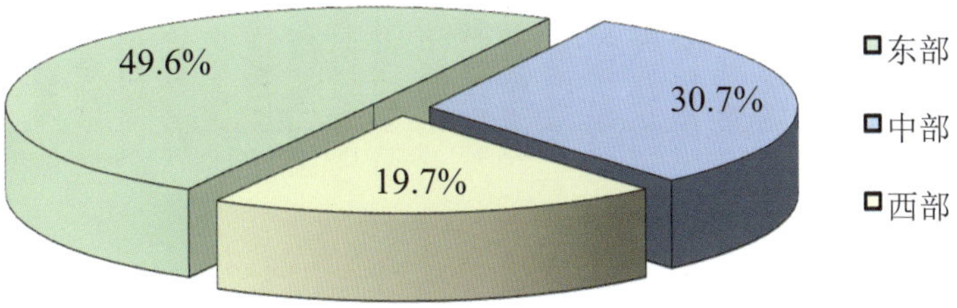


图 1-6　2008 年东、中、西部地区科普创作人员占全国比重

## 1.2　各省科普人员分布

统计结果显示，2008 年大多数地区都加大了科普人力资源投入，科普人员队伍进一步壮大。由于各省的社会经济发展状况不同，科普人力资源投入也表现出一定的地域性差异。

### 1.2.1　各省科普人员规模

2008 年各省平均投入科普人员 5.68 万人，比 2006 年增加 0.44 万人。科普人员规模超过平均水平的地区依次是浙江、四川、湖南、河南、广东、江苏、云南、湖北、福建、陕西、安徽、辽宁、山东、广西和贵州（图 1-7）。这 15 个省份的科普人员总数占全国科普人员总数的 72%。科普人员数超过 10 万人的地区有浙江、四川、湖南和河南。青海、宁夏和西藏地区的人口少，科普人员规模不到 1 万人，西藏科普人员总数仅为 673 人。

2008 年我国 31 个省的平均每个省拥有科普专职人员数为 7409 人，比 2006 年增长 14.8%。共有 14 个地区超过了全国平均水平，分别为湖南、河南、四川、湖北、云南、安徽、广东、江苏、贵州、江西、山西、山东、广西和吉林。湖南有科普专职人员 1.74 万人，位居全国之首，其后依次是：河南 1.71 万人、四川 1.52 万人、湖北 1.46 万人。

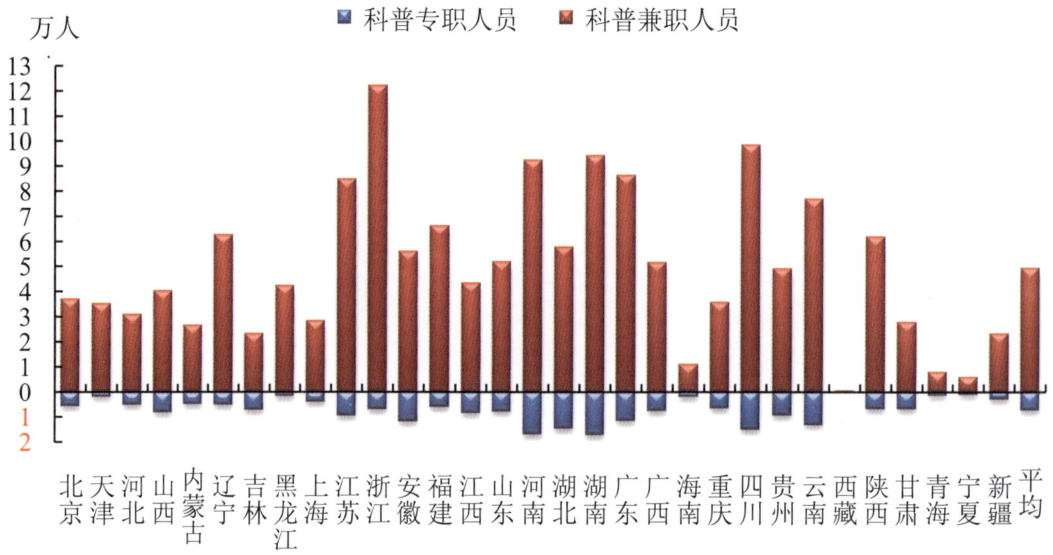


**图 1-7 2008 年各省科普人员数**

从科普兼职人员数来看，2008 年各省平均拥有 4.93 万名科普兼职人员，比 2006 年增长 7.4%。浙江、四川、湖南、河南、广东、江苏、云南、福建、辽宁、陕西、湖北、安徽、山东和广西的科普兼职人员数量高于全国平均水平。其中，浙江的科普兼职人员规模达到了 12.22 万人，四川、湖南和河南的科普兼职人员数量也均超过了 9 万人。

与 2006 年统计结果相比，天津、内蒙古、辽宁、福建、黑龙江、陕西和贵州的科普兼职人员数有较大幅度增长，广东、四川、甘肃和新疆的科普兼职人员数量则出现较大幅度下降。

从科普专职人员占全部科普人员的比例来看（图 1-8），东部地区科普专职人员占该地区全部科普人员的平均比例为 9.8%，大多数东部省份低于 13%的全国平均水平。东部、中部和西部地区分别有 3 个、8 个和 8 个省份高于全国平均水平。中部地区有 8 个省份的这一比例均在全国平均数之上，其中吉林和湖北的专职科普人员比例分别高达 24.2%和 20.2%。

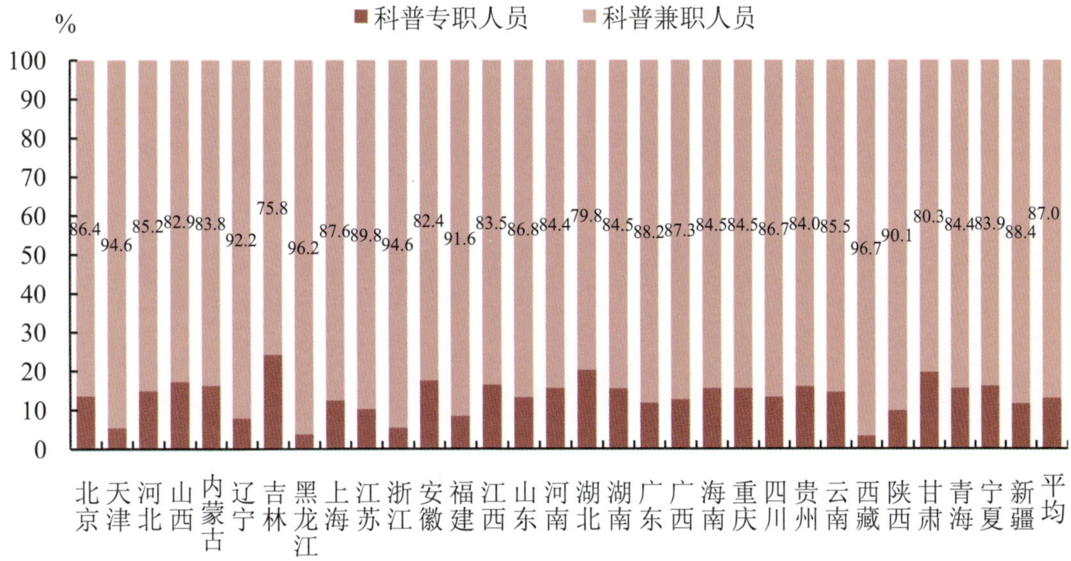


**图 1-8　2008 年各省科普人员构成**

从图 1-9 可以看出各省的科普人员人均拥有量。2008 年全国平均每万人口拥有科普人员 13.4 人，有 15 个省份超过平均水平。其中，东部地区 7 个，分别为天津、北京、浙江、福建、上海、辽宁和海南；西部地区 6 个，分别为云南、陕西、青海、重庆、贵州和四川；中部地区 2 个，为湖南和山西。天津、北京、浙江的每万人口科普人员数位居前列，分别达到了 34.6 人、27.1 人和 26.0 人。与 2006 年的统计结果相比，天津、内蒙古、辽宁、福建、黑龙江、陕西和贵州的每万人口科普人员数有较大幅度增长；每万人口科普人员数为 10 人以下的地区数由 2006 年的 9 个进一步减少到了 2008 年的 3 个。

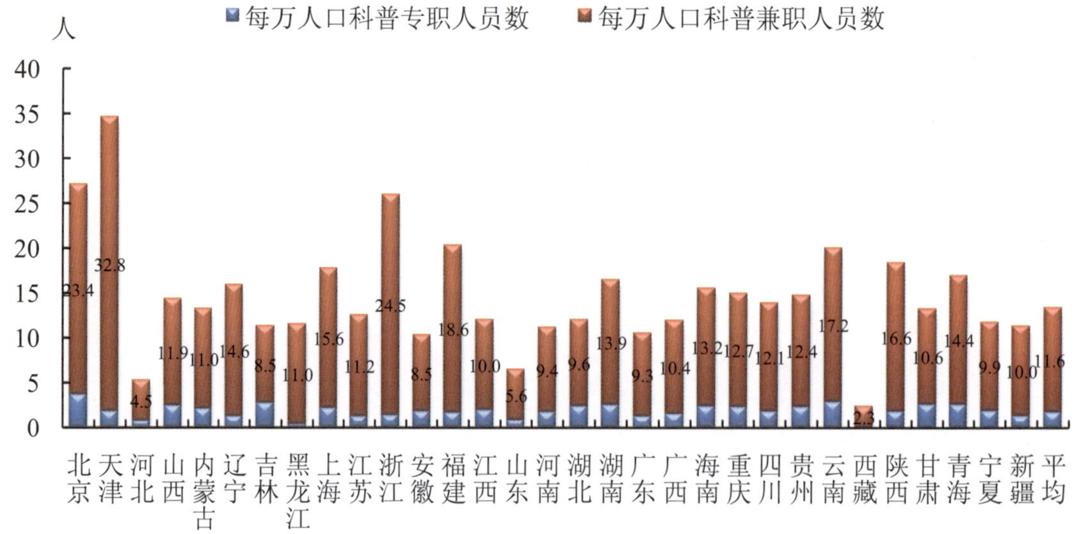


**图 1-9　2008 年各省每万人口科普人员数**

### 1.2.2　各省科普人员构成

**（1）科普人员职称及学历。**2008 年中级职称以上或大学本科以上学历科普人员数量较多的地区依次是浙江、湖南、江苏、河南、广东和四川等省份，共有 13 个地区超过全国平均水平，其中多数为人口大省。浙江省共有中级职称以上或大学本科以上学历专、兼职科普人员 4.93 万人，居全国第一位。此外，湖南、江苏、河南、广东的中级职称以上或大学本科以上学历专、兼职科普人员也相对较多，均超过了 4.50 万人。

全国科普人员中中级职称以上或大学本科以上学历人员的比例为 42.2%，有 20 个省份的这一比例超过了 40%（图 1-11）。在北京、河北、西藏、宁夏、湖北、黑龙江和青海，50%以上的科普人员拥有中级以上职称或大学本科以上学历，北京的这一比例高达 54.6%。仅有海南的这一比例低于 30%。

在绝大多数省份，科普专职人员中中级职称以上或大学本科以上学历人员比例要高于科普兼职人员的这一比例。科普专职人员中中级职称以上或大学本科以上学历人员比例超过 50.0%的有 13 个省份，超过 40.0%的有 28 个省份。

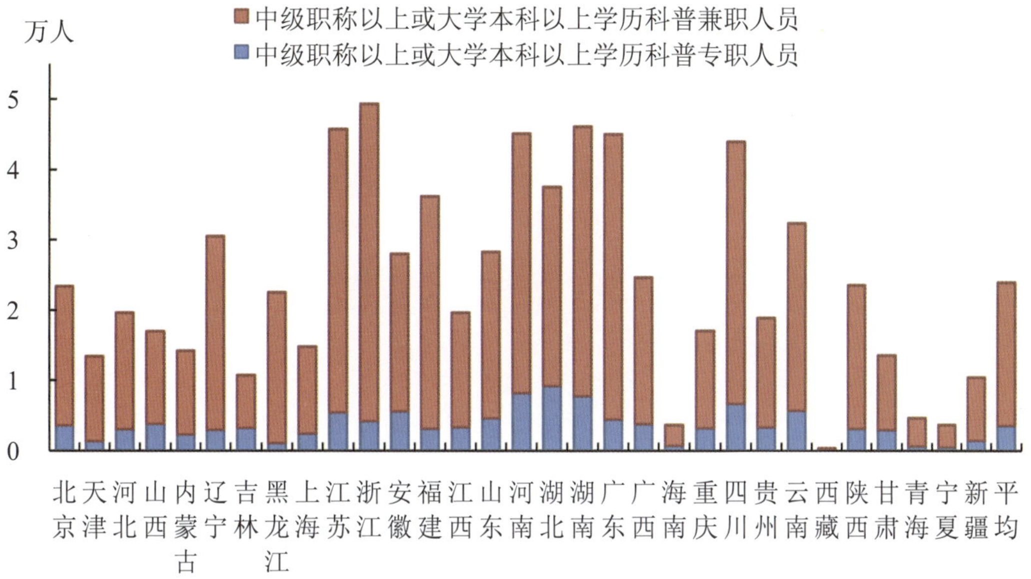


**图 1-10　2008 年各省中级职称以上或大学本科以上学历科普人员数**

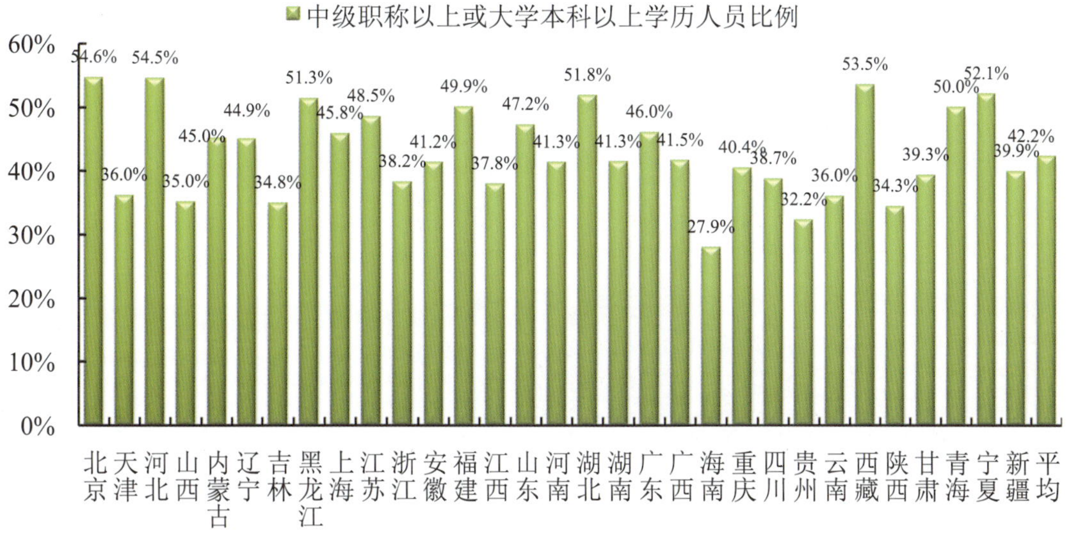


**图 1-11　2008 年各省中级职称以上或大学本科以上学历科普人员比例**

**（2）女性科普人员。**各省平均拥有 1.93 万名女性科普人员。四川、浙江、河南、广东、湖南、云南、江苏和辽宁等省份的女性科普人员规模较大，均超过了 2.8 万人。四川省女性科普人员规模达到了 3.9 万人，居全国之首。北京女性科普人员比例最高，有将近一半的科普人员是女性。此外，新疆、上海、河北和辽宁的女性科普人员比例也较高，超过了 40%。

女性科普专职人员数超过 4000 人的省份依次是河南、湖南、四川和云南；科普专职人员中女性比例相对较高的省份则是北京、黑龙江、青海和河北，均超过了 45%。女性科普兼职人员较多的省份依次是浙江、四川、广东、河南、湖南、江苏、云南和辽宁，其中浙江和四川的女性科普兼职人员数均超了 3.4 万人；北京和新疆的科普兼职人员中女性比例相对较高，约有一半的科普兼职人员是女性。

**（3）农村科普人员**。各省农村科普专、兼职人员的规模如图 1-12 所示。农村科普人员数超过全国平均水平的共有 16 个省份，这些省份也是农村人口规模较大的省份。其中，东部地区 5 个，为浙江、江苏、福建、广东和山东；西部地区 5 个，分别为四川、云南、贵州、陕西和广西；中部地区 6 个，分别为河南、湖南、湖北、安徽、山西和江西。河南 2008 年有各类农村科普人员 4.08 万人，居全国之首。农村科普人员规模较小的 10 个省份主要包括北京、天津和上海 3 个直辖市以及宁夏、青海、西藏等西部地区，其农村科普人员总数仅占全国总量的 8.6%。

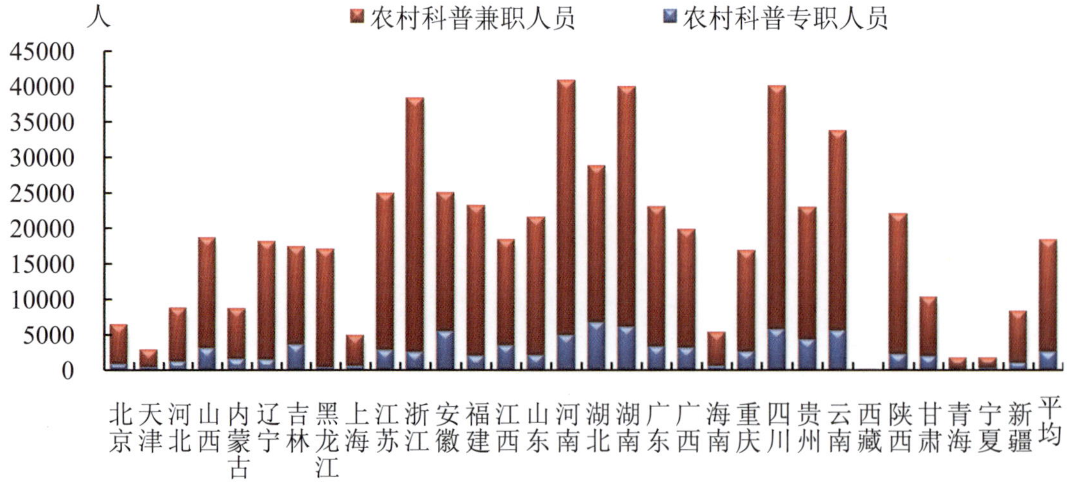


**图 1-12　2008 年各省农村科普人员**

2008 年各省平均拥有农村科普专职人员 2262 人。湖北、湖南、四川、云南、安徽和河南等 6 个省份的农村科普专职人员数均超过 5000 人。其中，湖北省从事农村科普工作的专职人员数达到了 6825 人。有 8 个省份 40.0%以上的科普专职人员是农村科普人员。其中，西部地区 4 个，分别为贵州、云南、广西和重庆；中部地区 4 个，分别为吉林、湖北、安徽和江西。在吉林，49.2%的科普专职人员为农村科普人员。

图 1-13 所示是各省科普人员中农村科普人员的比例情况。从中可以看出，大多数中、西部省份的农村科普人员比例高于东部省份。2008 年农村科普人员比例高于 40%的省份有吉林、海南、重庆和湖北。农村科普人员比例低于 16%的省份有北京、天津、上海和西藏。

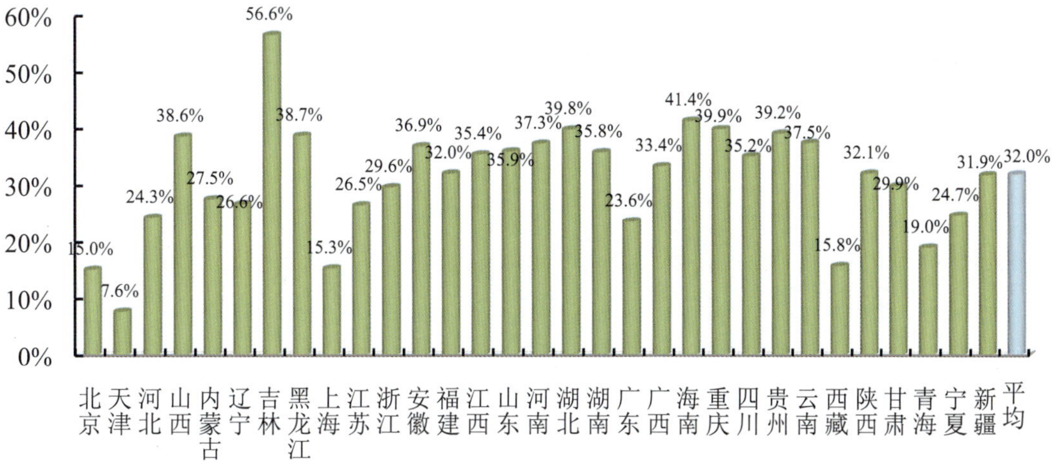


**图 1-13　2008 年各省农村科普人员比例**

**（4）科普管理人员。**2008 年各省科普管理人员平均为 1453 人。图 1-14 所示的为各省科普管理人员数量。各省科普管理人员数的排序与各省科普人员数的排序大体一致。相对于其他省份，河南、湖南、四川、湖北和广东的科普管理人员规模较大，均超过 2500 人。从科普人员中管理人员的比例来看，除个别省份外，多数省份的科普管理人员与科普人员之比在 1:30 到 1:50 之间。

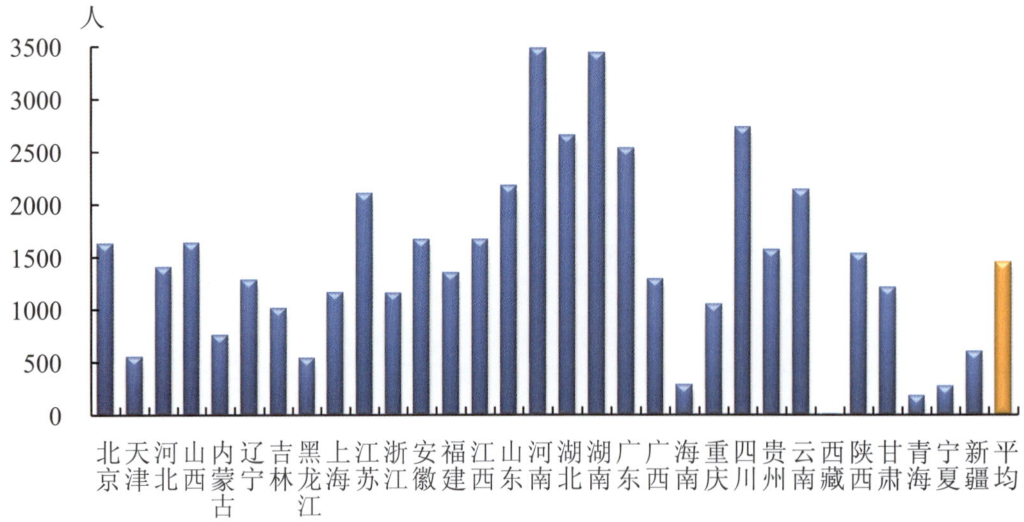


**图 1-14　2008 年各省科普管理人员数**

**（5）科普创作人员。**2008 年全国共有专职科普创作人员 8526 人，主要集中于北京、上海、河南、湖南、江苏、广东、湖北和山东等省市（图 1-15），占全国总数的 53.5%。

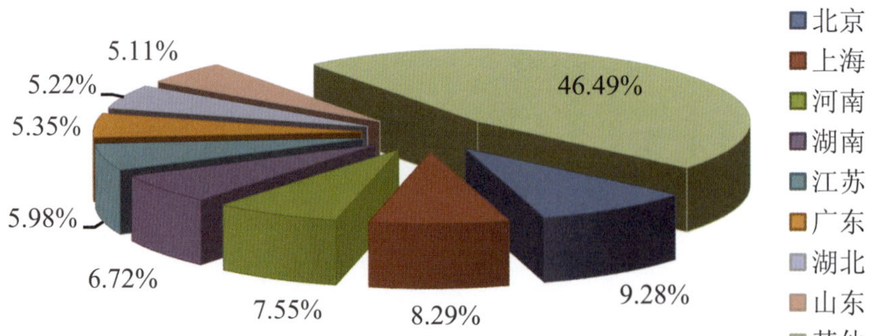


**图 1-15　2008 年各省科普创作人员数占全国科普创作人员总数的比例**

**（6）注册科普志愿者。**不同省份在注册科普志愿者的规模上存在着明显差异（图 1-16）。江苏注册科普志愿者人员最多，达到 16.36 万人，占全国注册科普志愿者总数的 21.3%，湖南以 9.54 万名注册科普志愿者位居其次。四川和浙江的注册科普志愿者规模也相对较大，均超过 5.5 万人。

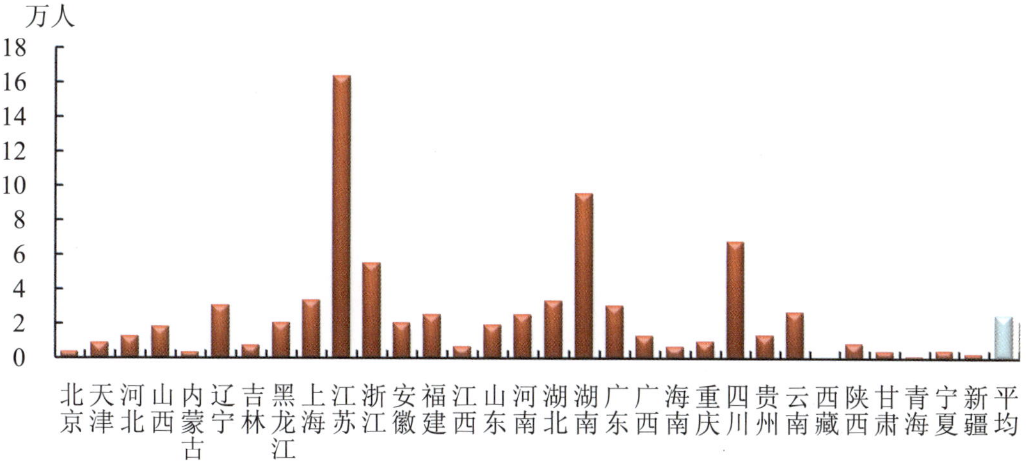


**图 1-16　2008 年各省注册科普志愿者人数**

## 1.3　部门科普人员分布

### 1.3.1　部门科普人员规模

从科普人员规模来看，科协、教育部门和农业部门的科普人员相对较多。如图 1-17 所示，科协系统有专、兼科普人员共计 39.25 万人，占全国总量的 22.3%。教育部门和农业部门的科普人员数分别达到了 31.55 万人和 23.11 万人。卫生部门和科技管理部门的人员规模也相对较大，均在 16 万人以上。分布在计生、共团和妇联部门的科普人员分别有 8.90 万人、6.9 万人和 4.5 万人。相比之下，文化、国土资源、气象、环保、广电、工会、地震、旅游和中科院等部门的科普人员较少。

从图 1-17 中可以看出，与 2006 年相比，教育、文化、卫生、计生、林业、旅游、中科院、地震、气象等部门科普人员数量增长较快。

**（1）科普人员组成结构。**不同部门在科普人员组成结构上存在较大差异。农业、广电和林业部门的科普专职人员比例依然较高（图 1-18），2008 年分别达到了 32.1%、24.9%和 24.3%。科协、地震、教育、工会、卫生、妇联和共青团等部门的科普专职人员比例较低。妇联和共青团的科普专职人员比例仅为 3.5%和 1.4%。农业部门的科普专职人员比例最高，科普专职人员规模也最大，达到 7.42 万人。科协的科普专职人员比例低，但有 3.56 万名科普专职人员，规模位居第二。

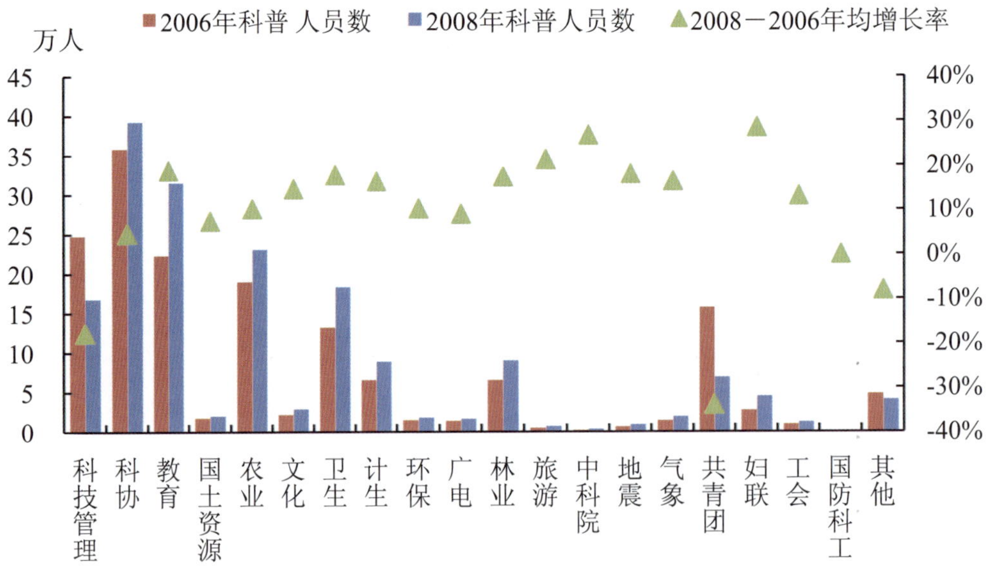


**图 1-17　2008 年部门科普人员数**

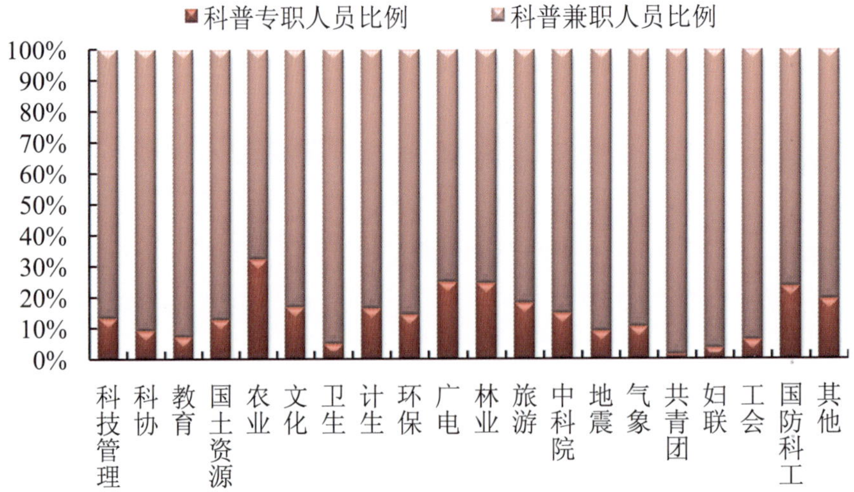


**图 1-18　2008 年部门科普人员构成**

**（2）科普兼职人员年度实际投入工作量。**如图 1-19 所示，2008 年科协和教育部门的科普兼职人员年度投入工作量分别为 49.3 万人月和 37.57 万人月，但科普兼职人员人均年度投入工作量相对较小。农业部门的科普兼职人员年度投入工作量位居第三，共计 28.66 万人月，人均年度投入工作量也相对较多，达 1.83 个月。科技管理和卫生部门的科普兼职人员数也相对较多，规模大体相当。地震、气象、共青团、妇联、国防科工等部门的科普兼职人员人均年度投入工作量相对较少，人均不到 1 个月。

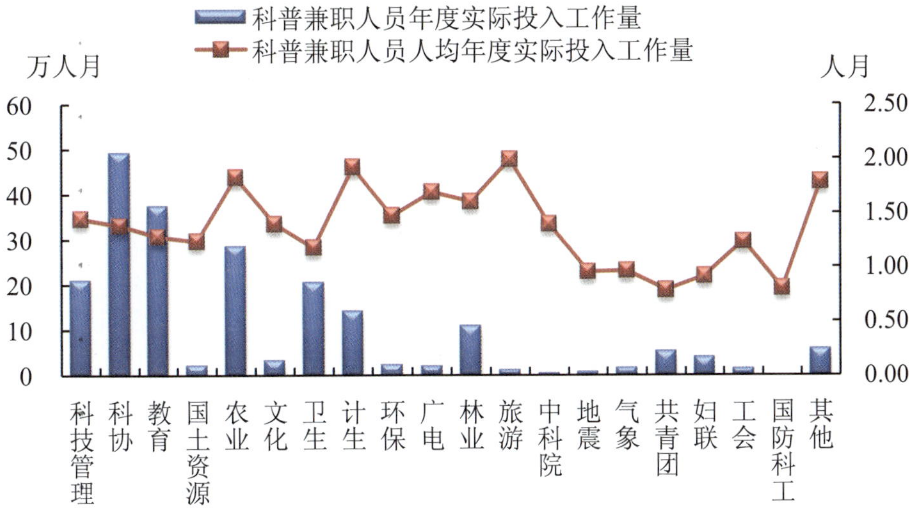


图 1-19　2008 年部门科普兼职人员年度实际投入工作量

### 1.3.2　部门科普人员构成

**（1）科普人员职称及学历。**从科普人员中的中级职称以上或大学本科以上学历人员情况来看（图 1-20），教育部门中级职称以上或大学本科以上学历科普人员总数最多，达到了 18.55 万人。农业部门中级职称以上或大学本科以上学历科普专职人员最多，达到了 3.6 万人。中科院所属单位发挥其高科技人才密集的优势，其中级职称以上或大学本科以上学历人员比例最高，86.7%的科普人员都具有中级以上职称或大学本科以上学历。气象、教育、环保部门的中级职称以上或大学本科以上学历人员比例也较高，共青团、计生和妇联部门的这一比例较低。

**（2）女性科普人员。**2008 年教育、科协和卫生部门的女性科普人员数量位居前 4 位，农业、计生、科技管理和妇联部门的女性科普人员规模也较大（图 1-21）。教育和科协部门的女性科普人员数分别达到了 11.84 万人和 9.82 万人。由于工作对象和工作性质的原因，妇联和计生部门的女性科普人员比例分别高达 82.3%和 62.6%。

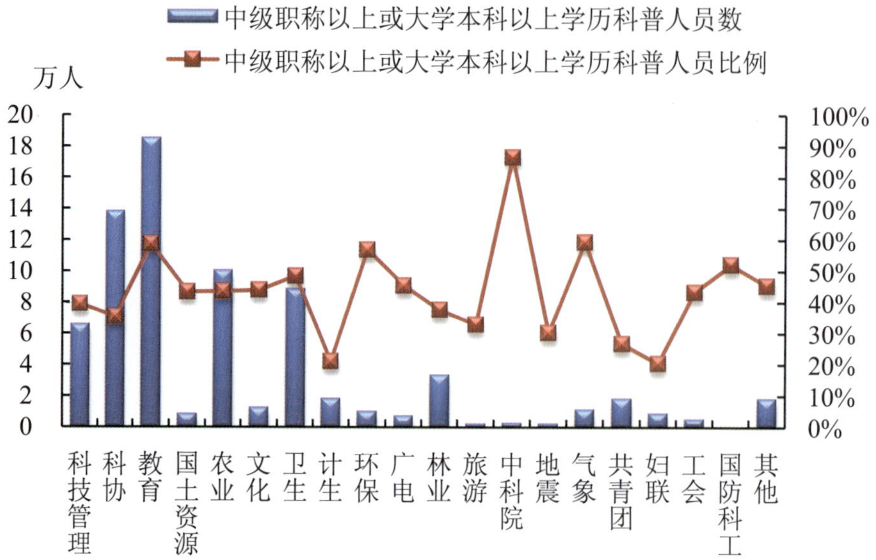


图 1-20　2008 年部门中级职称以上或大学本科以上学历科普人员数及其所占比例

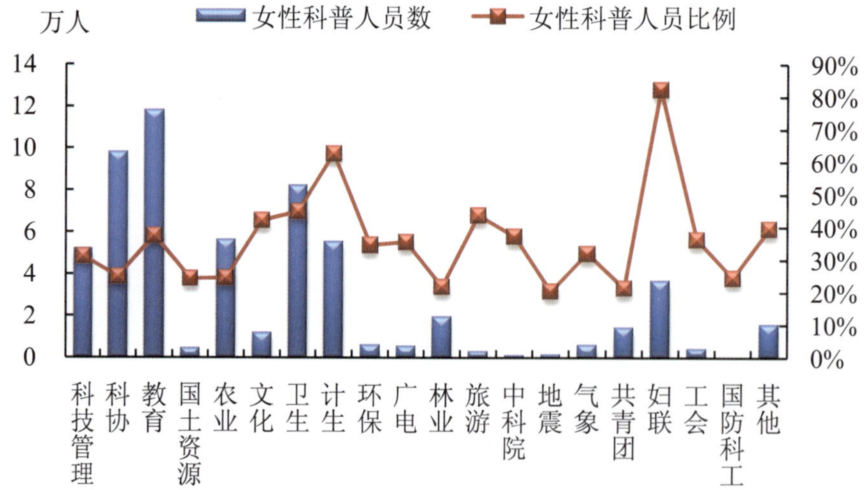


图 1-21　2008 年部门女性科普人员情况

（3）**农村科普人员**。图 1-22 是按部门统计的农村科普人员情况。科协系统的农村科普人员人数达到了 15.58 万人，占科协系统科普人员总数的 39.7%。农业部门的农村科普人员规模仅次于科协系统，并且每 10 个农村科普人员中就有 3 个是专职的。

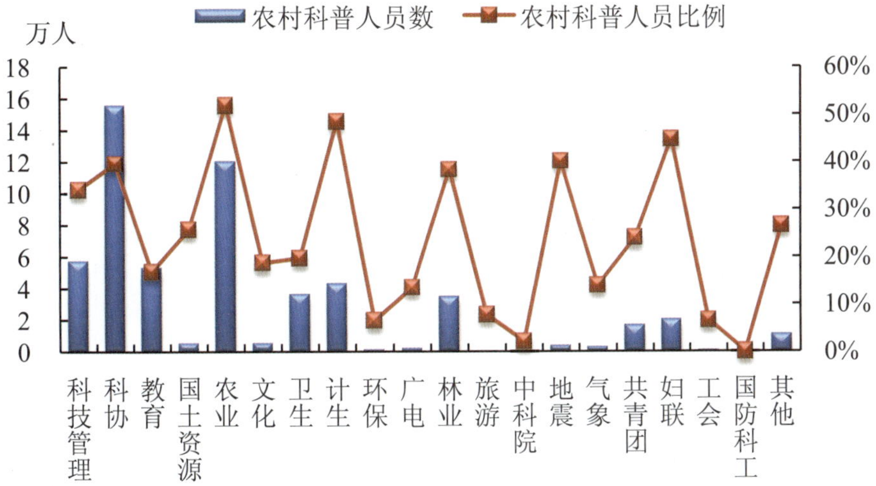


图 1-22　2008 年部门农村科普人员情况

从科普人员中农村科普人员比例来看，农业部门的农村科普人员比例最高，超过了 50%。此外，计生、妇联、地震、科协和林业部门也呈现农村科普人员比例较高的特点。气象、广电、旅游、工会、环保和中科院等部门的农村科普人员比例则不足 15%。

**（4）科普管理人员。**从图 1-23 可以看出，科协系统的科普管理人员最多，为 1.15 万人。农业和科技管理部门分别有科普管理人员 0.81 万人和 0.78 万人。

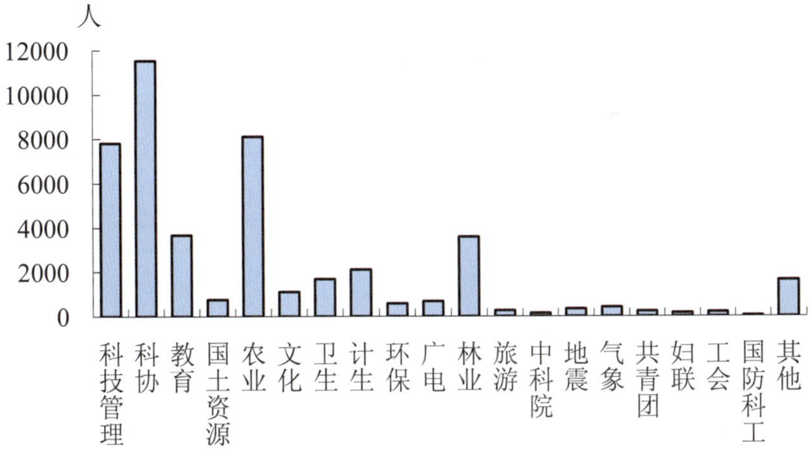


图 1-23　2008 年部门科普管理人员数

**（5）科普创作人员。**从图 1-24 可以看出，专职科普创作人员主要分布于科协、教育、广电、科技管理和农业部门。2008 年科协系统有科普创作人员 1886

人，比 2006 年增加 206 人；占全国科普创作人员总数的 19.3%。教育部门中的科普创作人员数也超过了 1000 人。广电部门虽然科普专职人员总数不多，但科普创作人员却相对较多，并由 2006 年的 906 人增加至 2008 年的 998 人；其科普创作人员占科普专职人员的比例最高，达到 24.2%。

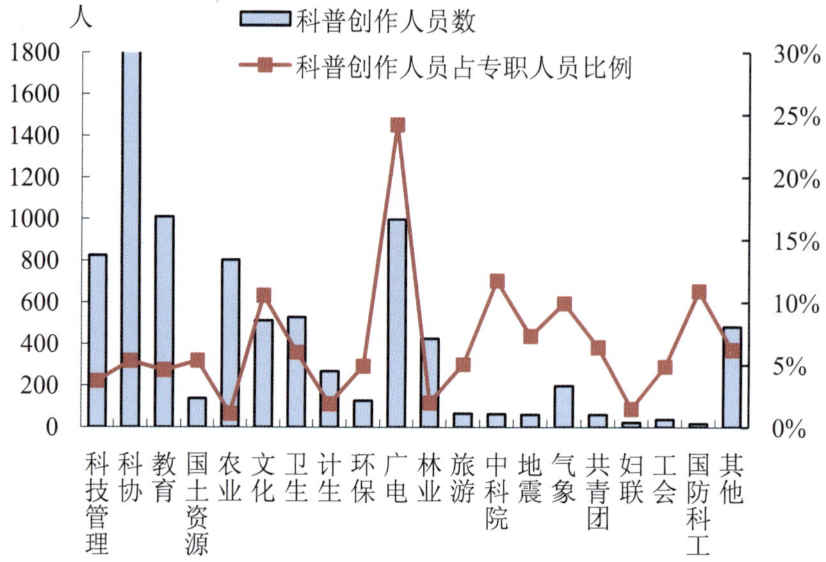


图 1-24　2008 年部门科普创作人员情况

# 2 科普场地

2008 年度科普统计要求每个“科普场馆”单独填报一份报表，应该说这一次获得的科普场馆数据更加全面、真实地反映了我国目前的科普场馆状况。在以往的统计中，存在一些错填了场馆类别以及把科普基地当做科普场馆计算的情形。这次因为要求场馆单独填报，可以更好地甄别这类错误。

统计中科普场地划分为科普场馆、公共场所科普宣传设施和科普（技）教育基地三大类。其中，科普场馆包括科技馆（以科技馆、科学中心、科学宫等命名的以展示教育为主，传播、普及科学的科普场馆）、科学技术博物馆（包括科技类博物馆、天文馆、水族馆、标本馆以及设有自然科学部的综合博物馆等）和青少年科技馆（站）3 类；公共场所科普宣传设施包括科普画廊、城市社区科普（技）专用活动室、农村科普（技）活动场地和科普宣传专用车 4 类；科普（技）教育基地包括国家级科普（技）教育基地和省级科普（技）教育基地。

截至 2008 年底，全国共有建筑面积在 500 平方米以上的各类科普场馆 1107 个，比 2006 年增加 248 个，增长了 28.9%。这不仅是因为新建了一批科普场馆，也和调查范围的扩大有关。其中，科技馆 285 个，科学技术博物馆 380 个，青少年科技馆（站）442 个，分别比 2004 年统计结果增加 5 个、141 个和 102 个。285 个科技馆建筑面积合计 179.92 万平方米，比 2006 年增长 12.0%；展厅面积合计 83.26 万平方米，比 2006 年增长 38.3%；参观人数共计 2282.19 万人次，比 2006 年增长 37.3%。380 个科学技术博物馆建筑面积合计 228.14 万平方米，比 2006 年增长 17.1%；展厅面积合计 118.61 万平方米，比 2006 年增长 75.5%；参观人数共计 3875.25 万人次，比 2006 年增长 135.6%。

除了各种科普场馆的建设之外，公共场所的科普宣传设施在我国的科学技术普及工作中也发挥了重要的作用。截至 2008 年底，全国共有科普画廊 18.70 万个，比 2006 年增长 39.0%；城市社区科普（技）活动专用室 5.6 万个，比 2006 年增长 19%；农村科普（技）活动场地 26.5 万个，比 2006 年增长 12.8%；科普宣传专用车 1414 辆，比 2006 年减少了 218 辆，减少 13.4%。

科普（技）教育基地是面向公众进行科普宣传教育的重要阵地和基础设施，有效整合了科研院所、企事业单位等社会相关资源，范围涉及所有的统计部门。截至 2008 年底，全国共有省级以上科普（技）教育基地 2360 个。国家级科普（技）教育基地 387 个，因为没有进行新的命名，与 2006 年保持同样的水平，其中享受过税收优惠政策的有 46 个，占总数的 11.9%，比 2006 年有所下降。省级科普（技）教育基地 1973 个，比 2006 年增长了 21.1%，其中享受过税收优惠政策的有 154 个，占总数的 7.8%，也比 2006 年有所下降。

## 2.1 科技馆

这里所述的科技馆指以科技馆、科学中心、科学宫等命名的以展示教育为主，传播、普及科学的科普场馆。

### 2.1.1 科技馆总体情况

截至 2008 年底（表 2-1），全国共有建筑面积在 500 平方米以上的科技馆 285 个，比 2006 年增加 5 个。全部科技馆建筑面积合计 179.99 万平方米，展厅面积合计 83.26 万平方米，展厅面积占到建筑面积的 46.3%。全国平均每万人拥有科技馆建筑面积 13.55 平方米。虽然科技馆数量增长较慢，但因为新增的科技馆大多是大型科技馆，所以建筑面积、展厅面积、参观人次的增长率上升幅度较大。

**表 2-1　2004—2008 年科技馆相关数据的变化**

| 场馆类别 | 2004 年 | 2006 年 | 2008 年 | 2008 年比 2006 年增长比例（%） |
|---|---|---|---|---|
| 科技馆（个） | 265 | 280 | 285 | 1.79 |
| 建筑面积（$米^2$） | 2868763① | 1606008 | 1799175 | 12.03 |
| 展厅面积（$米^2$） | 962326① | 602160 | 832622 | 38.27 |
| 参观人次 | 29330425① | 16618717 | 22821901 | 37.33 |

① 2004 年的统计中，科技馆、科学技术博物馆和青少年科技馆站的建筑面积、展厅面积和参观人次没有分开统计，此处的数据为三类科普场馆的合计数据。

根据中国科学技术协会编制的《科学技术馆建设标准》，科技馆建设规模按建筑面积分类，分成特大、大、中、小型 4 类：建筑面积 30000 平方米以上的为特大型馆，建筑面积 15000 平方米以上至 30000 平方米的为大型馆，建筑面积 8000 平方米以上至 15000 平方米的为中型馆，建筑面积 8000 平方米及以下的为小型馆。

从表 2-2 可以看出，我国的科技馆以小型馆为主，占到全部的 80.4%。特大型馆只有 7 个，分别是广东科学中心、上海市科技馆、中国科学技术馆、四川科技馆、沈阳市科学宫、广西科学技术馆和汕头市科技馆。《科学技术馆建设标准》指出，一般来说，科技馆的建筑面积不宜小于 5000 平方米。但在我国，建筑面积不足 5000 平方米的科技馆有 198 个，占全部科技馆的 69.5%。

**表 2-2 2008 年各类科技馆的数量及参观人次**

| 场馆类别 | 特大型科技馆 | 大型科技馆 | 中型科技馆 | 小型科技馆 |
|---|---|---|---|---|
| 建筑面积 | 30000 米 $^2$ 以上 | 15000~30000 米 $^2$（含 30000 米 $^2$） | 8000~15000 米 $^2$（含 15000 米 $^2$） | 8000 米 $^2$ 及以下 |
| 场馆数量（个） | 7 | 20 | 29 | 229 |
| 所占比例（%） | 2.5 | 7.0 | 10.2 | 80.4 |
| 合计参观人次 | 7217622 | 5039349 | 4010197 | 6039933 |
| 所占比例（%） | 32.4 | 22.6 | 18.0 | 27.1 |
| 馆年均参观人次 | 1031089 | 251967.5 | 138282.7 | 26375.25 |
| 单位面积年参观人数（人次/米 $^2$） | 16.53 | 11.39 | 12.65 | 10.01 |

特大型科技馆的数量只占全国的 2.5%，但是 2008 年到特大型科技馆参观的观众人数却占全部的 32.4%，平均每个特大型科技馆的年均参观人数都超过了 100 万人次，1 年内每平方米建筑面积的参观人数是 16.53 人次。

大型科技馆有 20 个，占全部的 7.0%。大型科技馆的年参观总人数占全部科技馆的 22.6%。每个大型科技馆的年均参观人数在 25 万人次左右，1 年内每平方米建筑面积的参观人数是 11.39 人次。

中型科技馆 29 个，占全部的 10.2%。中型科技馆的年参观总人数占全部科技馆的 18.0%。每个中型科技馆的年均参观人数略少于 14 万人次，1 年内每平方米建筑面积的参观人数是 12.56 人次。

小型科技馆虽然数量最多，但年参观总人数只占全部科技馆参观总人数的 27.1%。每个小型科技馆的年均参观人数在 2.6 万人次左右，1 年内每平方米建筑面积的参观人数是 10.01 人次。

从以上的数据可以发现，如果把 1 年内单位面积的平均参观人次作为衡量科技馆利用效率的指标，基本上与科技馆建筑面积的大小成正比，越是大型的场馆，其利用效率越高。但在科技馆建设中也不能一味求大，因为科技馆的建筑面积和展厅面积与该馆所在城市的人口密切相关。一些小型馆的建设，可以让更广阔区域内的人口受益。

科技馆的级别分布如表 2-3，我国大部分科技馆都隶属于县级单位，共计 140 个，几乎占全部的 50%。县级科技馆的平均建筑面积在 3000 平方米左右，年参观人数在 25000 人次左右，县级科技馆的全部参观人次占全国总数的 15.4%。地市级科技馆占全国科技馆总数的 34.4%，地市级科技馆的平均建筑面积在 6000 平方米左右，平均年参观人数在 50000 人次左右，地市级科技馆的全部参观人次占全国总参观人数的 22.5%。省级科技馆占全国科技馆总数的 14.4%，省级科技馆的平均建筑面积在 1.7 万平方米左右，平均年参观人数在 30 万人次左右，省级科技馆的全部参观人次占全国总参观人数的 54%，可见省级科技馆接待了全国大多数的参观者。隶属于中央部门的科技馆有 6 个，主要包括中国科技馆以及中科院研究所和教育部直属院校的科技馆，占全国总数的 2.1%。中央部门科技馆的平均建筑面积在 8800 平方米左右，平均年参观人数在 30 万人次左右，中央部门科技馆的全部参观人次占全国总参观人数的 8%。

**表 2-3　2008 年各级别科技馆的相关数据**

| 单位级别 | 科技馆（个） | 建筑面积（米 $^2$） | 展厅面积（米 $^2$） | 参观人次 |
|---|---|---|---|---|
| 中央部门 | 6 | 53193 | 38480 | 1831129 |
| 省级 | 41 | 714474 | 336452 | 12336270 |
| 地市级 | 98 | 603189 | 284631 | 5138016 |
| 县级 | 140 | 428319 | 173059 | 3516486 |

在全国 285 个科技馆中，共有科普专职人员 5953 人，平均每个科技馆 20.89 人；共有科普兼职人员 20247 人，平均每个科技馆 71.04 人。共有科普创作人员 327 人，平均每个科技馆只有 1.15 人。在全部科技馆中，有 226 个科技馆一个创作人员都没有。

2008 年，285 个科技馆共筹集科普经费 12.08 亿元，平均每个科技馆 423.82 万元。12.08 亿元科普经费中来自政府拨款 10.20 亿元，占 84.5%；自筹资金 1.25 亿元，占 10.4%；捐赠 49.8 万元，占 0.04%；其他收入 0.63 亿元，占 5.2%。

### 2.1.2 科技馆的地区分布

目前我国科技馆的地区分布呈现不均衡状态。图 2-1 反映出我国科技馆在东、中、西部地区的分布情况，2008 年在全国 285 个科技馆中，东部地区 12 个省份共有 147 个，占全国科技馆总数的 51.6%；而中、西部地区 19 个省份共有 138 个科技馆，两个地区拥有的科技馆分别占全国科技馆总数的 33.3%和 15.1%。

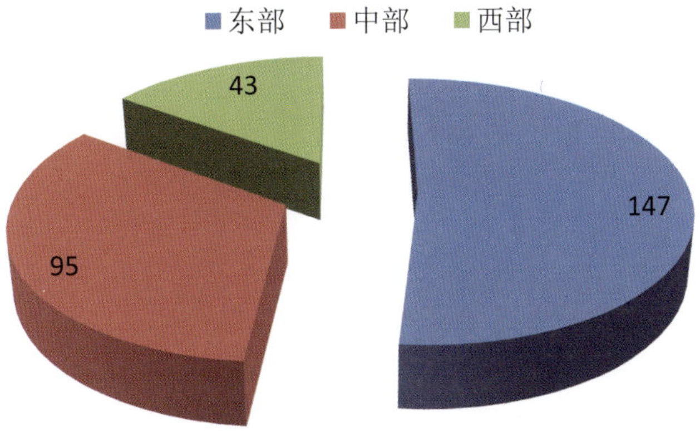


图 2-1　2008 年东、中、西部地区科技馆数量（个）

表 2-4 所列的是东、中、西部地区科技馆情况对比。2008 年东部地区科技馆的建筑面积是中、西部地区科技馆建筑面积总和的 1.6 倍左右，展厅面积更是中、西部地区之和的 2 倍还多。从科技馆展厅面积占建筑面积比例来看，东、中、西部地区依次下降。

表 2-4　2008 年东、中、西部地区科技馆建筑面积和展厅面积比较

| 地区 | 建筑面积（米 $^2$） | 展厅面积（米 $^2$） | 展厅面积占建筑面积比例（%） |
|---|---|---|---|
| 东部 | 1110110 | 562144 | 50.64 |
| 中部 | 380712 | 156787 | 41.18 |
| 西部 | 308353 | 113691 | 36.87 |
| 合计 | 1799175 | 832622 | 46.28 |

我国的特大型和大型科技馆大多分布在东部地区，东部地区平均每个科技馆的建筑面积在 7550 平方米左右，而中部和西部地区则分别为 4000 平方米和 7170 平方米左右。

全国每个省份平均拥有 9 个科技馆，达到和超过这一水平的共有 13 个省份。

由图 2-2 可以看出，科技馆数量在 20 个以上的有湖北（49 个）、广东（28 个）和山东（25 个）。这 3 个省的科技馆占全国总数的 35.8%。海南和西藏这两个地区还没有科技馆。

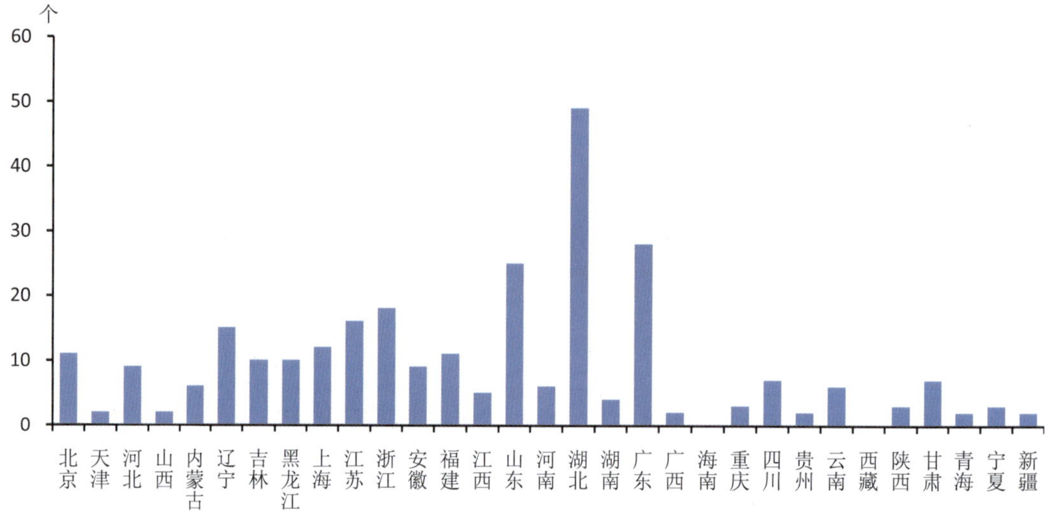


**图 2-2　2008 年全国各省科技馆分布情况**

从图 2-3 可以看出，广东省总计的科技馆建筑面积最大，湖北省虽然科技馆数量最多，但因为大多都是小型馆，所以建筑面积排在第 2 位。之后是上海、辽宁、山东和江苏。

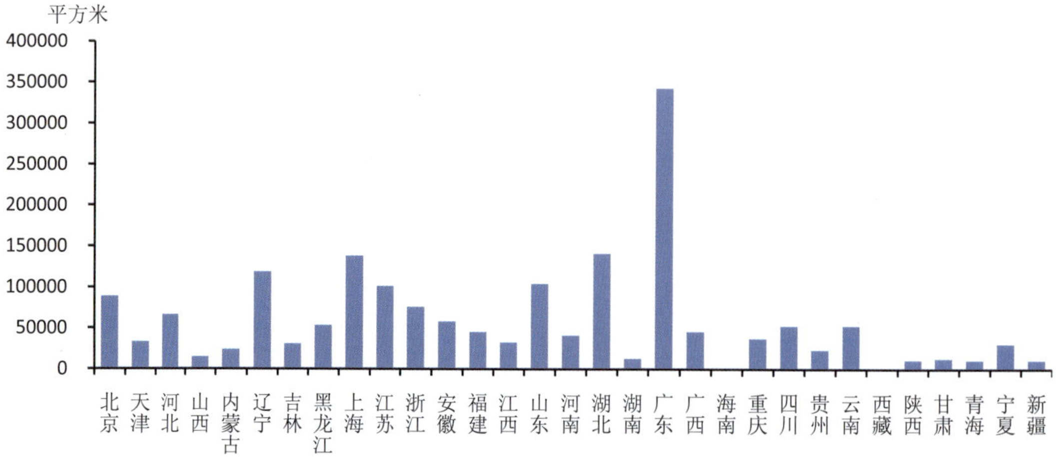


**图 2-3　2008 年各省科技馆建筑面积合计**

上海市全部 12 个科技馆 2008 年的参观人数合计超过 428 万次，这个人数占到上海市常住人口的 22.7%。北京、辽宁在这两个指标方面也有不错的表现。除了海南和西藏没有科技馆，到科技馆参观的人次占常住人口的比例较低的省份是云南、甘肃和广西（图 2-4）。

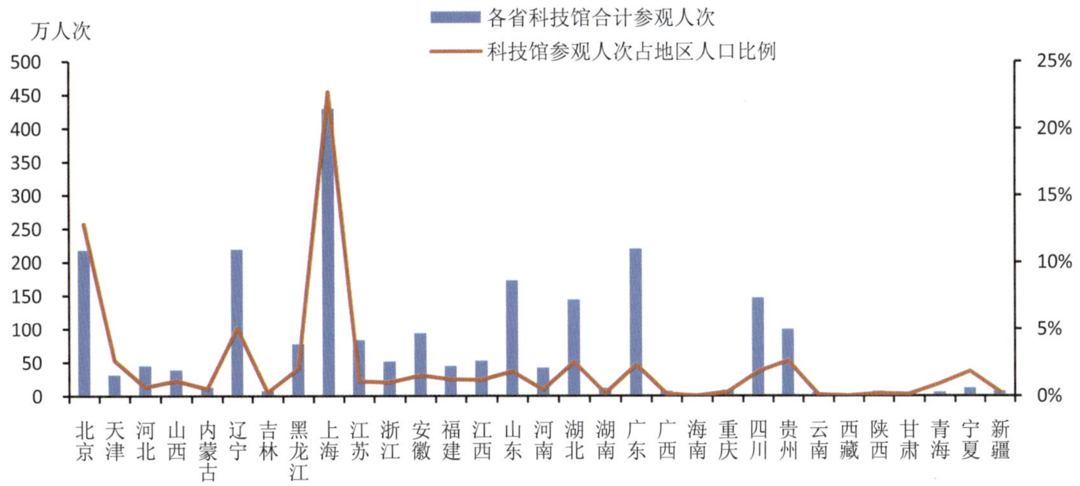


图 2-4　2008 年各省科技馆参观人次及其占地区人口比例

### 2.1.3　科技馆的部门分布

按部门来划分，全国的科技馆分布如图 2-5 所示。从图 2-5 可以看出，科协系统、科技管理部门、教育部门和其他部门的科技馆数量较多。特别是科协系统共有 169 个科技馆，占全国科技馆总数的 59.3%。

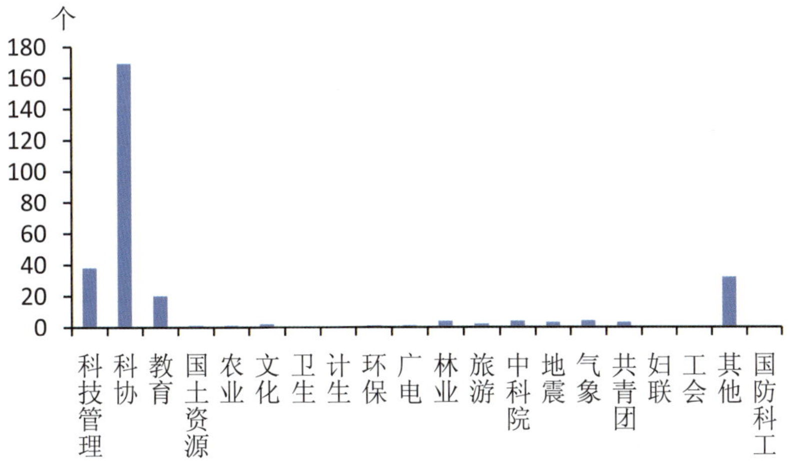


图 2-5　2008 年科技馆按部门分布情况

科协系统科技馆建筑面积合计 95.39 万平方米，占全部科技馆建筑面积的53.0%，该系统每个科技馆的平均建筑面积在 5600 平方米左右。科协系统科技馆展厅面积占建筑面积的比例为 41.9%。旅游部门、地震部门和国土资源部门的科技馆展厅面积占建筑面积的比例较高，都在 70%以上（图 2-6）。

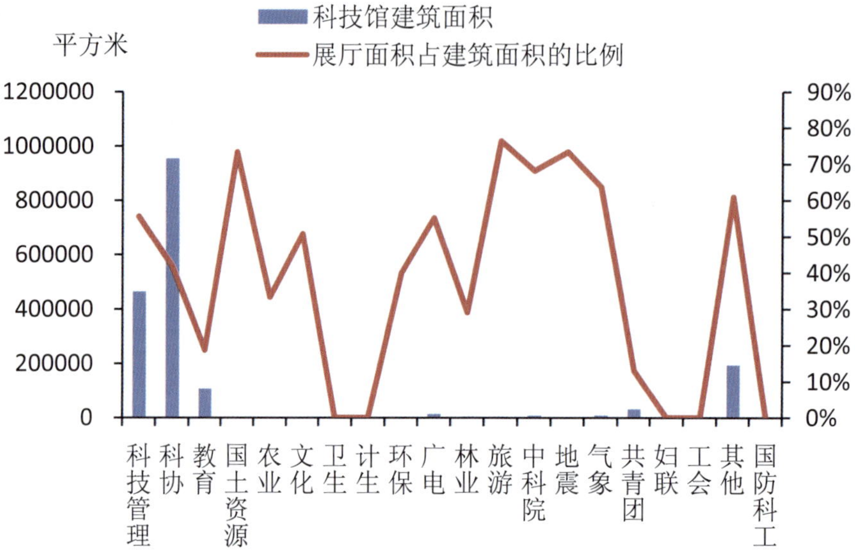


图 2-6　2008 年各部门科技馆建筑面积及展厅面积占建筑面积的比例

如表 2-5 所示，各部门科技馆 2008 年参观人次分布也同样不均衡，科协系统科技馆的参观人数占总数的 53.4%，科技管理部门的这一比例也达到了 26.7%，其余部门则都非常少。

表 2-5　2008 年各部门科技馆参观人次

| 部门 | 当年参观人次 | 占全部参观人数的比例（%） |
|---|---|---|
| 科技管理 | 6097945 | 26.7 |
| 科协 | 12185975 | 53.4 |
| 教育 | 292718 | 1.3 |
| 国土资源 | 3000 | 0.01 |
| 农业 | 1300 | 0.01 |
| 文化 | 18600 | 0.08 |
| 卫生 | – | – |
| 计生 | – | – |
| 环保 | 10000 | 0.04 |
| 广电 | 100000 | 0.4 |

**表 2-5 续表**

| 部门 | 当年参观人次 | 占全部参观人数的比例（%） |
|---|---|---|
| 林业 | 14360 | 0.06 |
| 旅游 | 582000 | 2.6 |
| 中科院 | 96500 | 0.4 |
| 地震 | 122000 | 0.53 |
| 气象 | 17000 | 0.07 |
| 共青团 | 763587 | 3.4 |
| 妇联 | – | – |
| 工会 | – | – |
| 其他 | 2516916 | 11.0 |
| 国防科工 | – | – |

## 2.2 科学技术博物馆

这里所述的科学技术博物馆包括科技类博物馆、天文馆、水族馆、标本馆以及设有自然科学部的综合博物馆等。

### 2.2.1 科学技术博物馆总体情况

如表 2-6 所示，截至 2008 年底，全国共有建筑面积在 500 平方米以上的科技馆 380 个，比 2006 年增长 59.0%。科学技术博物馆建筑面积合计 228.14 万平方米，展厅面积合计 118.6 万平方米，展厅面积占到建筑面积的 52.0%。全国平均每万人拥有科技馆建筑面积 17.18 平方米。科学技术博物馆的参观人次增长非常快，从 2006 年到 2008 年，2 年间翻了一番还多。

**表 2-6 2004—2008 年科学技术博物馆相关数据的变化**

| 场馆类别 | 2004 年 | 2006 年 | 2008 年 | 2008 年比 2006 年增长比例（%） |
|---|---|---|---|---|
| 科学技术博物馆（个） | 185 | 239 | 380 | 59.00 |
| 建筑面积（米$^2$） | 2868763① | 1948277 | 2281352 | 17.10 |
| 展厅面积（米$^2$） | 962326① | 676006 | 1186060 | 75.45 |
| 参观人次 | 29330425① | 16451520 | 38752463 | 135.56 |

① 2004 年的统计中，科技馆、科学技术博物馆和青少年科技馆站的建筑面积、展厅面积和参观人次没有分开统计，此处的数据为三类科普场馆的合计数据。

关于科学技术博物馆，国际上缺乏统一的分类标准，这里也是按照《科学技术馆建设标准》文件，按建筑面积将科学技术博物馆分成特大、大、中、小型 4 类：建筑面积 30000 平方米以上的为特大型馆，建筑面积 15000 平方米以上至 30000 平方米的为大型馆，建筑面积 8000 平方米以上至 15000 平方米的为中型馆，建筑面积 8000 平方米及以下的为小型馆。

从表 2-7 可以看出，我国的科学技术博物馆以小型馆为主，占到全部的 81.84%。根据联合国教科文组织发表的《科学技术博物馆建设标准》文件，科学技术博物馆的设施和建筑面积因馆而异，但能吸引相当数量观众的展览最低限度需要 3000 平方米面积。如果以这个标准来看，我国建筑面积在 3000 平方米以下（不含 3000）的科学技术博物馆有 203 个，占总数的 53.4%。

**表 2-7　2008 年各类科学技术博物馆的数量及参观人次**

| 场馆类型 | 特大型科学技术博物馆 | 大型科学技术博物馆 | 中型科学技术博物馆 | 小型科学技术博物馆 |
|---|---|---|---|---|
| 场馆建筑面积 | 30000 米 $^2$ 以上 | 15000~30000 米 $^2$（含 30000 米 $^2$） | 8000~15000 米 $^2$（含 15000 米 $^2$） | 8000 米 $^2$ 及以下 |
| 场馆数量（个） | 14 | 16 | 39 | 311 |
| 所占比例（%） | 3.68 | 4.21 | 10.26 | 81.84 |
| 合计参观人次 | 9491997 | 6428890 | 6555253 | 16276323 |
| 所占比例（%） | 24.49 | 16.59 | 16.92 | 42.00 |
| 馆年均参观人次 | 678000 | 401806 | 168083 | 77139 |

特大型科学技术博物馆有 14 个，占全国科学技术博物馆总数的 3.7%；但是 2008 年到特大型科学技术博物馆参观的观众人数却占到全国科学技术博物馆参观人数的 24.5%，每个特大型科学技术博物馆的年均参观人数接近 70 万人次。

大型科学技术博物馆有 16 个，占全部科学技术博物馆总数的 4.2%。2008 年大型科学技术博物馆的参观人数占当年全部科学技术博物馆参观人数的 16.6%。每个大型科学技术博物馆的年均参观人数在 40 万人次左右。

中型科学技术博物馆有 39 个，占全部科学技术博物馆总数的 10.3%。2008 年中型科学技术博物馆的参观人数占全部科学技术博物馆参观人数的 16.9%。每个中型科学技术博物馆的年均参观人数近 17 万人次。

小型科学技术博物馆数量最多，年参观总人数占全部科学技术博物馆参观人数的 42%。每个小型科学技术博物馆的年均参观人数在 7.7 万人次左右。

各级别科学技术博物馆的分布情况如表 2-8，我国大部分科学技术博物馆隶属于省级和县级单位，分别占 33.4%和 36.1%。县级科学技术博物馆的建筑面积平均在 5300 平方米左右，年参观人数在 11 万人次左右，县级科学技术博物馆的全部参观人数占到全国科学技术博物馆参观总人数的 38.7%。

地市级科学技术博物馆占全国科学技术博物馆总数的 17.6%，平均建筑面积在 7900 平方米左右，年参观人数平均在 16 万人次左右，地市级科学技术博物馆的参观人数占到全国科学技术博物馆参观总人数的 28.3%。

省级科学技术博物馆占全国科学技术博物馆总数的 35.6%，平均建筑面积在 6400 平方米左右，年参观人次平均在 86000 人左右，省级科学技术博物馆的参观人数占到全国科学技术博物馆参观总人数的 28.3%。

隶属于中央部门的科学技术博物馆有 49 个，占全国科学技术博物馆总数的 12.9%，平均建筑面积在 4200 平方米左右，年参观人次平均在 37000 人左右，中央部门科学技术博物馆的参观人数占到全国科学技术博物馆参观总人数的 4.8%。

**表 2-8　2008 年各级别科学技术博物馆的相关数据**

| 单位级别 | 科学技术博物馆（个） | 建筑面积（米 $^2$） | 展厅面积（米 $^2$） | 参观人次 |
|---|---|---|---|---|
| 中央部门 | 49 | 206174 | 111491 | 1839077 |
| 省级 | 127 | 813000 | 372840 | 10954411 |
| 地市级 | 67 | 533047 | 295265 | 10973401 |
| 县级 | 137 | 729131 | 406464 | 14985574 |

可以看出，地市级科学技术博物馆的馆均建筑面积和接待参观人数最高，这可能是因为地市级科学技术博物馆大多是地方上的市级博物馆，而中央部门的科学技术博物馆主要是中科院研究所和教育部直属院校的科学技术博物馆，这些场馆规模相对小一些，对外开放的程度也有待进一步加强。省级科学技术博物馆则包括很多专业馆，这些场馆虽然面积不大，但具有很强的专业和行业特色。

在全国 380 个科学技术博物馆中，共有科普专职人员 3601 人，平均每个科学技术博物馆 9.48 人；共有科普兼职人员 10907 人，每个科学技术博物馆平均有 28.70 人；共有科普创作人员 587 人，每个科学技术博物馆平均只有 1.54 人。可以看出，相比科技馆，科学技术博物馆的科普人员更加缺乏

2008 年，380 个科学技术博物馆共筹集科普经费 3.60 亿元，每个科学技术博物馆平均筹集经费 94.83 万元。3.60 亿元科普经费中来自政府拨款 1.72 亿元，占 47.6%；自筹资金 1.41 亿元，占 39.3%；捐赠 48.6 万元，占 1.4%；其他收入 0.42 亿元，占 11.8%。可以看出，科学技术博物馆的平均科普经费筹集额要低于科技馆，而且科学技术博物馆的科普经费中自筹资金的比例更高，对于政府拨款的依赖低一些。

### 2.2.2 科学技术博物馆的地区分布

图 2-7 反映出我国科学技术博物馆在东、中、西部地区的分布情况，全国 380 个科学技术博物馆中，东部地区 12 个省份共有 256 个，占全国科学技术博物馆总数的 67.4%；而中、西部地区 19 个省份共有 124 个科学技术博物馆，这两个地区拥有的科学技术博物馆分别占全国总数的 15.5%和 17.1%。

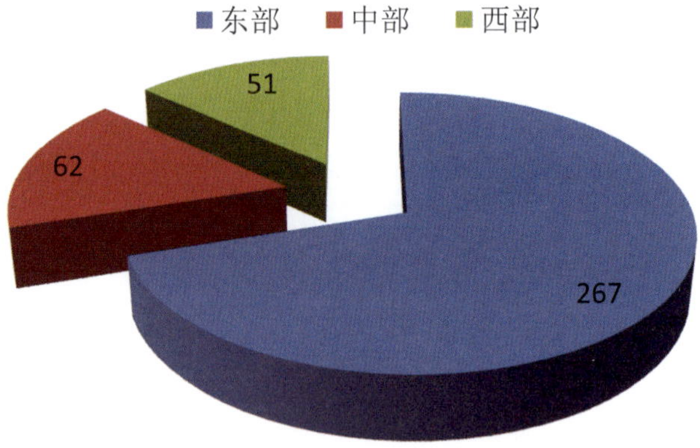


图 2-7　2008 年东、中、西部地区科学技术博物馆数量（个）

表 2-9 所列的是东、中、西部地区科学技术博物馆情况对比。东部地区科学技术博物馆的建筑面积是中、西部地区科学技术博物馆建筑面积总和的 2 倍多。从科学技术博物馆展厅面积占建筑面积比例来看，东、中、西部地区都在 50%左右，西部略高。

我国的特大型和大型科学技术博物馆大多分布在东部地区，但东部同样也有很多小型的科学技术博物馆。东部地区每个科学技术博物馆的平均建筑面积在 6100 平方米左右，中部和西部地区分别为 4800 平方米和 6400 平方米左右。

表 2-9　2008 年东、中、西部地区科学技术博物馆对比

| 地区 | 建筑面积（米 2） | 展厅面积（米 2） | 展厅面积占建筑面积比例（%） |
|---|---|---|---|
| 东部 | 1577420 | 800739 | 50.76 |
| 中部 | 283960 | 141792 | 49.93 |
| 西部 | 419972 | 243529 | 57.99 |
| 合计 | 2281352 | 1186060 | 51.99 |

全国每个省份平均拥有 12 个科学技术博物馆，达到和超过这一水平的共有 9 个省份。由图 2-8 可以看出，科学技术博物馆数在 20 个以上的有上海（100 个）、北京（37 个）和江苏（25 个）。这 3 个地区拥有的科学技术博物馆数占全国总数的 42.63%。现在，全国每个省份都已经建有科学技术博物馆。

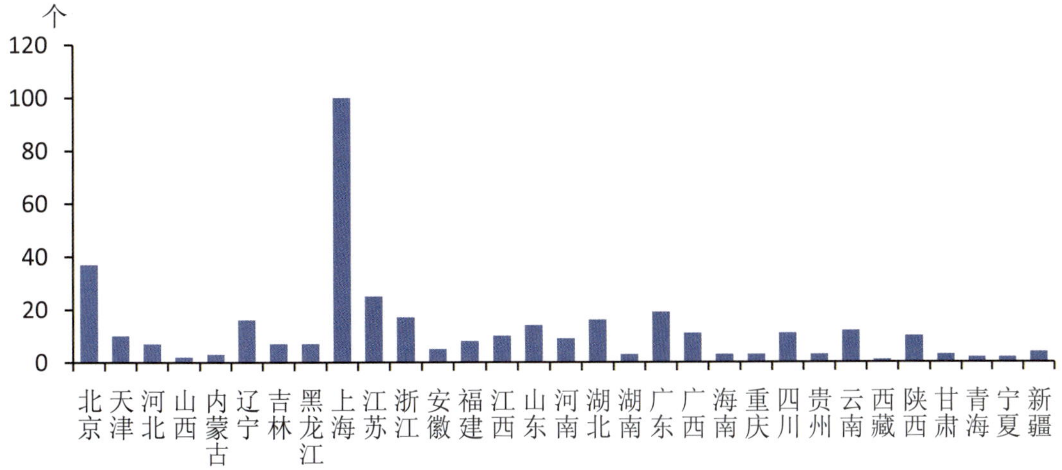


图 2-8　2008 年科学技术博物馆各省分布情况

从图 2-9 可以看出，上海市总计的科学技术博物馆建筑面积最大，但每个科学技术博物馆的面积，上海市平均只有 4580 平方米，排在全国的中游。合计科学技术博物馆建筑面积较大的地区还包括北京、江苏、辽宁和陕西等地。

如图 2-10 所示，北京市全部 37 个科学技术博物馆 2008 年的参观人数合计超过 636 万人次，占到北京市常住人口的 37.5%。上海、江苏在这两个指标方面也有不错的表现。到科学技术博物馆参观的人次占常住人口的比例较低的省份是西藏和湖南。

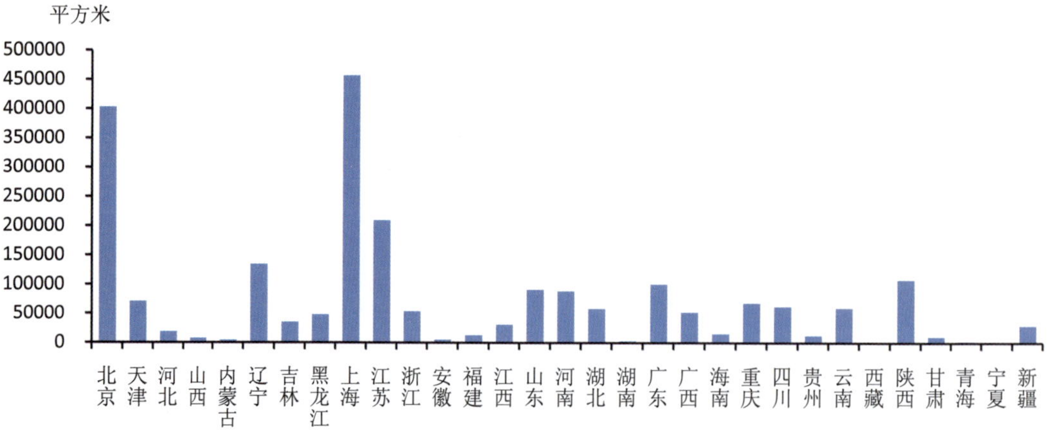


**图 2-9　2008 年各省科学技术博物馆建筑面积合计**

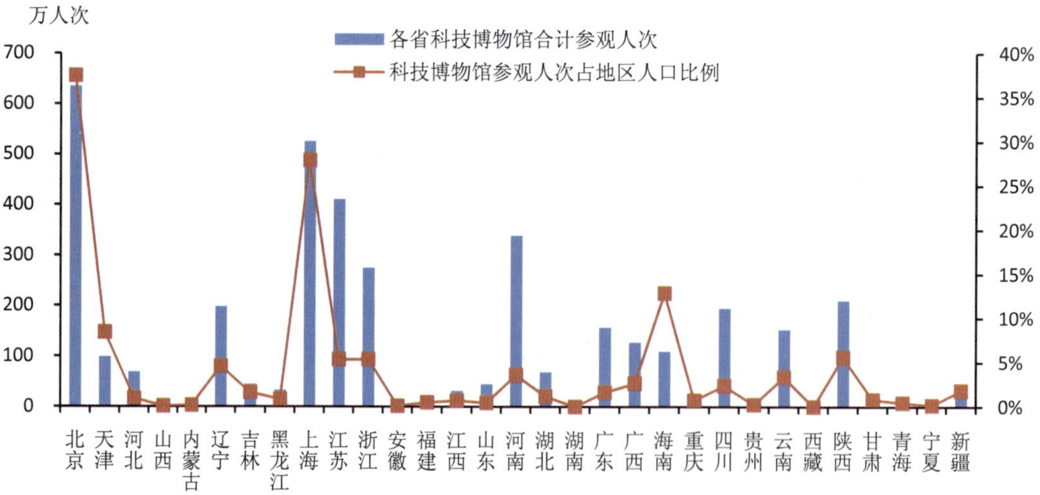


**图 2-10　2008 年各省科学技术博物馆参观人次及其占地区人口比例**

### 2.2.3　科学技术博物馆的部门分布

按部门来划分，全国的科学技术博物馆分布如图 2-11 所示。可以看出，文化部门、教育部门、科技管理部门和中科院所属单位的科学技术博物馆数量较多。一些没有被明确划归到某个部门的其他部门所拥有的科学技术博物馆所占比例最大，数量达到 111 个。

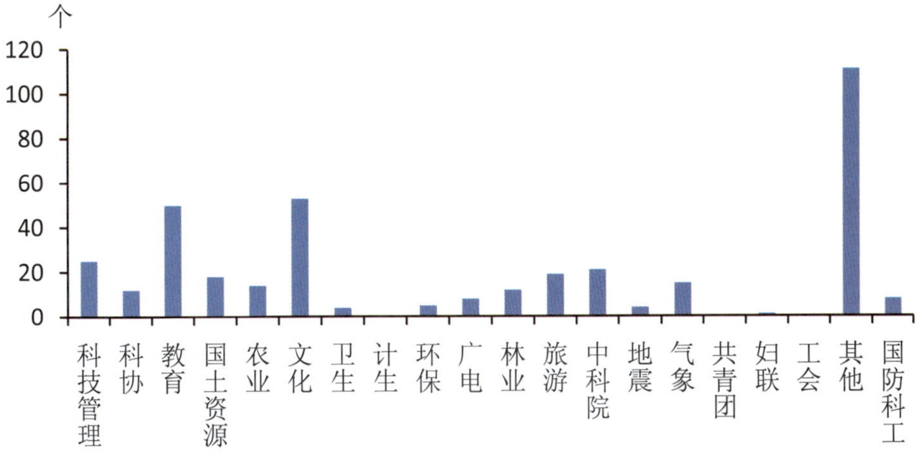


**图 2-11　2008 年科学技术博物馆按部门分布情况**

其他部门的科学技术博物馆建筑面积合计 83.24 万平方米（图 2-12），占全部科学技术博物馆建筑面积的 36.5%，每个科学技术博物馆的平均建筑面积在 7500 平方米左右。旅游部门和文化部门每个场馆的平均面积都在 1 万平方米左右，排在各部门的前列。

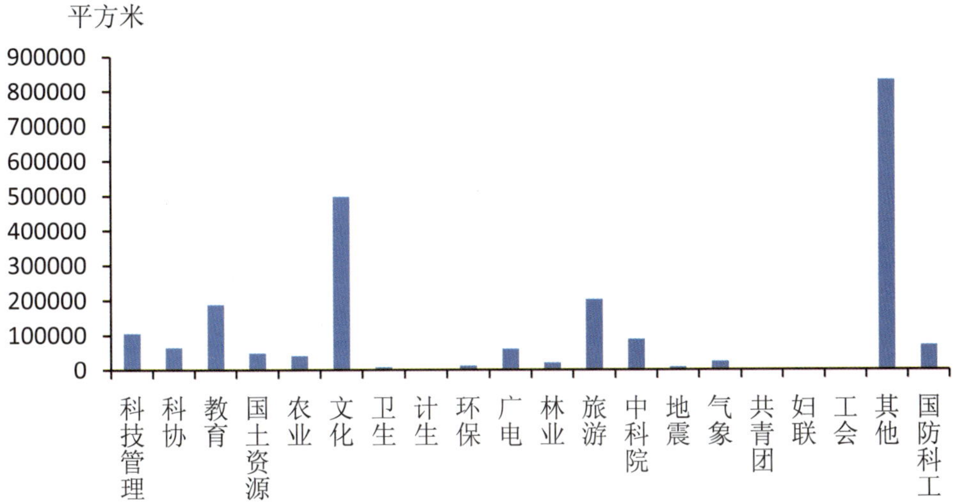


**图 2-12　2008 年各部门科学技术博物馆按建筑面积分布情况**

如表 2-10 所示，各部门科学技术博物馆 2008 年参观人次分布也同样不均衡，其他部门占总数的 40.9%，文化部门也达到了 20.0%，旅游部门达到了 14.1%，其余部门则都比较少。

表 2-10　2008 年各部门科学技术博物馆参观人数

| 部门 | 当年参观人数（人次） | 占全部的比例（%） |
|---|---|---|
| 科技管理 | 2233016 | 5.8 |
| 科协 | 577050 | 1.5 |
| 教育 | 1019748 | 2.6 |
| 国土资源 | 786827 | 2.0 |
| 农业 | 760734 | 2.0 |
| 文化 | 7753363 | 20.0 |
| 卫生 | 24418 | 0.06 |
| 计生 | – | – |
| 环保 | 195973 | 0.5 |
| 广电 | 1387767 | 3.6 |
| 林业 | 249505 | 0.6 |
| 旅游 | 5470056 | 14.1 |
| 中科院 | 1148304 | 3.0 |
| 地震 | 82500 | 0.2 |
| 气象 | 319127 | 0.8 |
| 共青团 | – | – |
| 妇联 | 2000 | 0.01 |
| 工会 | – | – |
| 其他 | 15875962 | 40.9 |
| 国防科工 | 866113 | 2.2 |

## 2.3　青少年科技馆（站）

青少年科技馆（站）直接面对青少年开展科普活动。近年来我国的青少年科技馆（站）数量一直在增加（见图 2-13），2008 年我国共有青少年科技馆（站）442 个，比 2006 年增长 30%。

从青少年科技馆（站）的地区分布来看，东部地区 12 个省份共有 194 个，占总数的 43.9%；而中、西部地区 19 个省份共有 248 个青少年科技馆（站），两个地区的青少年科技馆（站）分别占全国总数的 24.9%和 31.2%。

从青少年科技馆（站）的级别分布来看，我国大部分青少年科技馆（站）都隶属于县级单位，共计 357 个，几乎占全部的 80.8%。地市级青少年科技馆（站）有 62 个，省级青少年科技馆（站）有 22 个，还有 1 个隶属于中央部门的青少年科技馆（站）。

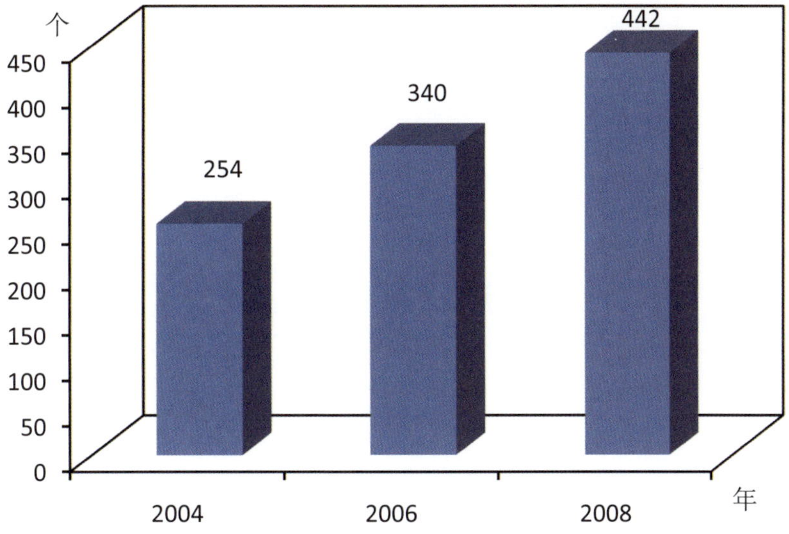


图 2-13　2004—2008 年青少年科技馆（站）数量的变化

在全国 442 个青少年科技馆（站）中，共有科普专职人员 6220 人，平均每个青少年科技馆（站）14.07 人；共有科普兼职人员 50465 人，平均每个青少年科技馆（站）114.17 人。共有科普创作人员 273 人，每个青少年科技馆（站）平均只有 0.62 人。

2008 年，442 个青少年科技馆（站）共筹集科普经费 2.07 亿元，平均每个青少年科技馆（站）46.89 万元。2.07 亿元科普经费来自政府拨款 1.51 亿元，占 72.8%；自筹资金 3804.6 万元，占 18.4%；捐赠 377.1 万元，占 1.8%；其他收入 1457.5 万元，占 7.0%。

全国每个省份平均有 14 个青少年科技馆（站），达到和超过这一水平的共有 13 个省份。由图 2-14 可以看出，青少年科技馆（站）数在 20 个以上的有广东（40 个）、湖北（35 个）、江苏（31 个）、北京（23 个）、云南（22 个）、上海（21 个）以及湖南（20 个）。全国各地区都建有青少年科技馆（站）。

按部门来划分，全国的青少年科技馆（站）分布如图 2-15 所示。教育部门的青少年科技馆（站）数量最多，达到 215 个，占总数的 48.6%。其他数量较多的部门还包括科协系统、共青团组织和科技管理部门等。

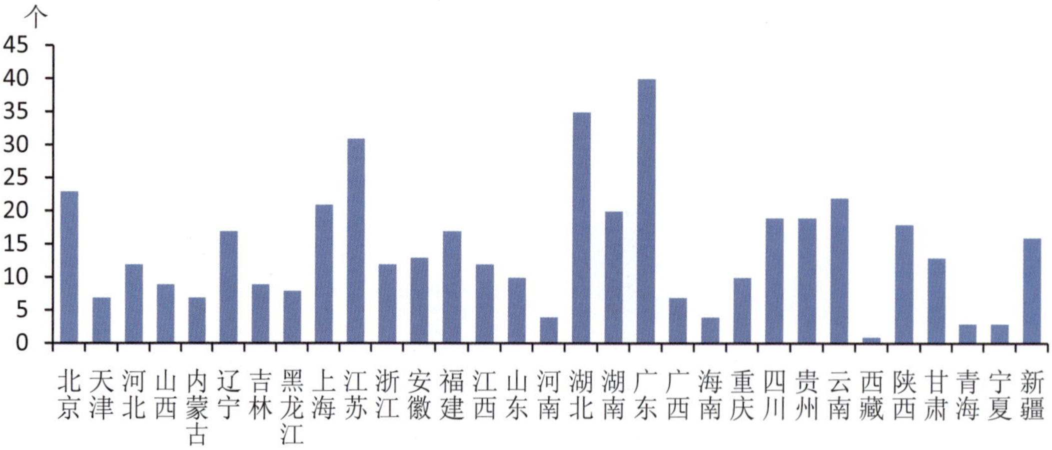


图 2-14　2008 年青少年科技馆（站）按省分布情况

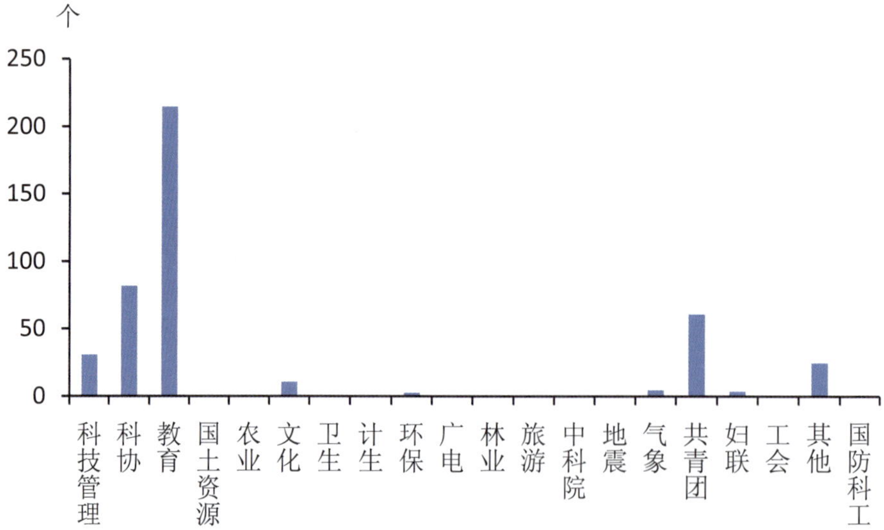


图 2-15　2008 年青少年科技馆（站）按部门分布情况

## 2.4　公共场所科普宣传设施

公共场所科普宣传设施主要指科普画廊、城市社区科普（技）专用活动室、农村科普（技）活动场地和科普宣传专用车。截至 2008 年底，我国共有科普画廊 18.7 万个，比 2006 年增长 39.0%；城市社区科普（技）专用活动室 5.6 万个，比 2006 年增长 19.0%；农村科普（技）活动场地 26.5 万个，比 2006 年增长 12.8%；科普宣传专用车 1414 辆，比 2006 年降低 13.4%。

### 2.4.1 科普画廊

科普画廊主要是指在公共场所建立的用于向社会公众介绍科普知识的橱窗，这种宣传形式在我国城乡都非常普遍。截至2008年底，我国共有科普画廊18.7万个，比2006年增长39.0%（见图2-16）。

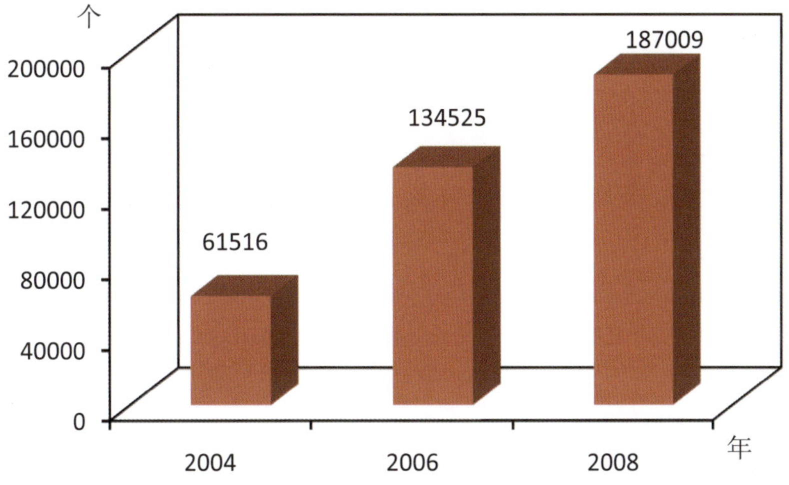


图 2-16　2004—2008 年科普画廊数量的变化

从科普画廊的级别分布看，81.8 %都是由县级单位建设的，地市级单位建设的占15.9%，省级单位占2.1%，中央部门占0.2%。

从科普画廊的区域分布看，东部地区占了52.8 %，中部地区占30.3%，西部地区占16.9%。

表2-11所示是2004年到2008年东、中、西部地区科普画廊的分布情况。东部地区的科普画廊数量在2004年到2006年增长较快，西部地区则是2006年到2008年增长较快，中部地区则一直保持较高的增速。

表 2-11　2004—2008 年东、中、西部地区科普画廊分布情况

| 地区 | 科普画廊数量（个） | | | 2008年比2006年增长比例（%） |
|---|---|---|---|---|
| | 2004年 | 2006年 | 2008年 | |
| 东部 | 35496 | 82623 | 98679 | 19.4 |
| 中部 | 14010 | 37444 | 56679 | 51.4 |
| 西部 | 12010 | 14458 | 31651 | 118.9 |
| 合计 | 61516 | 134525 | 187009 | 39.0 |

图2-17所示是我国科普画廊在各省的分布状况，排在前列的分别是：广东、

浙江、湖南、江苏和河南等省份。

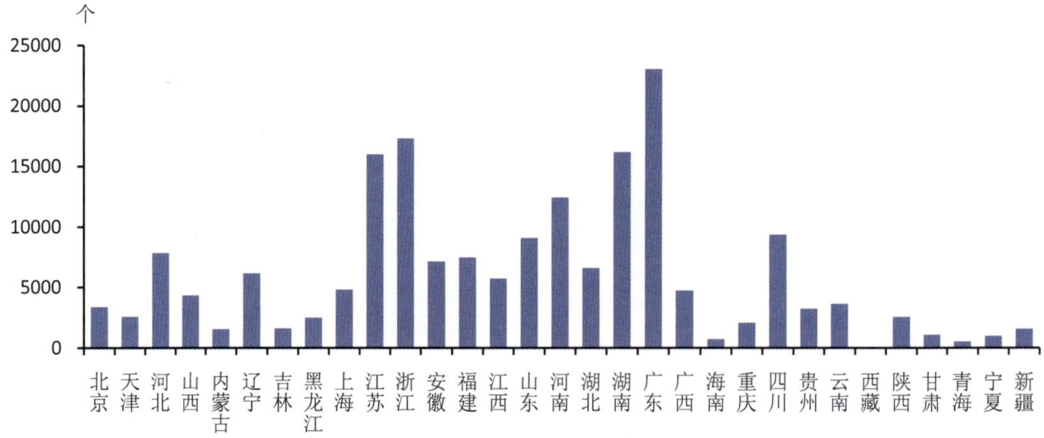


图 2-17　2008 年各省科普画廊分布状况

各部门拥有的科普画廊数量如图 2-18 所示。可以看出，科协系统、计生部门、科技管理部门、教育部门和卫生部门的科普画廊数量明显多于其他部门。

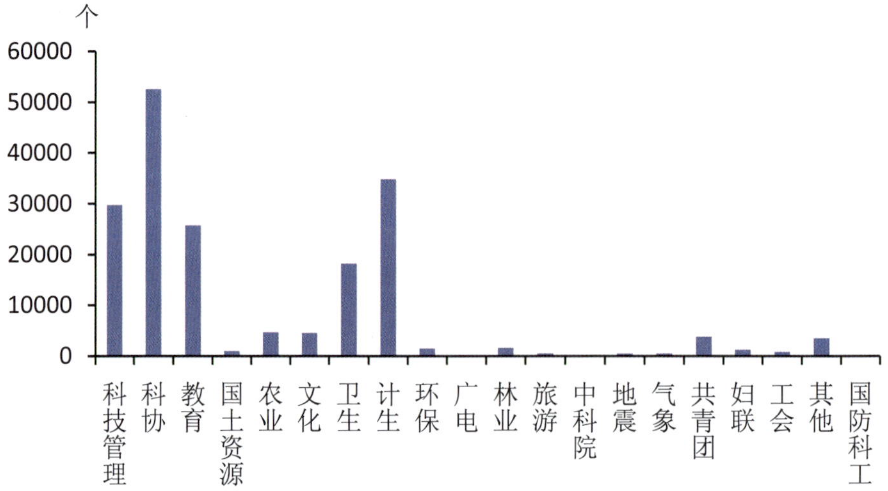


图 2-18　2008 年科普画廊数量的部门对比

### 2.4.2　城市社区科普（技）专用活动室

2008 年我国共有城市社区科普（技）专用活动室 5.6 万个，比 2006 年增长 19%。如表 2-12 所示，与 2006 年相比，2008 年我国中、西部地区的城市社区科普（技）专用活动室数量快速增长，东部地区略有下降。

表 2-12 2004—2008 年东、中、西部地区城市社区科普（技）专用活动室分布情况

| 地区 | 城市社区科普（技）专用活动室（个） | | | 2008 年比 2006 年增长比例（%） |
|---|---|---|---|---|
| | 2004 年 | 2006 年 | 2008 年 | |
| 东部 | 14777 | 25373 | 25137 | -0.9 |
| 中部 | 8074 | 13372 | 17847 | 33.5 |
| 西部 | 7638 | 8326 | 13012 | 56.3 |
| 合计 | 30489 | 47071 | 55996 | 19.0 |

不同级别单位建设的城市社区科普（技）专用活动室数量差别很大，如图 2-19 所示，县级单位建设的活动室占全国城市社区科普（技）专用活动室的 85.1%。

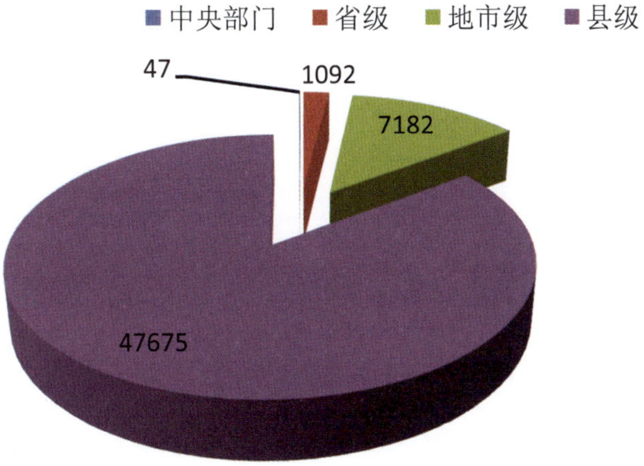


图 2-19 2008 年各级别城市社区科普（技）专用活动室数量（个）

各省的城市社区科普（技）专用活动室数量如图 2-20 所示。湖南省的城市社区科普（技）活动室数量在全国居首位，共计 5163 个。各省的城市社区科普（技）专用活动室数量差别也很大。

从部门的城市社区科普（技）专用活动室看（见图 2-21），科协系统建设的活动室数量最多，共计 20869 个，占全国总数的 37.3%。科技管理部门、计生部门和卫生部门建设的城市社区科普（技）专用活动室也比较多。

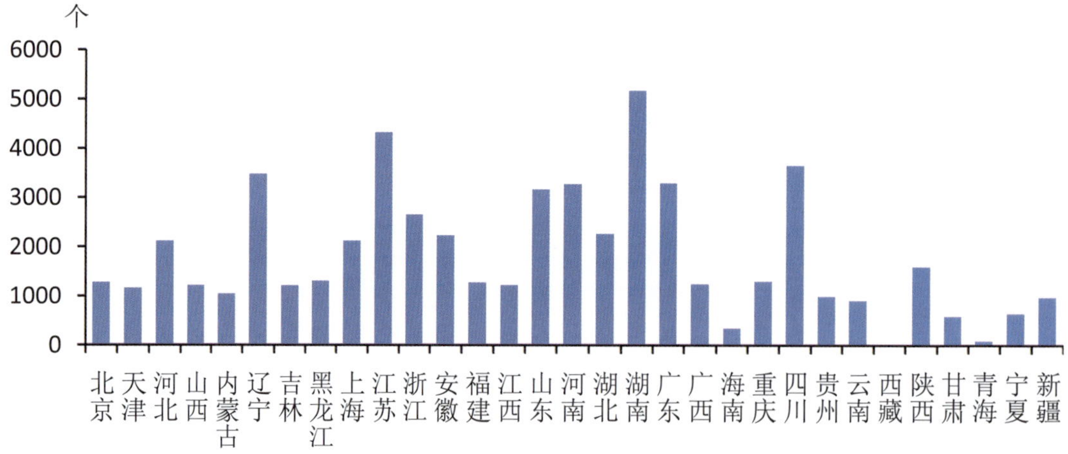


图 2-20　2008 年各省城市社区科普（技）专用活动室数量

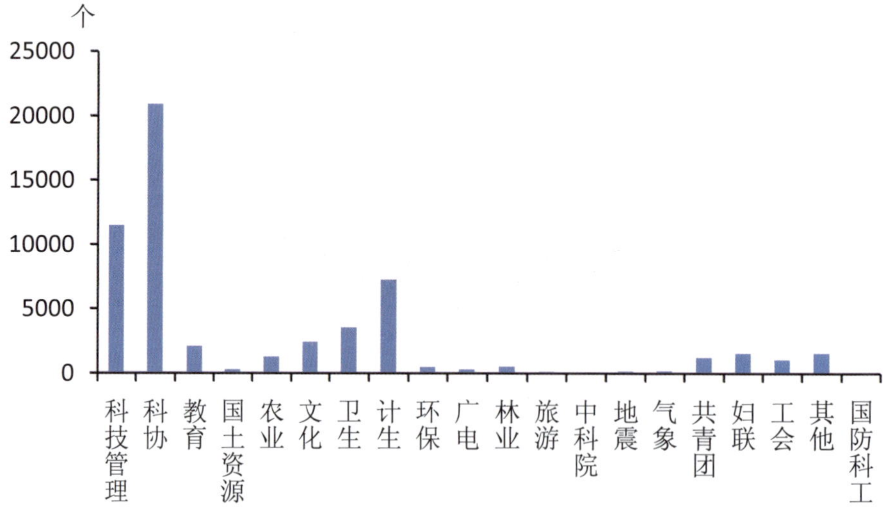


图 2-21　2008 年各部门城市社区科普（技）专用活动室数量

### 2.4.3　农村科普（技）活动场地

农村科普（技）活动场地是面向农民开展科普活动的重要阵地。2006 年我国共有农村科普（技）活动场地 26.5 万个，比 2006 年增长 12.8%。

从表 2-13 可以看出，与 2006 年统计结果相比，西部地区的农村科普（技）活动场地数量增加较快，中部地区相比增长较慢，东部地区则略有下降。

农村科普（技）活动场地主要由县级部门建设。如图 2-22 所示，县级单位拥有的农村科普（技）活动场地占全部的 92.0%。

表 2-13　2004—2008 年农村科普（技）活动场地分布情况

| 地区 | 农村科普（技）活动场地（个） | | | 2008 年比 2006 年增长比例（%） |
|---|---|---|---|---|
| | 2004 年 | 2006 年 | 2008 年 | |
| 东部 | 51108 | 104766 | 102304 | -2.4 |
| 中部 | 31997 | 82973 | 84797 | 2.2 |
| 西部 | 33772 | 47214 | 77928 | 65.1 |
| 合计 | 116877 | 234953 | 265029 | 12.8 |

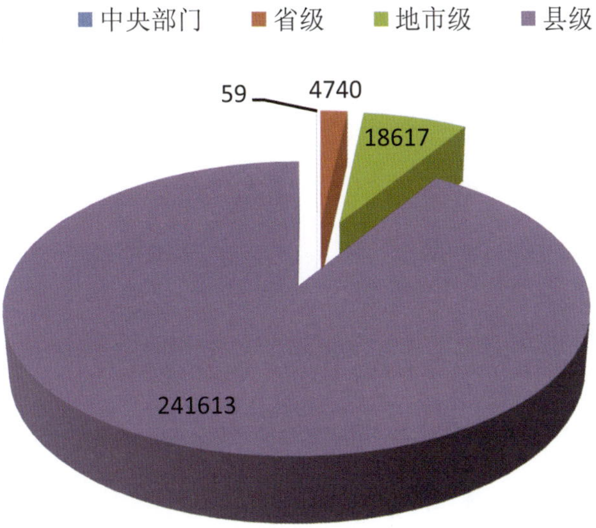


图 2-22　2008 年各级别农村科普（技）活动场地数量（个）

2008 年拥有农村科普（技）活动场地数量较多的省份包括河南、四川、河北和山东（见图 2-23）。

从部门的农村科普（技）活动场地数量看（见图 2-24），科协系统建设的农村科普（技）活动场地最多，共计 87257 个，占全国农村科普（技）活动场地总数的 1/3 左右。计生部门、科技管理部门和农业部门建设的农村科普（技）活动场地也比较多。

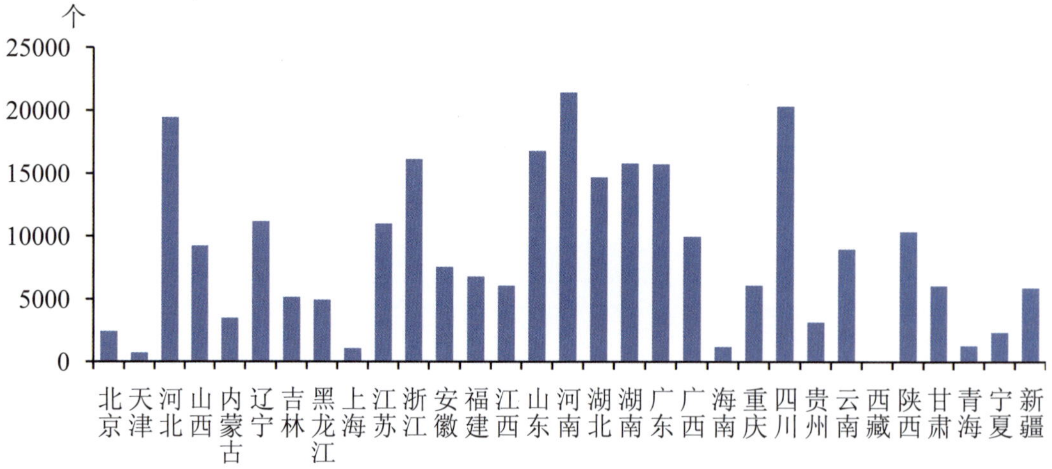


图 2-23　2008 年各省农村科普（技）活动场地数量

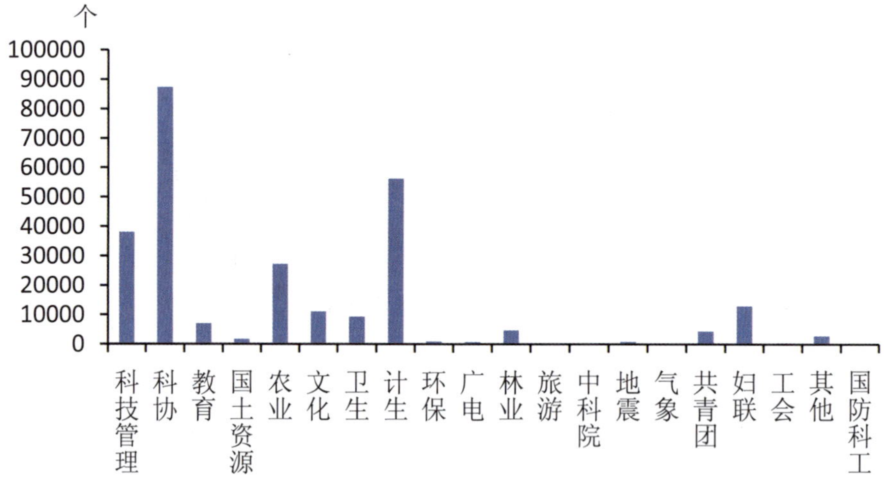


图 2-24　2008 年各部门农村科普（技）活动场地数量

### 2.4.4　科普宣传专用车

科普宣传专用车是指科普大篷车以及其他专门用于科普活动的车辆，其最大的特点是机动灵活，适合服务于偏远地区的群众。2008 年，我国共有科普宣传专用车 1414 辆，比 2006 年减少 13.4%。

从表 2-14 可以看出，2008 年东、中、西部地区的科普宣传专用车数量均有不同程度的减少，其中，东部、中部地区都减少了 15%以上。

**表 2-14　2004—2008 年科普宣传专用车分布情况**

| 地区 | 科普宣传专用车（辆） | | | 2008 年比 2006 年增长比例（%） |
|---|---|---|---|---|
| | 2004 年 | 2006 年 | 2008 年 | |
| 东部 | 291 | 707 | 600 | -15.1 |
| 中部 | 137 | 361 | 303 | -16.1 |
| 西部 | 212 | 564 | 511 | -9.4 |
| 合计 | 640 | 1632 | 1414 | -13.4 |

从中央到地方各级别的科普宣传专用车的分布不同于其他公共场所科普宣传设施，从图 2-25 可以看出，市级部门的科普宣传专用车拥有量最高，占全国科普宣传专用车总量的 60.3%。

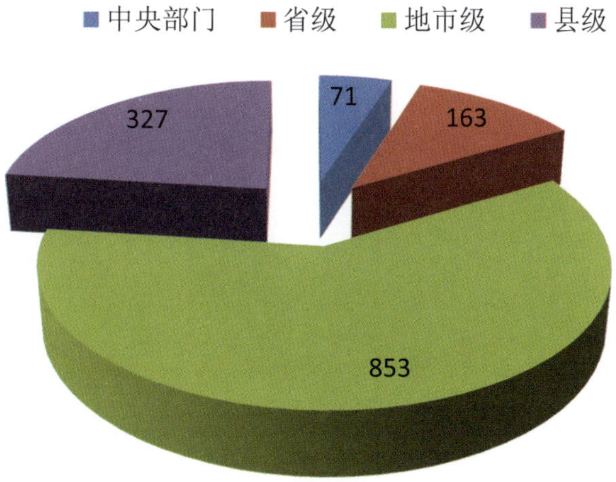


**图 2-25　2008 年各级别科普宣传专用车拥有量（辆）**

如图 2-26 所示，北京拥有的科普宣传专用车数量（196 辆）远远领先于其他省份，排在其后的是重庆、广东、四川。而有一些省份科普宣传专用车数量非常少，如青海、海南、甘肃等地。

从部门的科普宣传专用车数量看（见图 2-27），科协系统的科普宣传专用车数量最多，共计 301 辆，占全国总数的 27.69%。计生部门、卫生部门、科技管理部门和农业部门科普宣传专用车数量也比较多。

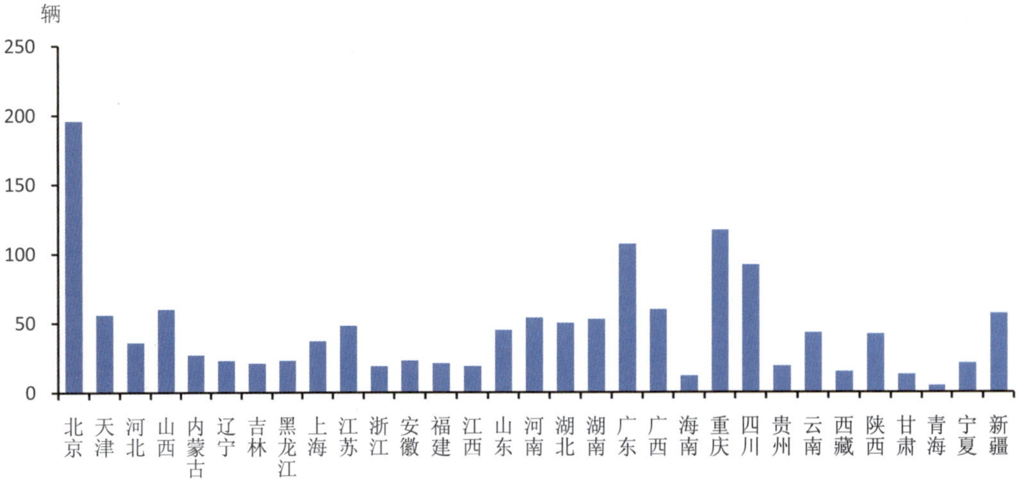


图 2-26 2008 年各省科普宣传专用车数量

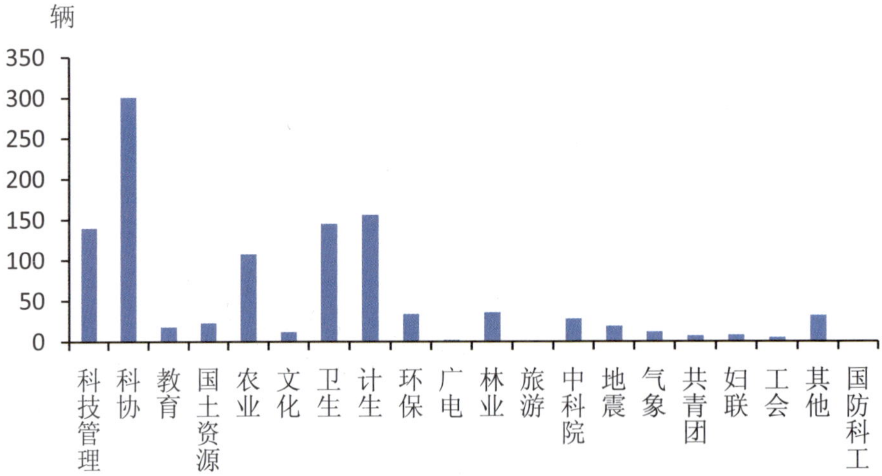


图 2-27 2008 年各部门科普宣传专用车数量

## 2.5 科普（技）教育基地

科普（技）基地是开展科学技术普及活动、提高公众科学素质的有效途径。建立科普基地能进一步推动科普工作的群众化、社会化、经常化。《科学素质纲要》提出了“十一五”期间关于科普教育基地发展的量化指标：“国家级青少年科技教育基地和科普教育基地总数由目前的 300 余座增加至 500 座，省部级青少年科技教育基地和科普教育基地总数由目前的 1000 余座增加至 2000 座，定期对公众免费或优惠开放。”

2008 年 11 月，国家发展改革委、科技部、财政部和中国科协颁布了《科普基础设施发展规划（2008—2010—2015）》，对我国科普基础设施发展的方针、目标、任务以及保障措施等做出了总体部署。《科普基础设施发展规划（2008—2010—2015）》提出，“推进各类科普基地建设。适度发展国家级和省部级科普基地。充分发挥各行业部门和地方优势，根据自身特点和资源，把农业、林业、国土资源、医疗卫生、计划生育、生态环境保护、安全生产、气象、地震、体育、文物、旅游、妇女儿童、民族、国防教育等工作与科普工作有机结合，按照开展科学技术教育、传播与普及等需要，建设不同功能的行业科普基地。”

### 2.5.1 国家级科普（技）教育基地

统计所指的国家级科普（技）教育基地是指由科技部和中国科协分别主导命名的“全国青少年科技教育基地”和“全国科普教育基地”。现在，其他部委也在命名本部门的国家级基地，本统计暂未纳入。

因为近年科技部和中国科协没有开展新的命名，所以国家级科普（技）教育基地仍然是 387 个（重复命名的只计算一次），其中享受过税收优惠政策的有 46 个，占总数的 11.89%，比 2006 年有所下降。如图 2-28 所示，387 个全国科普（技）教育基地中，场馆类（包括自然博物馆、科技博物馆、科技馆、天文馆、科技园、动物园、植物园、水族馆和青少年活动中心等各类场馆）有 282 个，占 73.0%；科研院所及高校类（包括科研院所、高等院校等单位的实验室、实验基地和科普教育基地）有 32 个，占总数的 8.3%；高技术企业和生产基地类（包括工业和农业等部门的生产或实验基地）有 25 个，占 6.5%；自然保护区类（包括自然保护区内的博物馆、科技馆、标本馆等）有 25 个，占 6.5%；科教中心和其他类（科教中心、训练中心、救治中心、野生动物繁育中心、中小学校、部队、图书馆、电视台）有 23 个，占 5.9%。

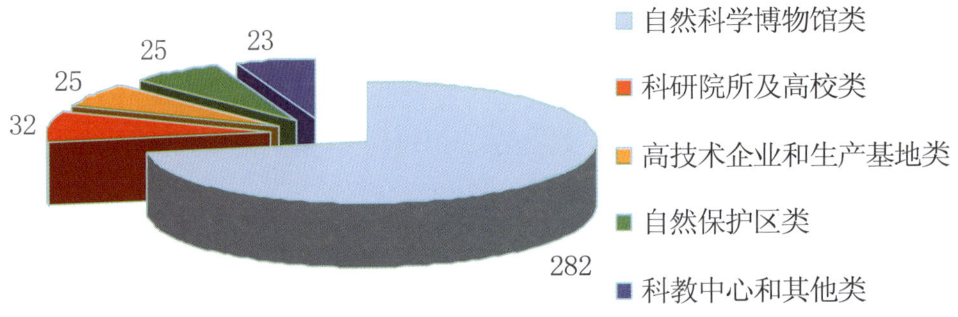


图 2-28　2008 年各类国家级科普基地数量（个）

**科普基础设施发展规划（2008—2010—2015）中关于科普基地的论述**

开发开放科普基地

推进各类科普基地建设。适度发展国家级和省部级科普基地。充分发挥各行业部门和地方优势，根据自身特点和资源，把农业、林业、国土资源、医疗卫生、计划生育、生态环境保护、安全生产、气象、地震、体育、文物、旅游、妇女儿童、民族、国防教育等工作与科普工作有机结合，按照开展科学技术教育、传播与普及等需要，建设不同功能的行业科普基地。

挖掘和综合利用社会科普教育资源。推动科研机构和大学面向公众开放实验室、研究中心等科研设施，支持和鼓励科研机构和大学创造条件设立面向公众的专门科普场所。推动青少年宫和青少年实践基地等未成年人校外活动场所、妇女儿童活动中心、家长学校、文化宫、职工学校、技工院校、职业技能培训机构和农村致富技术函授大学等增加科普内容，实现科普教育的功能。完善相关政策措施，鼓励高新技术园区开展科普活动，有条件的企业面向公众开放研发机构、生产设施（流程）或展览馆，并根据自身特点建设专门科普场所；引导海洋馆、野生动物园、主题公园、自然保护区、森林公园、地质公园、动植物园等经营性旅游场馆强化科普教育功能。

规范科普基地建设，发掘和拓展社会相关设施的科普教育功能。

研究制定《关于加强科普基地的若干意见》，完善科普基地的认定办法和管理条例。开展示范性引导、专业咨询以及资源服务等工作，推动现有科普基地拓展完善科普展教功能。实施国家科普基地建设工程，发展一批国家级和省部级科普基地，重点建设一批以体验、观察为主的科普教育基地。积极推动国家安全生产教育示范基地、煤炭矿区安全生产科普示范基地、北京市奥运村科技园科普教育平台、国家环保科普基地、中国林业数字科技馆、全国林业科普基地、中国科学院系统 30 个科学传播基地、工程科学技术教育基地的科学发展。研究制定《关于科研机构和大学向社会开放开展科普活动的若干意见》的相关配套政策措施。中国科学院所属科研机构、国务院部门所属科研机构和大学率先实现向社会定期开放其相关科普设施，其他科研机构逐步实现向社会开放。通过国家自然科学基金科普项目重点资助科研机构、大学面向社会开展科学普及教育活动。制订科普基础设施的认定办法和管理条例，规范和推动科技类博物馆及基层科普设施的建设、运行与发展。推动科普展览、展品、科普大篷车等产品技术标准的制订工作。

### 2.5.2　省级科普（技）教育基地

截至2008年底，我国共有省级科普（技）教育基地1973个，比2006年增长了21.1%。1973个省级科普（技）教育基地中享受过税收优惠政策的有154个，占总数的7.8%，比2006年有所下降。

东、中、西部地区国家级和省级科普（技）教育基地的拥有情况如图2-29所示。东部地区无论是国家级还是省级科普（技）教育基地的数量均明显高于中、西部地区，东部地区国家级科普（技）教育基地占全国总量的49.9%，省级基地则达到了全国总量的51.8%。东、中、西部地区的省级科普（技）教育基地数量都比2006年有所增加，其中中部地区增幅最大，达到了46.0%。

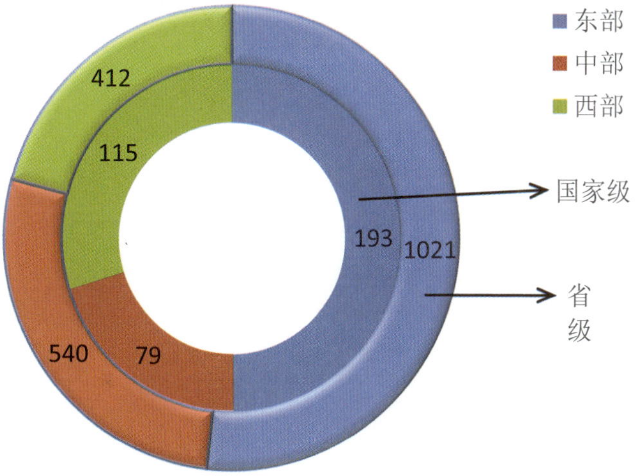


图2-29　2008年东、中、西部地区国家级和省级科普（技）教育基地（个）

图2-30所示是各省拥有的国家级和省级科普（技）教育基地情况。从图中可以看出，北京、上海和广东拥有的国家级科普（技）教育基地数量明显多于其他省份。在国家级科普（技）教育基地数量前10位的省份中，东部地区占了

8 个，中、西部地区各 1 个。全国拥有省级科普（技）教育基地 50 个以上的省份共有 15 个。省级科普（技）教育基地的分布状况与国家级科普（技）教育基地分布状况类似，主要集中在东部地区。

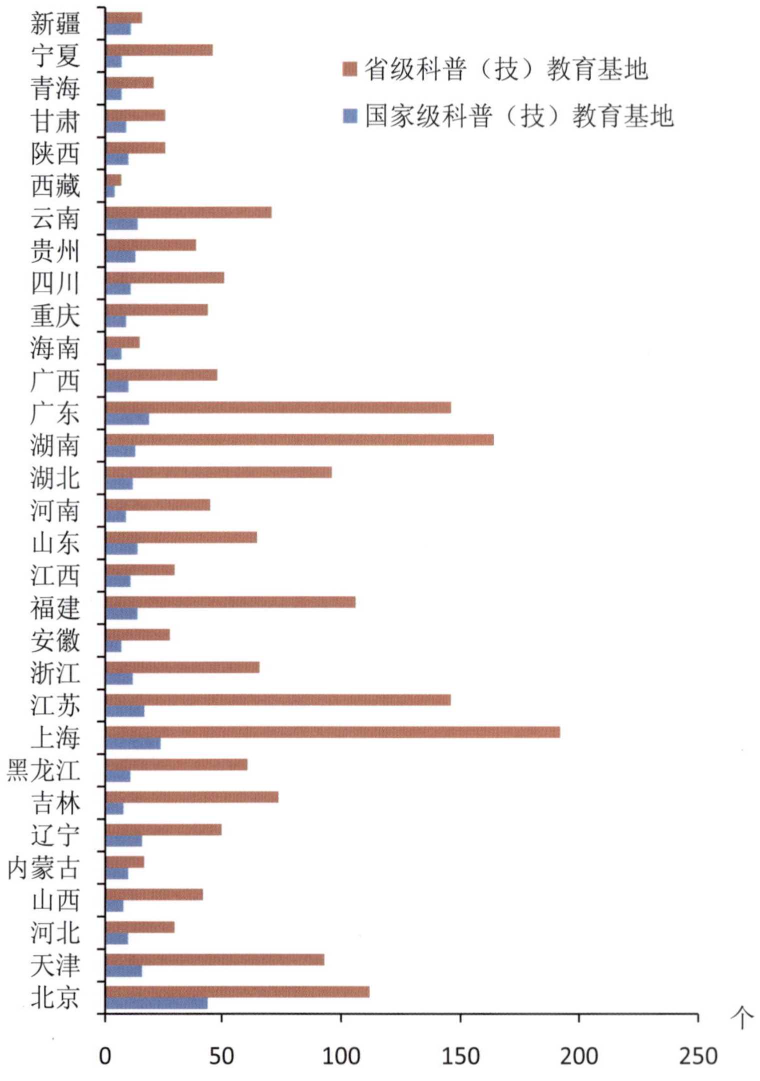


**图 2-30　2008 年各省国家级和省级科普（技）教育基地数量**

比较各地科普（技）教育基地享受税收优惠政策的情况可以发现，上海、江苏、广东等根据地方情况制订了《科普税收优惠政策实施细则》的地区，享受税收优惠政策的科普（技）教育基地比例较高。

# 3 科普经费

科普经费投入是开展各项科普活动的必要保证。《中华人民共和国科学技术普及法》（以下简称《科普法》）第二十三条规定：“各级人民政府应当将科普经费列入同级财政预算，逐步提高科普投入水平，保障科普工作顺利开展。各级人民政府有关部门应当安排一定的经费用于科普工作。” 很多地方政府都根据《科普法》制定了本地区的科普工作条例，在条例中对科普经费的投入作出了明确规定。

政府部门在加大对科普投入的同时，也积极鼓励社会力量投入科普事业。2003 年 5 月，由财政部、国家税务总局、海关总署、科技部和新闻出版总署等部门联合出台的《关于鼓励科普事业发展税收政策问题的通知》对社会资金投入科普事业产生了很大的促进作用。《科普法》对科普经费的使用也做出了明确规定：“科普经费和社会组织、个人资助科普事业的财产，必须用于科普事业。”

2008 年 11 月，国家发改委、科技部、财政部、中国科协联合颁布了《科普基础设施发展规划（2008—2010—2015）》，提出根据《全民科学素质行动计划纲要（2006—2010—2020 年）》要求，加大对公益性科普基础设施建设和运行经费的公共投入。加强国家对社会资金的引导，多渠道、多层次筹措资金，鼓励社会力量参与科普基础设施建设和运行服务。

科普经费年度筹集额是指本单位内可专门用于科普工作管理、研究以及开展科普活动等科普事业的各项收入之和。从资金筹集的渠道来分析，它包括政府拨款、捐赠、自筹资金和其他收入 4 个部分。其中，政府拨款是指从各级政府部门获得的用于本单位科普工作实施的经费，不包括代管经费和本单位划转到其他单位去的经费；捐赠是指从国内外各类团体和个人获得的专门用于开展科普活动的经费（捐物不在统计范围内）；自筹资金是指本单位自行筹集的，专门用于开展科普工作的经费；其他收入是指本单位科普经费筹集额中除上述经费外的收入。

年度科普经费使用额是指本单位内实际用于科普管理、研究以及开展科普活动的全部实际支出。从支出的具体用途分析，科普经费的支出包括：行政支出；科普活动支出，指直接用于组织和开展科普活动的支出；科普场馆基建支出，指本年度内实际用于科普场馆的基本建设资金，包括实际用于场馆的土建费（场馆修缮和新场馆建设）以及科普展品和设施添加所产生的费用两部分；以及其他支出，指本单位科普经费使用额中除上述支出外，用于科普工作的相关支出。《科普法》第二十八条规定："科普经费和社会组织、个人资助科普事业的财产，必须用于科普事业，任何单位或者个人不得克扣、截留、挪用"。

我国初步建立了以政府投入为主体，社会与个人投入相辅的科普经费投入机制。2008 年全社会科普经费投入 64.84 亿元，其中各级政府财政拨款近 47 亿元。在政府拨款的科普经费中，科普专项经费 24.42 亿元，全国人均政府投入的科普专项经费 1.84 元。我国科普经费投入具有区域发展不平衡的特征，东部地区的科普经费筹集额占全国总额的 62.6%，依然远高于中、西部地区。各层级科普筹集经费均有不同程度的增长，其中省级和县级构成了全国科普投入的主体层级。其中省级经费的比例有较大增长，与 2006 年相比增长了 236.7%。2008 年度全国科普经费使用额共计 62.31 亿元，比 2006 年增长了 35.4%，其中科普经费使用额中的大部分支出（57.8%）用于举办各种科普活动。

## 3.1 科普经费概况

### 3.1.1 科普经费筹集

**（1）年度科普经费筹集额的构成。**我国初步建立了以政府投入为主体，社会与个人投入相辅的科普经费投入机制。2008 年全社会科普经费投入 64.84 亿元，比 2006 年增长 38.5%。其中，各级政府财政拨款近 47 亿元，占总投入金额的 72.5%，这一比例比 2006 年有所提高，说明全国科普投入主要依赖政府依然是中国科普经费投入的现状，并将在未来较长时间内持续下去。在政府拨款的科普经费中，科普专项经费 24.42 亿元，比 2006 年增长 56.7%。由此计算得出全国人均政府投入的科普专项经费 1.84 元，比 2006 年的人均 1.18 元增加了 0.66 元。

总体上，社会科普投入的社会激励机制还有待完善。2008 年科普筹集经费中，接受社会捐赠 0.83 亿元，仅比 2006 年增长了 6.4%，是所有收入项目中增长最慢的。从占筹集总额比例来看，社会捐赠数额约占总投入的 1.3%，甚至比 2006 年还略有降低；自筹资金达 1.23 亿元，约占总投入的 19.0%；其他收入有 4.82 亿元，占 7.4%（图 3-1）。

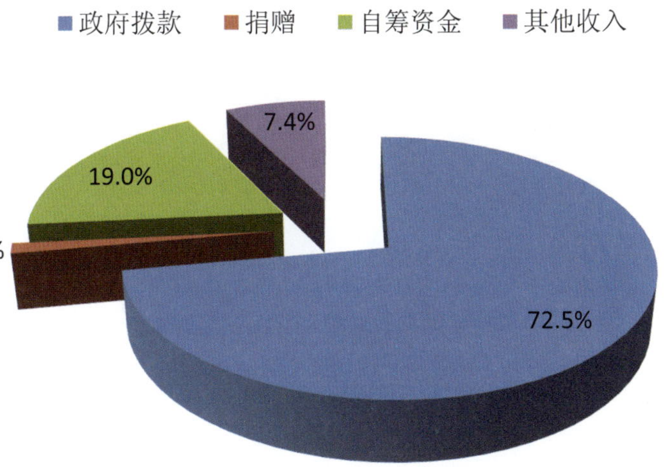


图 3-1　2008 年科普经费筹集额的构成

从科普经费筹集额的增长看（表 3-1），各项经费来源与 2006 年相比都有较大幅度的增加，增长最快的是其他收入，其次是来自政府的科普经费投入，增速较缓的是社会捐赠部分。

表 3-1　2004—2008 年科普经费筹集额构成的变化

| 经费构成 | 科普经费筹集额（亿元） | | | 2008 年比 2006 年增长比例（%） |
|---|---|---|---|---|
| | 2004 年 | 2006 年 | 2008 年 | |
| 政府拨款 | 15.51 | 32.50 | 64.84 | 44.6 |
| 捐赠 | 0.45 | 0.78 | 0.83 | 6.4 |
| 自筹资金 | 6.22 | 10.62 | 12.30 | 15.8 |
| 其他收入 | 1.98 | 2.92 | 4.82 | 65.0 |

**（2）年度科普经费筹集额的地区分布。**从东、中、西部地区的科普经费筹集额的数据对比看，我国科普经费投入具有发展不平衡的特点（图 3-2）。东部地区的科普经费筹集额占全国总额的 62.6%，这一比例比 2006 年有所下降，但

依然远高于中、西部地区。将科普经费筹集额平均到各区域的每个省份，东部地区各省的平均科普经费筹集额是3.68亿元，中部地区是1.39亿元，西部地区为1.09亿元。

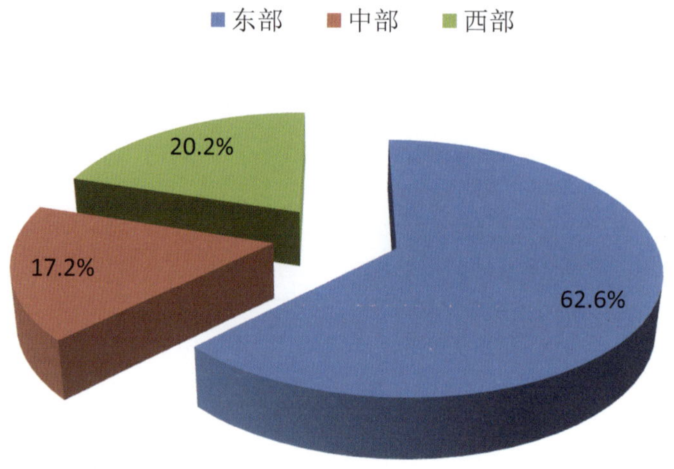


图3-2　2008年东、中、西部地区的科普经费筹集额比例

从科普经费筹集额的增长速度来看（表3-2），西部地区增长迅猛，2006—2008年间几乎翻番。这说明尽管经济发展相对落后，但出于对社会科普事业的重视，科学传播与普及的经费也得到相应增长。

表3-2　2004—2008年东、中、西部地区科普经费筹集额的变化

| 地区 | 科普经费筹集额（亿元） | | | 2008年比2006年增长比例（%） |
|---|---|---|---|---|
| | 2004年 | 2006年 | 2008年 | |
| 东部 | 16.35 | 32.06 | 40.59 | 26.6 |
| 中部 | 3.80 | 8.01 | 11.14 | 39.1 |
| 西部 | 4.00 | 6.76 | 13.11 | 93.9 |

**（3）年度科普经费筹集额的层级构成。**从科普经费筹集额的层级构成看，省级和县级的科普经费筹集额占了全国的大部分（图3-3），其中省级经费的比例有较大增长，由2006年的12.3%增长至2008年的近30%。2006年地市级占的比例要高于省级，而2008年的情况有所不同，地级市的科普经费略有下降。可见，省级政府更加重视并且加大了科普经费的投入力度。同时，省级科普经

费筹集额增速也是最快的，增长了236.7%（表3-3），与2004—2006年缓慢增长的态势形成鲜明对比。而中央部门科普经费增速放缓，且在全国科普经费筹集额中的比例也有所降低。

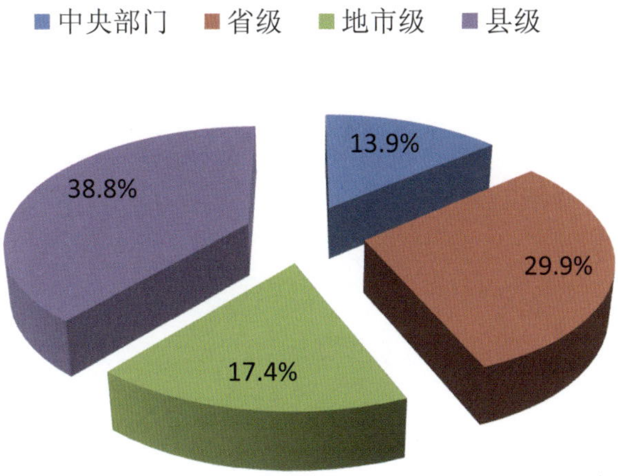


图3-3　2008年四级部门科普经费筹集额份额比较

表3-3　2004—2008年各级科普经费筹集额的变化

| 行政层级 | 科普经费筹集额（亿元） | | | 2008年比2006年增长比例（%） |
|---|---|---|---|---|
| | 2004年 | 2006年 | 2008年 | |
| 中央部门 | 2.00 | 7.42 | 8.99 | 21.2 |
| 省级 | 5.53 | 5.78 | 19.36 | 236.7 |
| 地市级 | 7.72 | 12.00 | 11.26 | -6.2 |
| 县级 | 8.91 | 21.62 | 25.12 | 16.2 |

### 3.1.2　科普经费使用

**（1）科普经费使用额的构成。**2008年度全国科普经费使用额共计62.31亿元，比2006年增长了35.4%。其中行政支出8.87亿元，科普活动支出经费36.03亿元，科普场馆基建支出11.91亿元，其他支出5.58亿元（表3-4）。从科普经费的使用情况可以看出（图3-4），2008年科普经费使用额中的大部分支出（57.8%）用于举办各种科普活动。全国科普场馆基建支出占全部科普经费支出的19.1%，这一比例自2004年以来持续下降。

在11.91亿元科普场馆基建支出中，来自各级政府拨款支出共计8.45亿元，占基建总支出的 70.9%，这一比例较 2006 年的 54.7%有所上升，可见政府投入仍承担着科普场馆建设的首要责任。

表 3-4　2004—2008 年科普经费使用额构成的变化

| 支出项目 | 科普经费使用额（亿元） | | | 2008 年比 2006 年增长比例（%） |
|---|---|---|---|---|
| | 2004 年 | 2006 年 | 2008 年 | |
| 行政支出 | 3.25 | 4.88 | 8.87 | 81.7 |
| 科普活动支出 | 13.84 | 27.95 | 36.03 | 28.9 |
| 科普场馆基建支出 | 5.32 | 9.77 | 11.91 | 21.9 |
| 其他支出 | 1.70 | 3.41 | 5.58 | 63.4 |

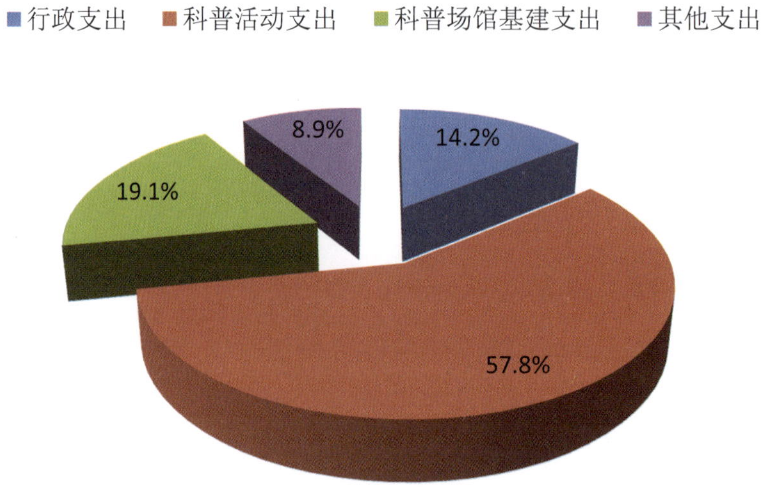


图 3-4　2008 年科普经费使用额的构成

从科普经费支出的变化情况看（表 3-4），各项支出均有较大增长。其中，为维持科普相关工作正常运转，行政性日常支出的增长速度较快，这也是完成日常科普工作任务的重要保障。

**（2）各层级科普经费使用额构成。**从各个层级的科普经费支出看（图 3-5），县级科普使用经费最高，占四个层级总支出的 40.3%，达 25.10 亿元。其次是省级，为 17.43 亿元，所占比例为 28.0%。这两个层级为主要的科普支出层级。地级市在各层级科普使用额中所占份额较 2006 年有所下降。中央部门的比例在四个层级中偏低，这表明地方财政支出是基层科普活动正常进行的重要保障。

从各层级科普经费使用额的构成情况看（图 3-6），各个层级的科普活动支出的比例都是较大的，除中央部门单位外，其他层级均超过了 60%，其中以县级支出比例为最大，约占 63.1%。中央部门单位经费支出主要用于科普场馆基建支出和科普活动支出，这两项支出占全部中央部门单位科普经费的 88.1%，而行政支出和其他支出都比较少。在科普场馆基建方面支出较多的还有县级单位。省级单位的科普使用经费仅少于县级，除科普活动支出外，其行政支出和其他支出也在其支出结构中占有一定比例。

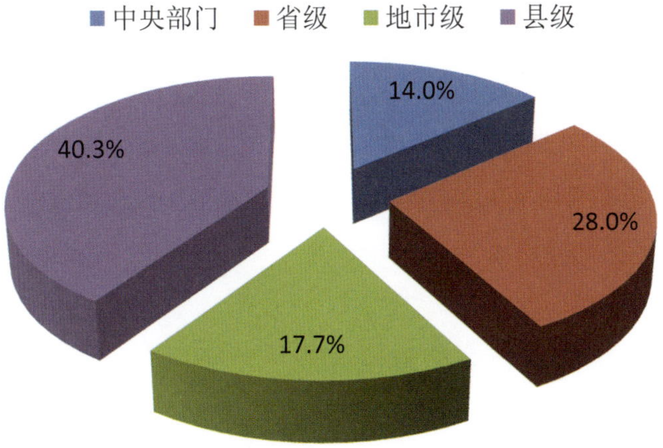


图 3-5　2008 年四级部门的科普经费使用额比例

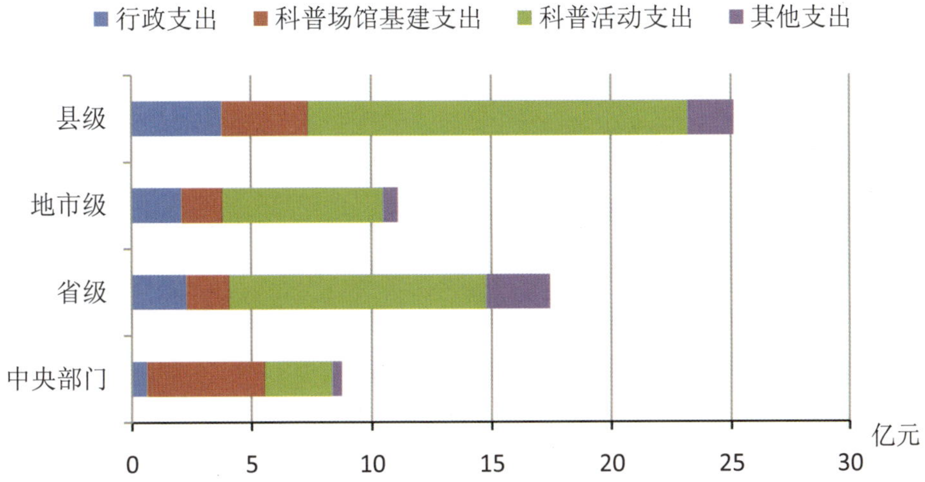


图 3-6　2008 年各层级科普经费使用额构成

## 3.2 各省科普经费筹集及使用

自 1994 年中共中央、国务院下发《关于加强科学技术普及工作的若干意见》的通知以后，特别是在《科普法》颁布后，全国大部分地区针对本地特点，制定了本地区关于科普经费筹集、使用等方面的一些规定，加大了科普经费的投入和使用管理的力度。从 2008 年科普经费的统计数据看，与全国整体情况类似，各地区的科普投入也仍然是政府主导、社会参与的格局。

### 3.2.1 科普经费筹集

**（1）年度科普经费筹集额。**从年度科普经费筹集额的总数看（图 3-7），科普经费投入仍呈现出不均衡发展。排名前 5 位的仍然是北京、上海、广东、浙江和江苏，这 5 个地区的科普经费筹集额之和高达 32.78 亿元，占全国总数的 50.6%。与 2006 年有所不同的是上海和广东的排位有所上升，名次分别从第 5 位与第 4 位升至第 2 位与第 3 位；相应地，浙江、江苏的排位有所下降。而科普经费筹集额较少的 5 个省份（甘肃、海南、宁夏、青海与西藏）的经费总额只有 1.35 亿元，仅占全国总数的 2.1%。从区域分布来看，在经济发达的地区科普经费投入相对较好，而西部地区科普经费总体较低，这说明科普发展与经济发展有一定联系。从科普经费筹集额的变化看，多数省份的科普经费筹集额均为正增长，并且增幅明显，全国有 8 个省区的科普经费筹集额在两年内翻了一番以上，其中以重庆、西藏、天津、陕西、山西等省份增幅最快。这从另一个角度表明，科普经费主要依靠地方财政，但并不与经济发展水平完全挂钩，与政府的重视程度也密切相关。

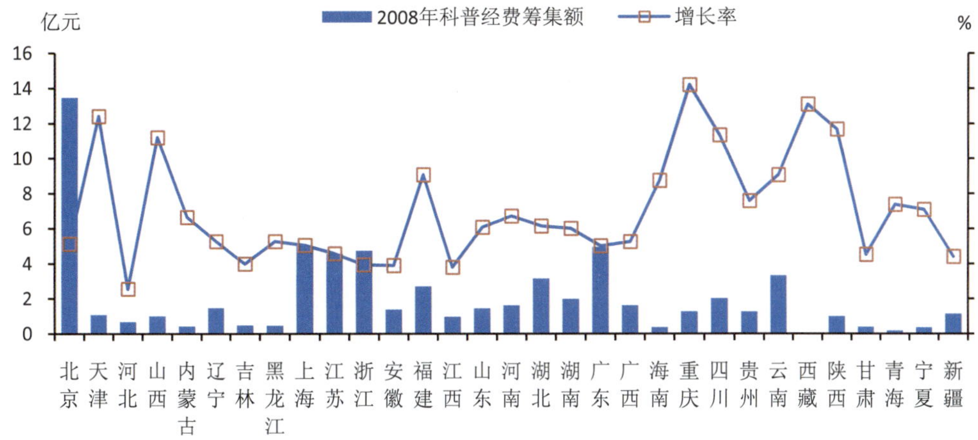


**图 3-7　2008 年各省科普经费筹集额及增长率**

**（2）年度科普经费筹集额构成。**科普经费主要依靠财政拨款，各地以科普专项经费的形式下拨经费，来保证本地区最重要的科普活动的举办。从图 3-8 可以发现，科普经费筹集额中政府拨款是各省科普筹集经费中最主要的组成部分，比例较高的省份有山西、北京、贵州、新疆等，这一比例均超过 80%。自筹资金是科普经费筹集额的另一个重要来源，各省自筹资金占经费筹集额比例的平均值为 20%，其中自筹资金比例较高的省份有天津、陕西、广西、江西等，西藏这一比例较低。

从总体上可以看出，科普经费筹集额中社会捐赠额较少（图 3-9），各省平均科普捐赠经费为 267.08 万元，且大多数省份处于这一平均水平之下。捐赠经费在各地年度经费筹集额中所占的比例都还较小（图 3-9 右轴标示），全国平均比例为 1.86%。除黑龙江所占比例超过 10%外，其他省份均低于 5%，这说明社会上对科普投入仍偏少。根据《关于鼓励科普事业发展税收政策问题的通知》有关企业向科普投入资金可以享受税收减免的政策，要继续完善社会科普投入的激励机制，吸引更多的社会资金投入到科普中，须对这一文件予以进一步贯彻落实。从科普经费的捐赠额来看，北京、广东和黑龙江等省份在全国位居前列；从捐赠额占科普经费筹集额的比例看，黑龙江、内蒙古和陕西等省份这一比例较高。

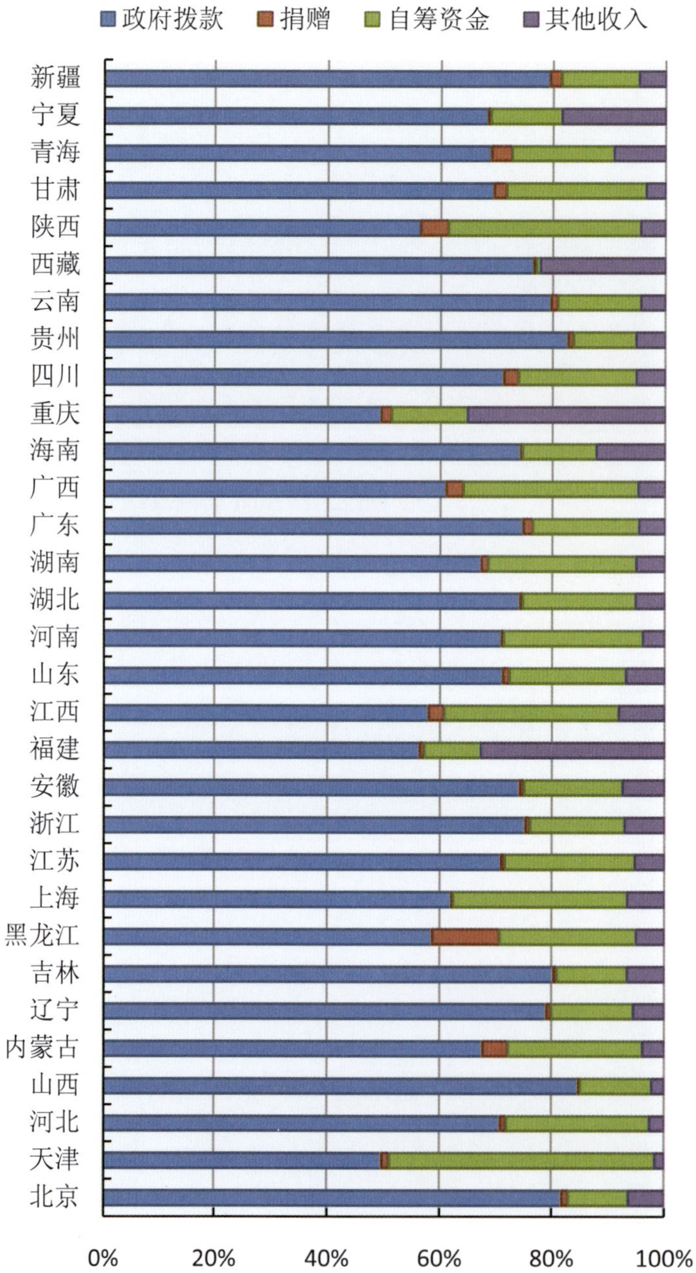


图 3-8　2008 年各省科普经费筹集额构成

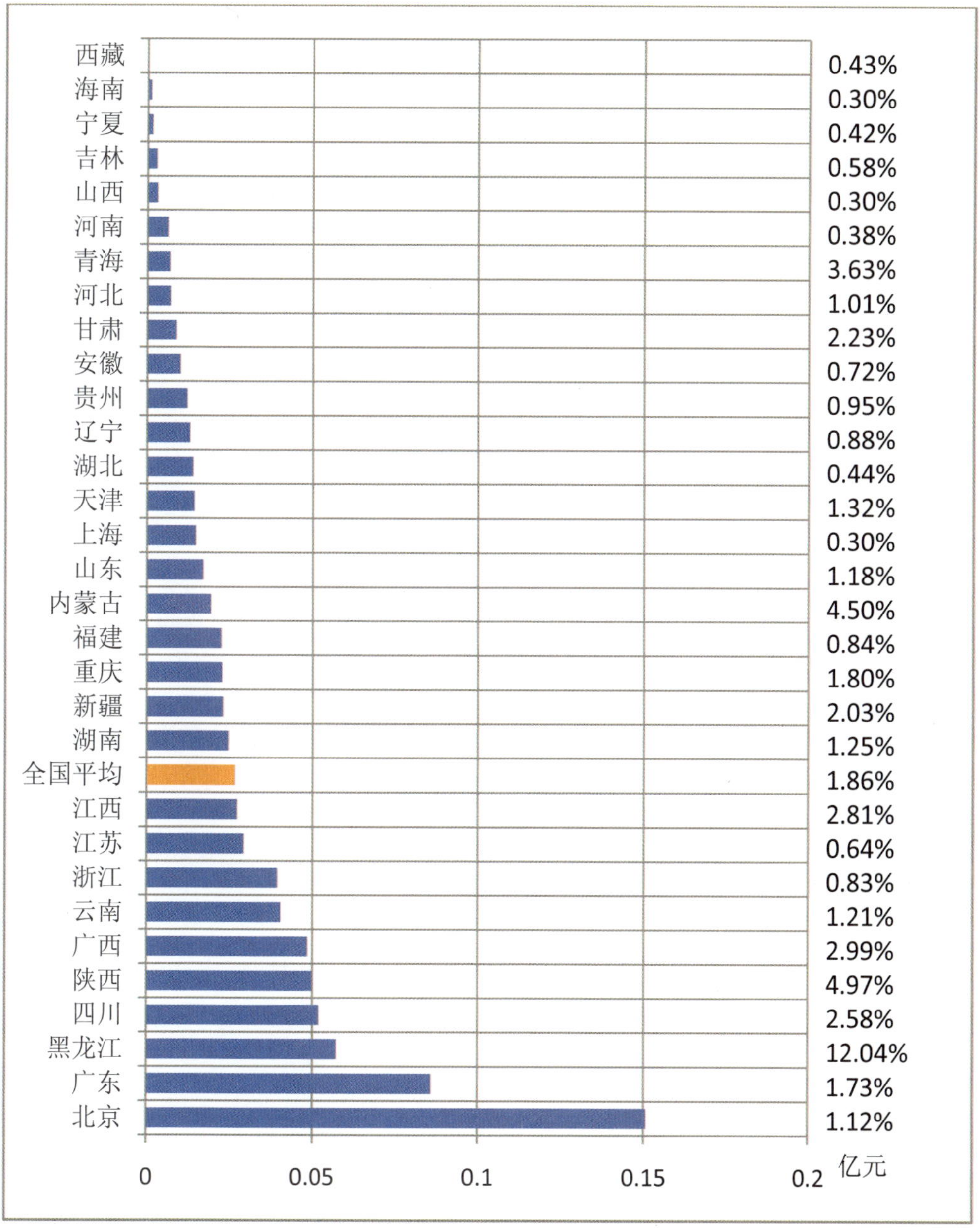


**图 3-9　2008 年各省科普经费社会捐赠额及其占所在省份科普经费筹集总额的比例**

**（3）三级人均科普专项经费。**三级人均科普专项经费的地区差异大（见图 3-10），三级人均科普专项经费达 2 元以上的省份有 6 个，其中上海和北京以近 12 元的人均科普专项经费遥遥领先，人均超过 2 元的省区还有天津、浙江、广东以及西部省份宁夏。宁夏尽管投入经费绝对水平不高，但人均水平较高。介于 1~2 元之间的省份有 8 个，包括福建、辽宁、江苏、云南、山西、新疆、重庆和湖南；14 个省份的人均科普专项经费在 0.5~1 元之间，包括安徽、贵州、广西、江西等；有 3 个省份的人均科普专项经费仍在 0.5 元以下，但这一区间的省份数量比 2006 年减少了 6 个。这表明通过持续的科普经费投入，我国绝大多数的省份已经达到第 2 次全国科普工作会议提出的人均科普专项经费达到 0.5 元的标准。

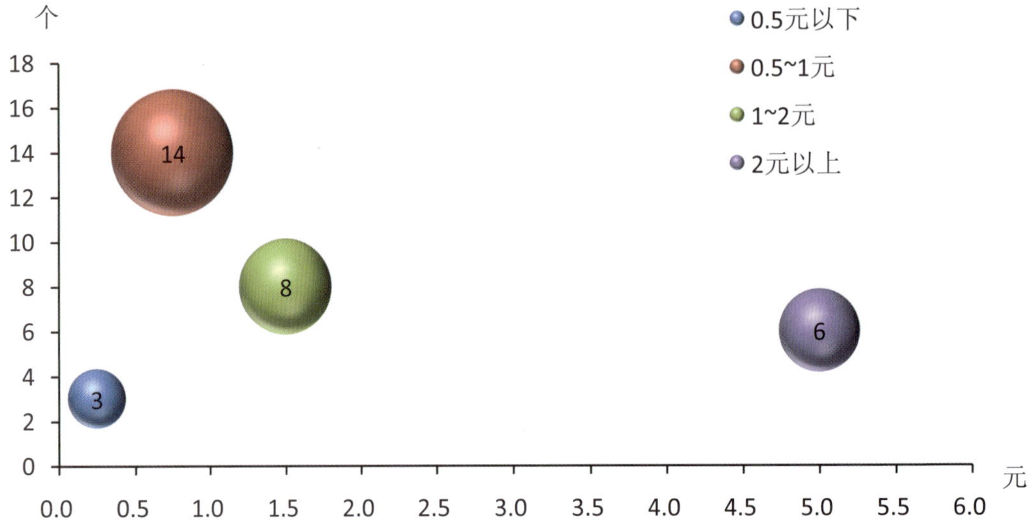


图 3-10　2008 年全国三级人均科普专项经费不同区间分布

从东部、中部、西部地区来看，三级人均科普专项经费 0.5 元以下的省份各有一个；有 7 个西部省份位于 0.5~1 元的区间中，东部地区有 2 个，中部地区有 5 个省份位于这一区间；西部和东部地区均有 3 个省份的三级人均科普专项经费介于 1~2 元之间，中部地区有 2 个；2 元以上区间主要集中在东部省份，西部省份有 1 个。值得注意的是，这一指标与各地区的人口密度有密切关系，不同区域人口数量差距很大，也会在很大程度上影响统计结果。

表 3-5　2008 年三级人均科普专项经费按不同区段划分的地区分布

| 人均科普经费区段范围 | 0.5 元以下 | 0.5~1 元 | 1~2 元 | 2 元以上 |
|---|---|---|---|---|
| 东部省份数（个） | 1 | 2 | 3 | 5 |
| 中部省份数（个） | 1 | 5 | 2 | 0 |
| 西部省份数（个） | 1 | 7 | 3 | 1 |

从三级人均科普专项经费的增长情况看（图 3-11），2008 年绝大多数省区与 2006 年相比均呈现不同程度的正增长，而且增长速度均较快，各省平均增长率为 50.7%。其中以一些大型城市的增长最为迅速，以上海、天津、重庆为代表，增长了 1.5 倍以上，而北京的增长超过 1 倍。值得一提的是，西部省份四川和宁夏也增长了 1 倍多，中部的山西也翻了一番。

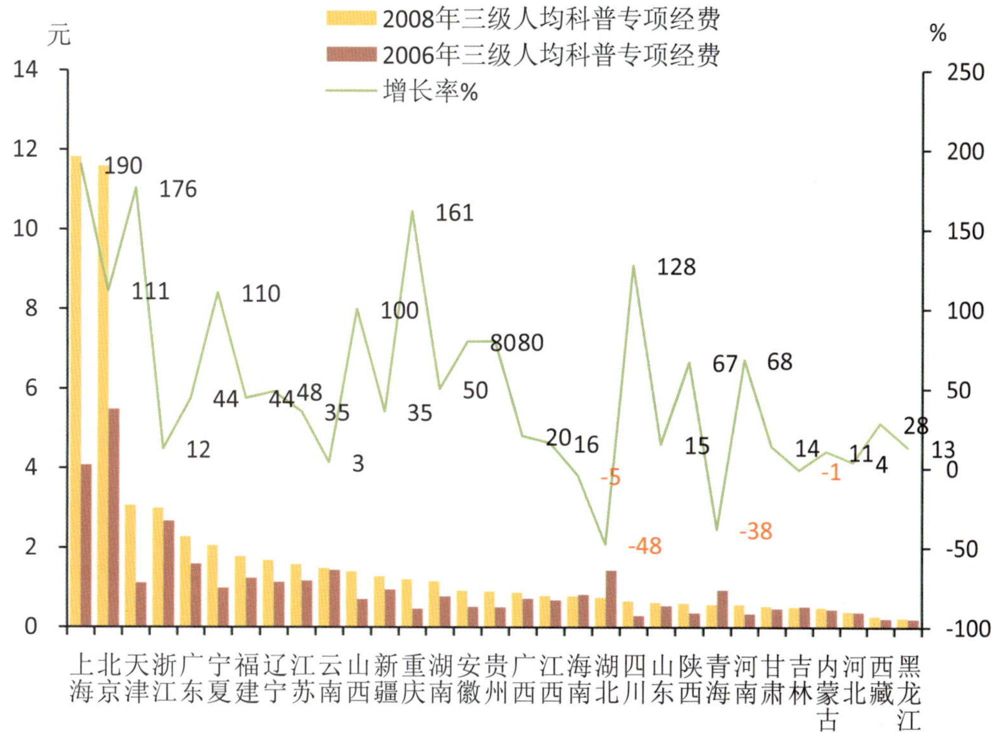


图 3-11　2008 年三级人均科普专项经费地区分布及其比 2006 年的增长情况

**（4）年度科普经费投入占 GDP 比例。**2008 年全社会科普经费投入 64.84 亿元，比 2006 年增长 38.5%。科普经费投入占全国 GDP 的比例是 2.1‱（万分之二点一），与 2006 年基本持平。如果计算各省区科普经费筹集额占 GDP 的比例，可以看出，全国共有 10 个省份高于全国平均水平。北京的这一比例达到了 12.9‱，居全国首位。贵州、宁夏、云南、新疆等省份虽然属于经济欠发达地区，但是从科普经费筹集额占 GDP 的比例看，还高于一些经济发达地区（图 3-12）。

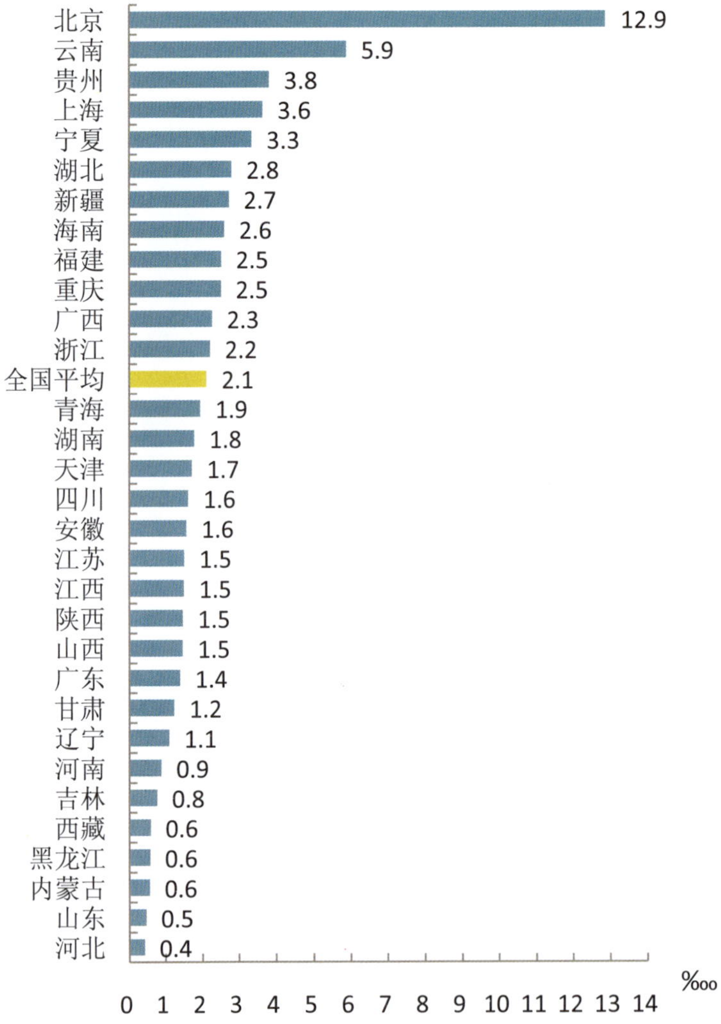


**图 3-12　2008 年各省科普经费筹集额占 GDP 比例**

对比全国科普经费使用额和科技经费支出额占 GDP 比例及 2004—2008 年变化情况看（图 3-13），三次统计结果表明，2006 年相对于 2004 年这一比例出现了较快的增长，且增长速度快于全国科技经费支出额占 GDP 的比例；2008 年科普经费使用额占 GDP 的比例相比 2006 年略有降低，而科技经费支出额的这一比例仍然平稳上升。

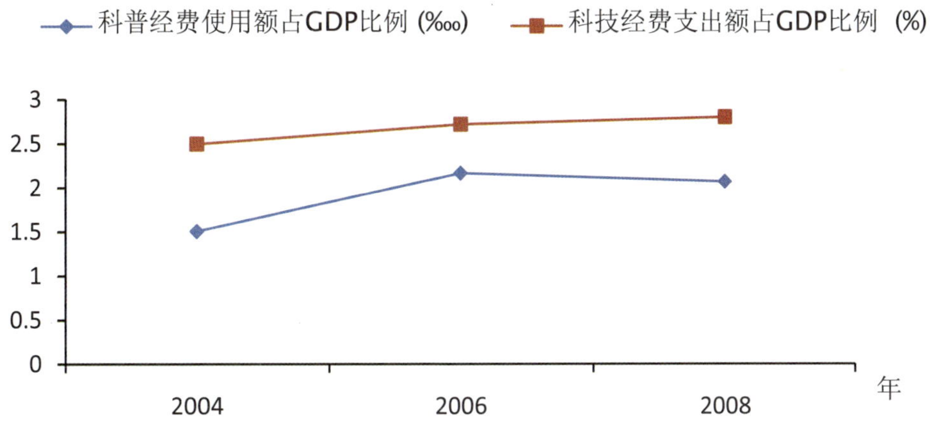


图 3-13　2004—2008 年科普经费使用额与科技经费支出额占 GDP 的比例

对比 2006—2008 年全国科普经费筹集（使用）额增长率与科技经费筹集（支出）额增长率（图 3-14），可以发现，科普经费筹集额和使用额的增长速度总体保持同步。然而，2008 年与 2006 年的情况有所不同，2006 年科普经费增幅远高于科技经费的增幅，2008 年科普经费和科技经费的增长速率则基本趋于一致。

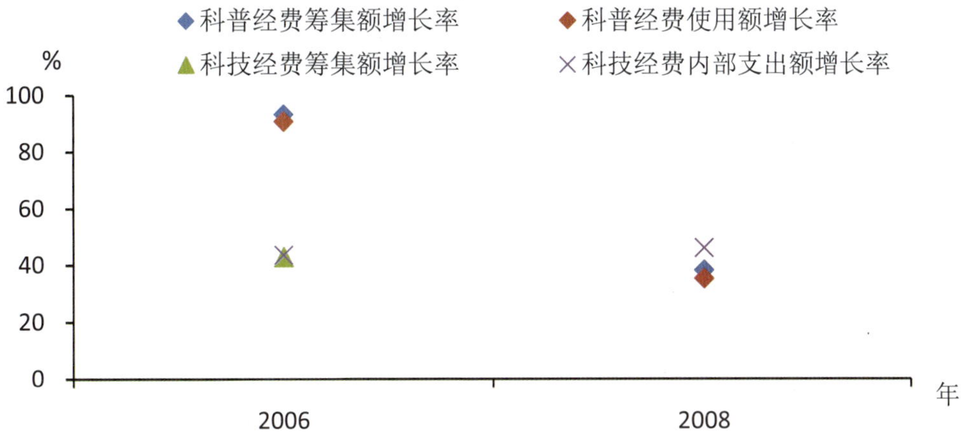


图 3-14　2006—2008 年科普经费与科技经费相关增长率比较

注：2008 年科技经费筹集额增长率数据尚缺，增长率均为跨两年计算，即 2006 年相对 2004 年的增长，2008 年相对 2006 年的增长。

### 3.2.2　科普经费使用

**（1）年度科普经费使用额**。从图 3-15 可以看出，年度科普经费使用额和年度科普经费筹集额是密切相关的，尽管各地年度科普经费使用额差异很大，但科普经费的使用额和筹集额基本持平。

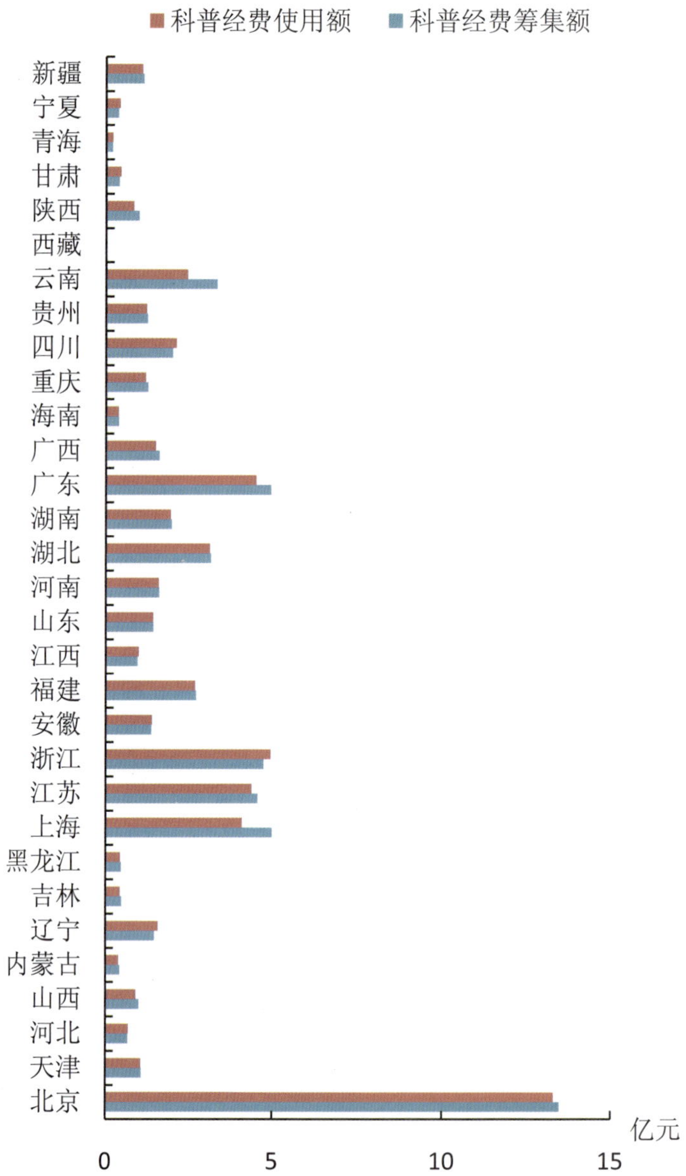


**图 3-15　2008 年各地科普经费使用额与筹集额**

**（2）年度科普经费使用额构成。**从各地科普经费使用额的具体构成看（图 3-16），科普活动支出是各地科普经费最主要的使用方向。2008 年全国科普活动支出 36.03 亿元，比 2006 年增长了 28.9%，占全部科普经费使用额的 57.8%。但也可以看到，在经费的具体使用途径上，各省又表现出较大的不同，在科普活动支出和科普场馆基建支出方面各有侧重。例如，北京的科普经费用于科普场馆基建支出的比例就高于科普活动支出比例，青海、山西在行政支出上比例较大，福建、重庆的其他支出项比重较大。

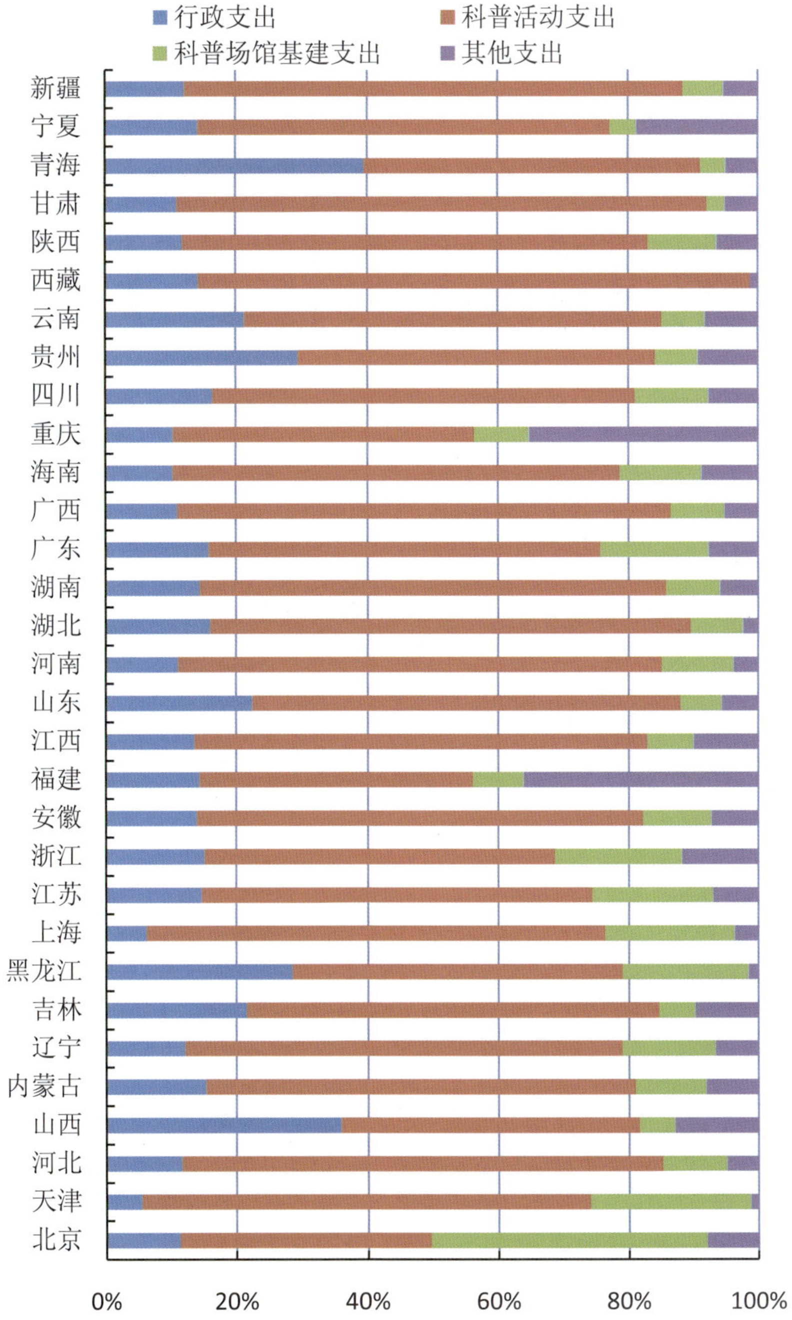


**图 3-16　2008 年各省科普经费使用额构成**

具体来看各省科普活动支出的情况，北京、浙江、广东、上海和江苏是科普活动经费使用额较高的省。科普活动支出占科普经费使用额比例较高的地区以中、西部省份居多，而且全国仅有 5 个省份这一比例低于 50%（图 3-17）。

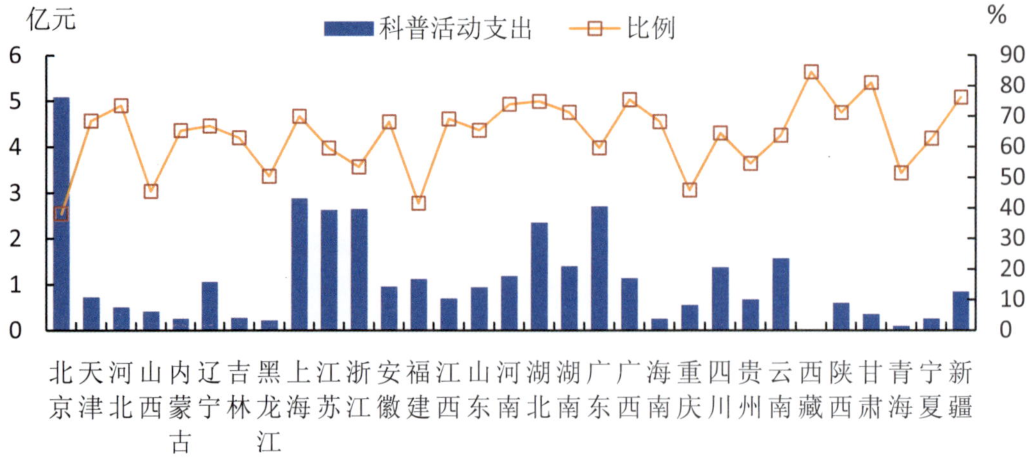


**图 3-17　2008 年各省科普活动支出额及其占科普经费使用额的比例**

**（3）科普场馆建设支出。**2008 年全国用于科普场馆基建支出的经费总额达 11.91 亿元，在 2006 年的基础上增长了 21.9%。科普场馆资源分布较不平衡，2006—2008 年科普场馆基建工程主要集中于一些发达地区的大城市，尤其是北京，基建支出额及其增长幅度均遥遥领先于其他省份。科普场馆基建支出额在全国平均数之上的省市有 5 个，分别是北京、上海、江苏、浙江和广东。全国科普场馆基建支出占科普经费使用额的比例为 19.1%，从图 3-18 可以看出，科普场馆基建支出较多的省份，其在科普经费使用额构成中所占比例也相对地高一些。比例超过 20%的是北京、天津和上海 3 个直辖市，而在一些欠发达的西部地区和少数民族地区，如青海、宁夏、甘肃，这一比例平均仅为 3.7%，支出额也远低于东部发达地区。其中西藏在 2006 年和 2008 年的统计中科普场馆基建支出均为零。

科普场馆是提高公民科学素质和实施科教兴国战略的重要基础设施。《科普基础设施发展规划（2008—2010—2015）》提出，从总体上看，我国科普基础设施尚不能满足公众提高科学素质的需要，与《全民科学素质纲要》提出的要求有较大差距，发展还面临诸多困难和问题。根据《全民科学素质纲要》的要求，应进一步加强全国范围尤其是西部地区和少数民族地区的科普场馆建设，不仅要加快硬件设施的建设，还需完善现有的科普场馆的软环境，尤其是要充分发挥公益性科普场馆的功能，提高利用率。

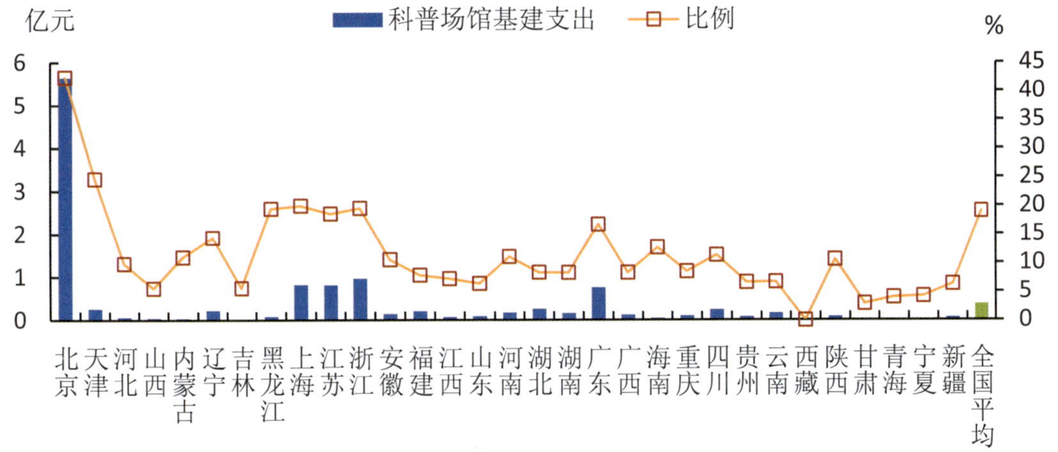


图 3-18　2008 年各省科普场馆基建支出额及其占本省科普经费使用额的比例

## 3.3　部门科普经费筹集及使用

### 3.3.1　科普经费筹集

从部门统计来看，本次统计范围进一步扩大，在 2006 年 18 个部门的基础上新增了国防科工系统。从各部门的科普经费筹集额看，科协系统仍是各部门中最高的，科协系统四级部门 2008 年度科普经费筹集额达 24.06 亿元，比 2006 年增长了 56.1%。经费筹集额较高的其他部门还包括科技管理部门、农业部门、教育部门、计划生育部门、卫生部门和文化部门等。图 3-19 和图 3-20 为 2008 年部门科普经费筹集额及构成情况。

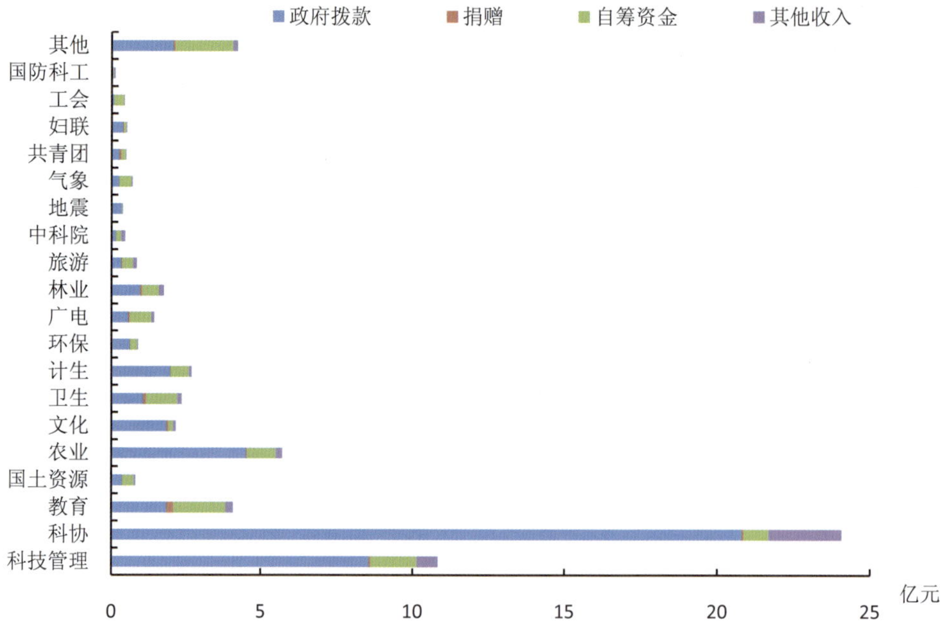


图 3-19　2008 年部门科普经费筹集额情况

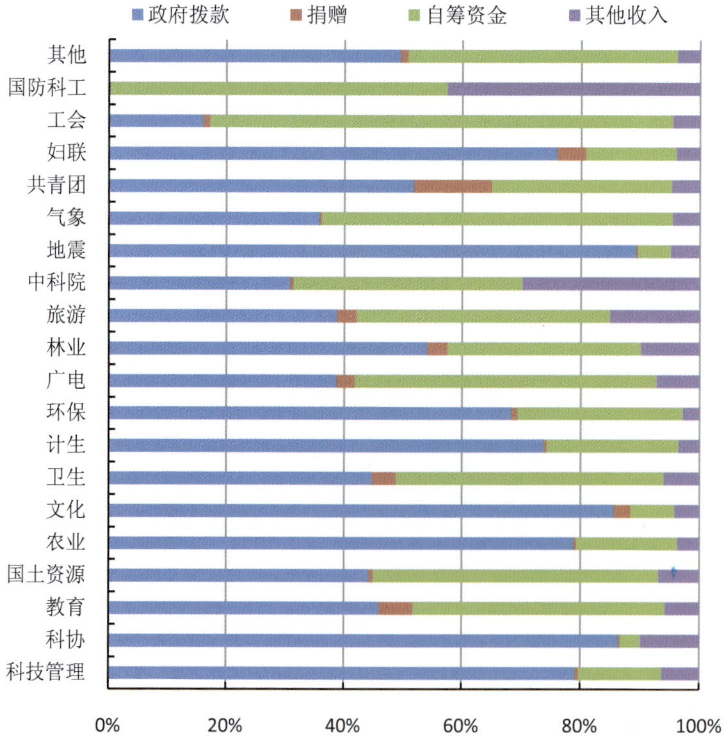


图 3-20　2008 年部门科普经费筹集额构成情况

各部门的科普经费最主要的来源是政府拨款，其中科协系统的政府拨款额高达 20.80 亿元，科技管理部门以 8.57 亿元位居其次。从构成来看（图 3-21），各部门科普经费平均有 54.5%来自政府拨款。科协系统、地震系统和文化系统的科普经费筹集额中，来自政府拨款的比例均高于 80%。经费筹集总额较高的科技管理部门、农业部门、计划生育部门和妇联系统的政府拨款比例也较高，超过了 70%，这说明政府在这些部门的科普经费筹集中起着主导作用。

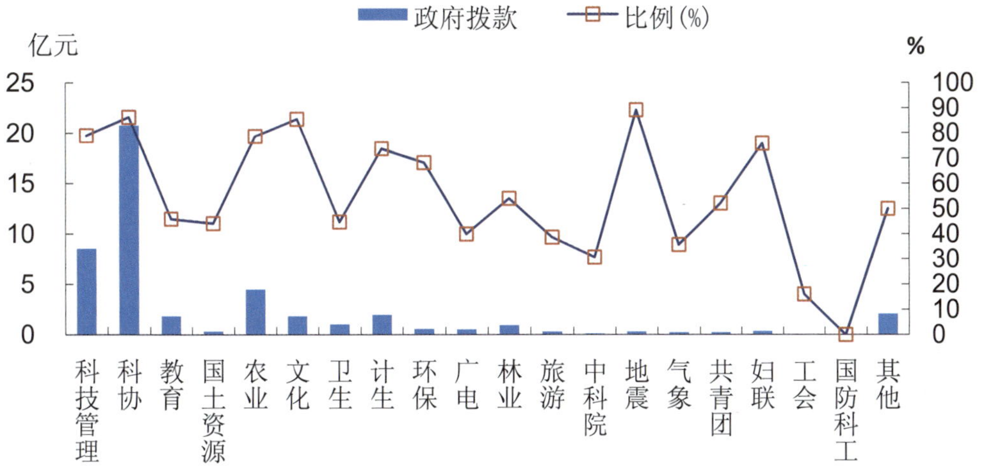


**图 3-21　2008 年各部门政府科普拨款数额及其占科普经费筹集额的比例**

自筹资金是仅次于政府拨款的重要组成部分（图 3-20），各部门的科普经费中自筹资金所占比例平均值为 34.3%。从图 3-22 可以看出，工会系统的自筹资金比例最高，达到 78.1%，气象部门和广电部门的科普经费中超过 50%都是来自自筹资金。

从各部门科普经费的构成来看，社会参与程度依然较低（图 3-23）。捐赠在这 19 个部门系统的经费筹集额中所占的比例均较小，其中仅共青团组织这一比例超过 13%，其余的部门平均比例为 1.81%。教育系统接受的社会捐赠额最多，超过了 2200 万元，但所占比例也仅为 5.6%。

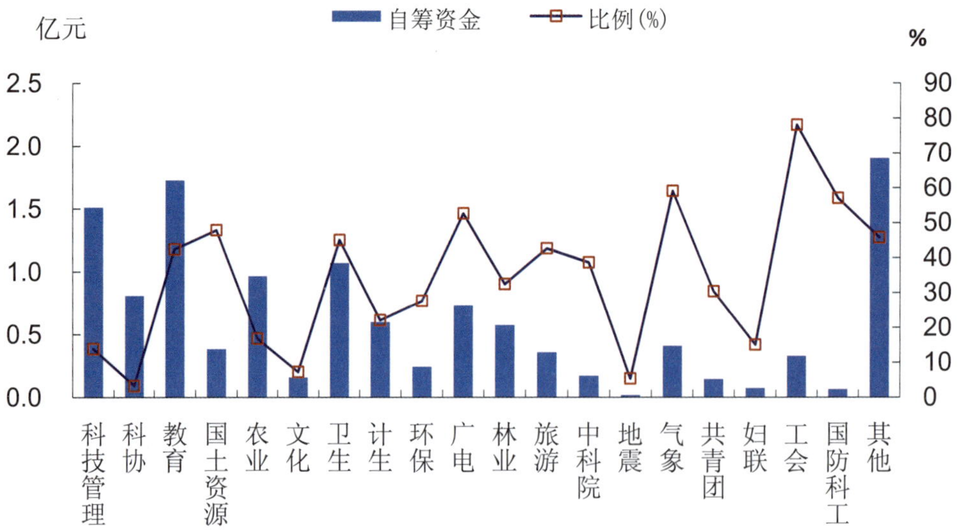


图 3-22　2008 年各部门科普经费中的自筹资金额及其占科普经费筹集额的比例

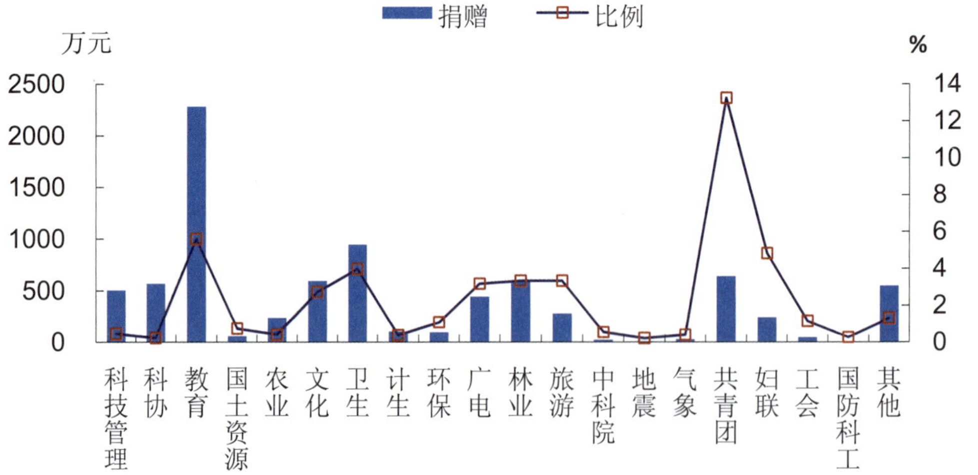


图 3-23　2008 年各部门科普经费中的社会捐赠额及其占本部门科普经费筹集额的比例

### 3.3.2　科普经费的使用

科普活动支出比较多的部门主要是科协、科技管理部门和农业部门(图 3-24)。除了中国科学院系统外，科普活动支出占科普经费筹集额的比例总体都比较高，各部门科普活动支出占所有支出项的比例平均为 56.2%，卫生、农业、国土资源、科技管理等部门的这一比例都在 70%以上，其中卫生部门所占比例最高，达到

80.5%。由此可见，科普活动支出是各部门最主要的支出项目。

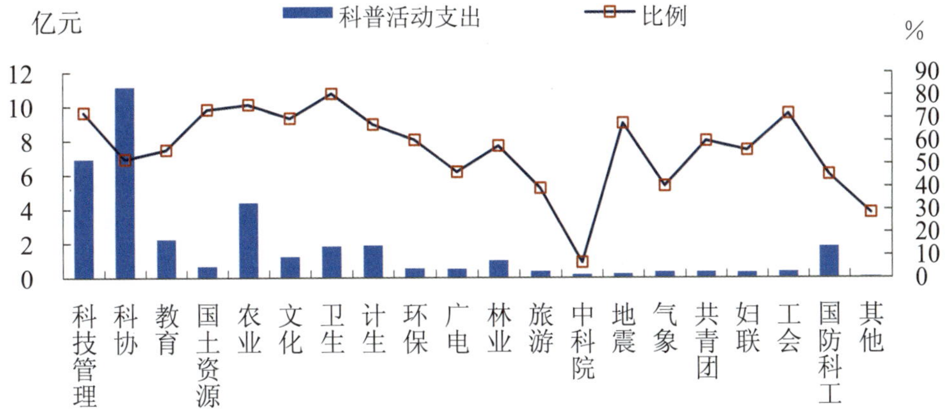


图 3-24 2008 年各部门科普活动支出额及比例

尽管如此，各部门的科普经费在具体支出项目上仍各有所侧重（图 3-25）。例如，中科院所属单位、共青团组织、旅游部门和国防科工系统等的科普场馆基建支出占科普经费使用额的比例较高，广电部门、气象部门科普经费的很大部分体现在其他支出上。

科普场馆的基建支出主要集中在科协系统、中科院所属单位、科技管理和教育、农业等部门，这 5 个部门的场馆基建合计支出占全国科普场馆基建支出总额的 70.7%。科普场馆基建支出比例比较高的部门包括中科院所属单位、国防科工系统、旅游部门、妇联组织和共青团组织，它们的科普场馆基建支出占科普经费筹集额的比例都在 35%以上（图 3-26），其中，中科院所属单位的基建支出比例高达 87.8%，这与中科院依托各研究所的研究背景和丰富的资源兴建科普博物馆、承担着一定的科普职能有关。

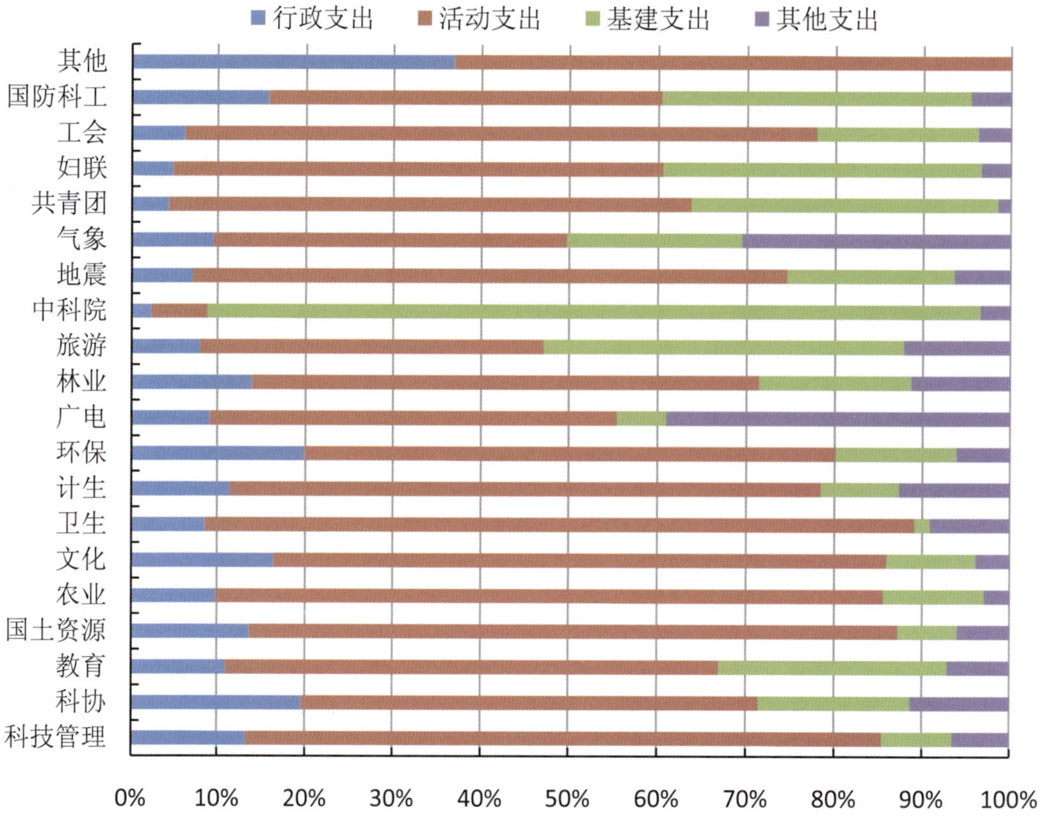


**图 3-25　2008 年各部门科普经费支出构成**

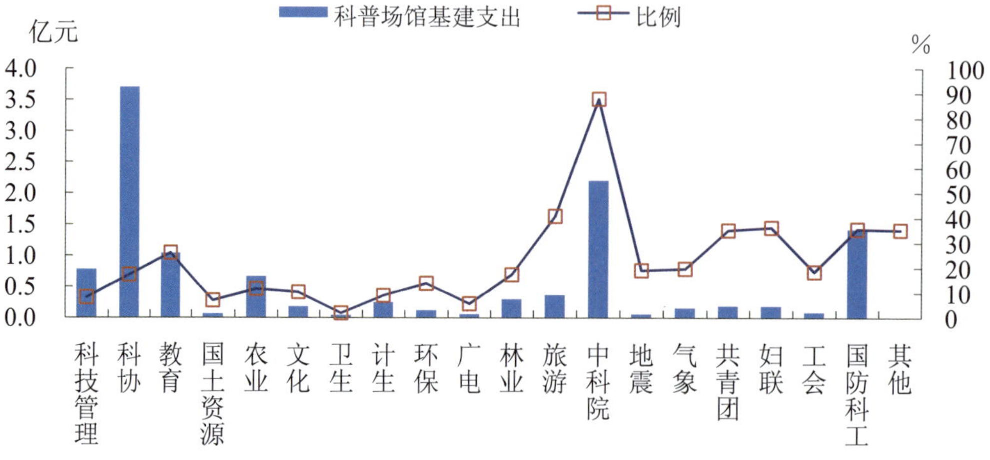


**图 3-26　2008 年部门科普场馆基建支出额及比例**

# 4 科普传媒

根据2007年公众科学素质调查的结果，我国公民对获取科技发展信息的主要渠道选择最多的是电视（90.2%）和报纸(60.2%)。其他渠道选择的比例依次为：广播(20.6%)、科学期刊(13.2% )、图书（11.9%）、互联网（10.7%）和一般杂志（9.7%）等。电视、广播、报纸刊物和互联网是公众获取科技信息的重要媒介。清楚地了解和认识我国科普传媒发展状况是做好国家科普工作的一个重要基础。

2008年我国共出版科普图书3888种，发行量达到4538.92万册，平均每万人拥有科普图书342册；出版各类科普期刊561种，发行近1.43亿册，平均每万人拥有科普期刊1078册；发行科技类报纸3.72亿份，平均每万人每年拥有科普报纸2802份。2008年我国发行科普（技）音像制品达到8147种，全国播放科普（技）电视节目21.92万小时，电台播出科普（技）节目18.28万小时，国家财政投资建设的科普网站共有1899个。

由于我国各地的经济发展水平、人口密集度、公众文化程度、电视普及率等因素相差很大，各地的科普传媒也各具特点。总的来说，我国东部地区各类科普传媒的出版情况好于中、西部地区。

## 4.1 科普图书、期刊和科技类报纸

### 4.1.1 科普图书

科普图书是普及科学技术的通俗读物，是我国科普传媒的重要组成部分。科普图书是指以非专业人员为阅读对象，以普及科学技术知识、倡导科学方法、传播科学思想、弘扬科学精神为目的，在新闻出版机构登记，有正式书号的科技类图书。科普图书的“种数”以年度为界线，一种图书在同一年度内无论印刷多少次，只在第一次印制时计算种数。

2008年全国共出版科普图书3888种，比2006年增加了726种，占2008

年自然科学技术类图书的 5.5%，比 2006 年下降了 0.05 个百分点；2008 年全国共出版科普图书 0.45 亿册，比 2006 年减少了约 400 万册，占 2008 年自然科学技术类图书总量的 9.7%[2]，比 2006 年减少了 2.59 个百分点，这一方面是由于 2008 年科普图书出版量出现了下降，另一方面也是由于 2008 年自然科学技术类图书总量出现了大幅增长，由 3.99 亿册增加到 4.67 亿册，增长了 17.0%。尽管 2008 年科普图书出版发行量比照 2006 年有所下降，但总体来说，平均发行量依然高于自然科技类图书。

图 4-1 和图 4-2 显示的是 2004 年度、2006 年度和 2008 年度我国东、中、西部地区科普图书出版种数和册数的对比情况。从图中可以看出，从 2004 年至 2008 年，三个地区的科普图书种数均呈逐年上升趋势，而东部和中部地区科普图书的出版册数在 2008 年均出现了下降的情况，只有西部地区无论在图书种数还是在册数上均呈逐年增长的态势。

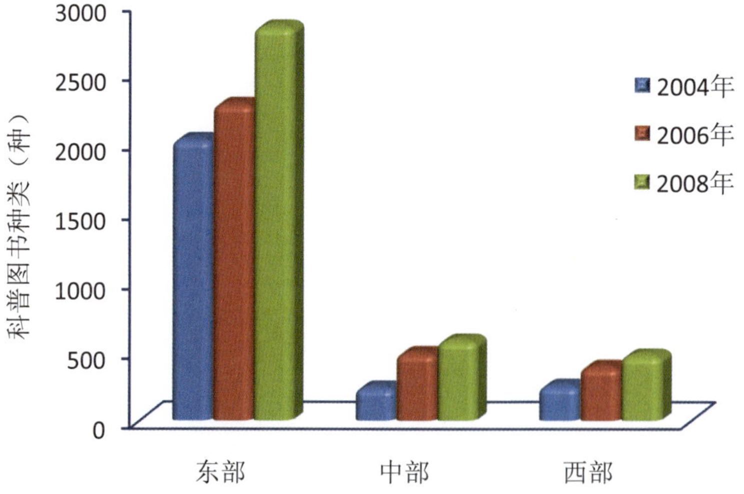


**图 4-1　2004—2008 年东、中、西部地区科普图书出版种数对比**

图 4-1 显示，自 2004 年以来，东部地区科普图书出版种数一直以绝对优势占据东中西部地区的首位，而中西部地区差异较小，基本处于同一发展水平。2008 年我国东部地区共出版 2762 种图书，占全国总量的 71.0%；而中部和西部

2 根据新闻出版总署 2009 年 7 月 16 日发布的《2008 全国新闻出版业基本情况》，2008 年全国共有出版社 579 家（包括副牌社 34 家），其中中央级出版社 220 家（包括副牌社 14 家），地方出版社 359 家（包括副牌社 20 家）；全国共出版自然科学技术类图书 7.13 万种、4.67 亿册。

地区分别以 526 种和 600 种仅占全国总量的 13.5%和 15.4%。

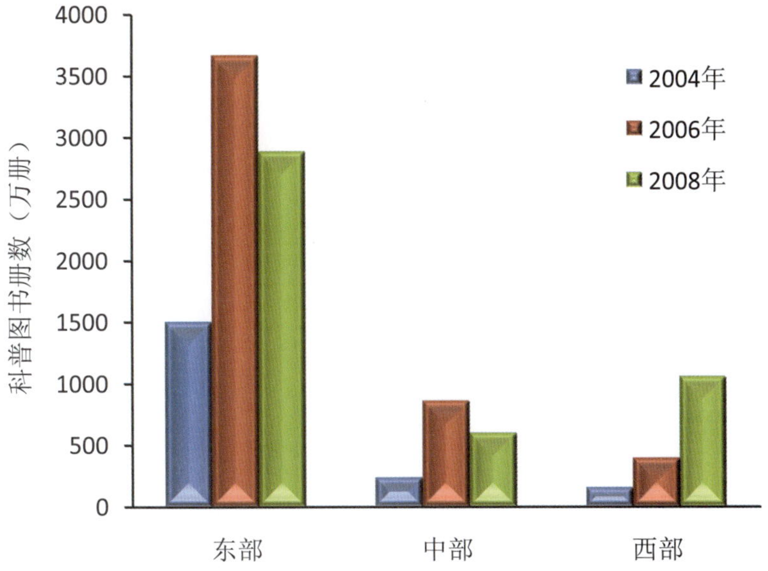


**图 4-2　2004—2008 年东、中、西部地区科普图书出版册数对比**

图 4-2 显示，2008 年东部地区出版科普图书总量 2882.88 万册，较 2006 年有显著的下滑；2008 年中部地区共出版科普图书 598.21 万册，也低于 2006 年出版水平；2008 年西部地区共出版科普图书 1057.82 万册，与 2006 年相比，出版册数有了显著的增加，但总体而言 2008 年中、西部地区科普图书的出版册数仍明显少于东部地区。

按各年度科普图书的出版册数除以出版图书种数、得出的平均单种科普图书的出版册数来考虑，2004 年、2006 年和 2008 年 3 个年份东、中、西部地区单品种科普图书的对比情况如图 4-3 所示。从图 4-3 可以看出，东部和中部地区的情况非常类似，单品种出版的科普图书在经历了 2006 年的巨幅增加后在 2008 年出现了同样幅度的回落。与东、中部地区不同的是，西部地区从 2004 年起，一直处于快速增长状态。

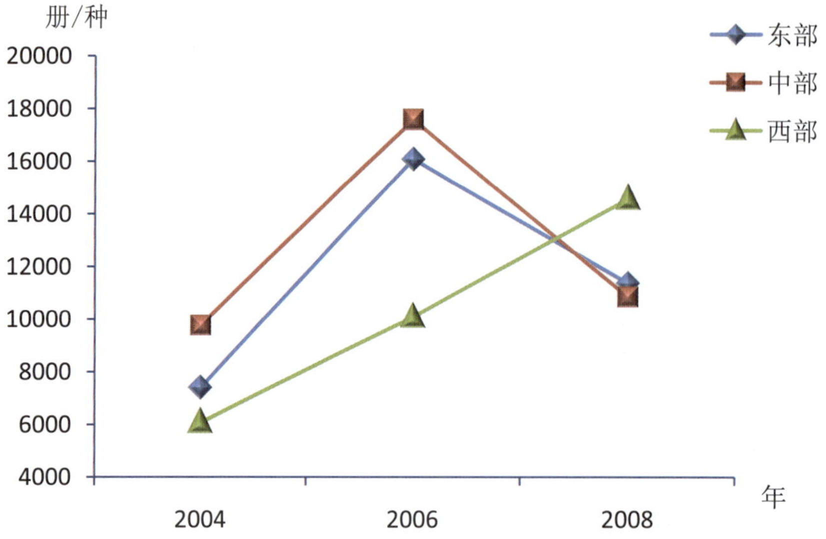


**图 4-3　2004—2008 年东、中、西部地区单品种科普图书平均出版册数对比**

图 4-4 显示，2008 年北京地区出版科普图书的种数排在全国首位，其次是上海、浙江、江苏、广东和天津等省市。北京和上海分别出版科普图书 1019 种和 604 种，合计占全国科普图书出版种数的 41.7%。出版科普图书的册数居前的分别是北京、上海和广西，其中北京出版的科普图书总册数超过了 1600 万册。

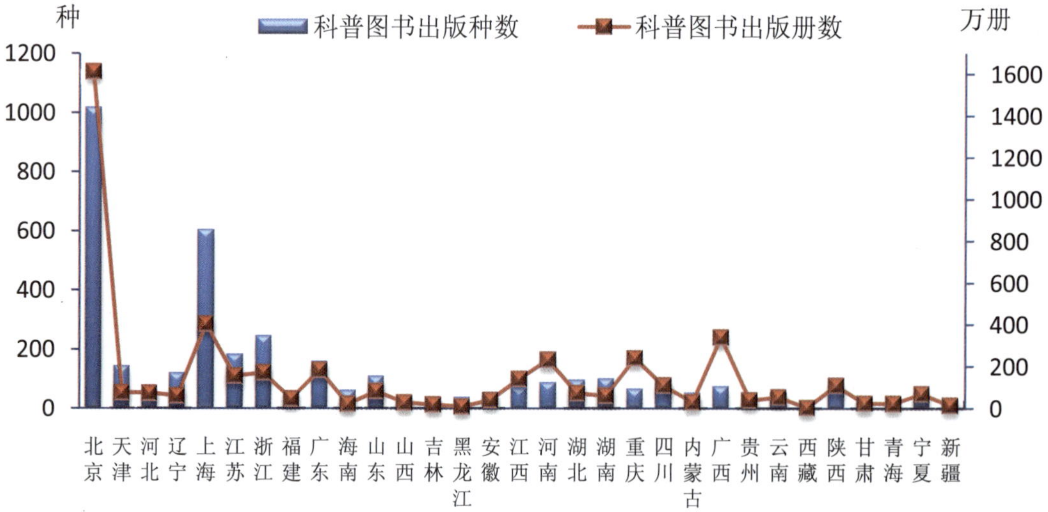


**图 4-4　2008 年各省科普图书出版种数和册数**

**获得 2008 年度国家科技进步奖的科普作品**

为推动科普事业的发展和科技创新的繁荣，2004 年科技部将科普项目纳入国家科技进步奖的奖励范围，2005 年国家科技进步奖首次开展了科普著作类项目的受理和评审工作。2008 年度共有 3 项科普项目被评为国家科技进步奖二等奖，其中音像制品 2 项。

2008 年度科技进步奖二等奖科普作品

| 作品名称 | 作者 |
|---|---|
| 彩图科技百科全书 | 陈 竺，张存浩，潘友星，段 韬，濮紫兰，甘子钊，郑 度，陈宜张，潘际銮，汪广仁 |
| 气象防灾减灾电视系列片：远离灾害 | 石永怡，李如彬，朱定真，秦祥士，赵 帆，刘 飒，毛恒青，王倩，宁凯峰 |
| 飞天之路——中国载人航天工程纪实 | 马雅莎，贾东生，彭继超，孙桂成，王凤亭，孙家克，王校钢，郭秀峰，穆春雷，冀茂远 |

### 4.1.2 科普期刊

科普期刊是指面向社会发行并在新闻出版机构登记、有正式刊号或有内部准印证的具有科普性质的刊物。2008 年全国科普期刊出版种数和出版总册数分别为 561 种和 1.43 亿册，分别占自然科学类期刊出版种数和出版总册数的 11.7% 和 29.7%[3]。

如表 4-1 所示，近年来，无论是出版种数与出版总册数，还是平均每种科普期刊发行册数，我国科普期刊出版业的主要力量仍然集中于东部地区。从 2004 年至 2008 年，东部地区科普期刊出版种数明显多于中部和西部地区，经济较发达的中部地区在科普期刊出版方面表现一般，除 2006 年领先于西部地区外，2004 年和 2008 年均少于西部地区。2004 年以来，西部地区注重科普期刊出版发行力度，在期刊出版种数与中部地区相差不大的情况下，出版总册数却大大超过中部地区，每种期刊的平均出版册数在 2006 年和 2008 年也大幅超过中部地区的平均出版册数，与东部地区不断接近。

3 根据新闻出版总署 2009 年 7 月 16 日发布的《2008 全国新闻出版业基本情况》，2008 年自然科学技术类期刊共发行 4794 种，总印数 4.82 亿册。

表 4-1　2004-2008 年东、中、西部地区科普期刊出版情况

| 地区 | 出版种数（种） | | | 出版总册数（万册） | | | 平均每种期刊出版册数（万册/种） | | |
|---|---|---|---|---|---|---|---|---|---|
| | 2004 年 | 2006 年 | 2008 年 | 2004 年 | 2006 年 | 2008 年 | 2004 年 | 2006 年 | 2008 年 |
| 东部 | 388 | 349 | 334 | 3939.6 | 9637.7 | 10241 | 10.15 | 27.6 | 30.7 |
| 中部 | 88 | 112 | 107 | 1621.1 | 708.3 | 1498.9 | 18.42 | 6.3 | 13.4 |
| 西部 | 108 | 107 | 120 | 622.5 | 2950.1 | 2574.7 | 5.76 | 27.6 | 24.1 |
| 全国 | 584 | 568 | 561 | 6183.2 | 13296.1 | 14314.5 | 10.59 | 23.4 | 25.5 |

2008 年我国科普期刊出版种数排首位的是北京（64 种），其次为上海（61 种）、江苏（52 种）、湖北（34 种）和广东（34 种）。科普期刊出版总册数排首位的是广东省（3004.21 万册），其次为北京（2399.38 万册）、上海（2389.75 万册）和重庆（1810.45 万册）。有些省的科普期刊出版种数很少，如青海只有 3 种科普期刊，而西藏仅有 1 种科普期刊（图 4-5）。

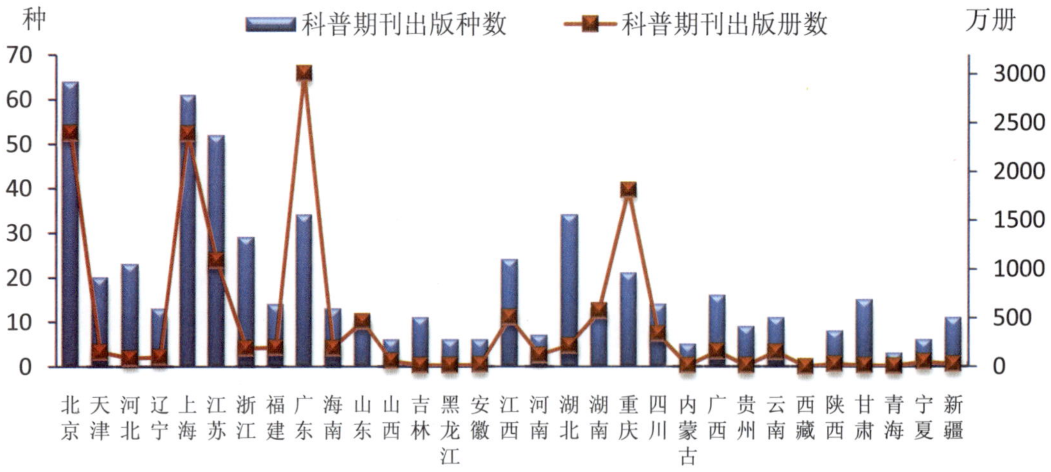


图 4-5　2008 年各省科普期刊出版种数和册数

### 4.1.3　科技类报纸

2008 年全国共出版报纸 1943 种，平均期印数 21154.79 万份，总印数为 442.92 亿份，其中科技类报纸发行 3.72 亿份，占所有报纸总发行份数的 0.8%。东、中、西部地区 2008 年发行的科技类报纸分别占总量的 58.6%、19.4%和 22.0%。

## 4.2 电台、电视台科普（技）节目

科普（技）节目是指电台、电视台播出的面向社会大众的以普及科技知识、倡导科学方法、传播科学思想、弘扬科学精神为主要目的的节目。科普（技）电视节目和科普（技）广播节目具有传播范围广、传播信息及时和生动等特点，是开展科普宣传的重要传播渠道，具有不可替代的作用。

### 4.2.1 电台科普（技）节目

2008 年全国广播电台共播出科普（技）节目为 18.28 万小时，比 2006 年统计结果增长了近一倍。如表 4-2 所示，电台科普（技）节目播出时间最多的依旧是东部地区，其次为中部地区。与 2006 年相比，增长速度最快的是中部地区，达到了 132.0%，远高于全国平均增长水平（84.0%），而东部地区增长率最低，为 62.0%。

表 4-2 2004—2008 年电台播出科普（技）节目时间东、中、西部对比

| 地区 | 电台播出科普（技）节目（小时） | | |
|---|---|---|---|
| | 2004 年 | 2006 年 | 2008 年 |
| 东部 | 38948 | 48360 | 78405 |
| 中部 | 15077 | 24470 | 56859 |
| 西部 | 18486 | 26391 | 47580 |
| 全国 | 72511 | 99221 | 182844 |

从图 4-6 中可以看出，河南电台科普（技）节目播出时间最长（21414 小时），居全国首位，其次为江苏（12784 小时）、辽宁（11072 小时）、山东（9998 小时）。重庆市电台播出科普（技）节目时间则仅为 177 小时，上海市电台播出科普（技）节目时间也只有 543 小时。

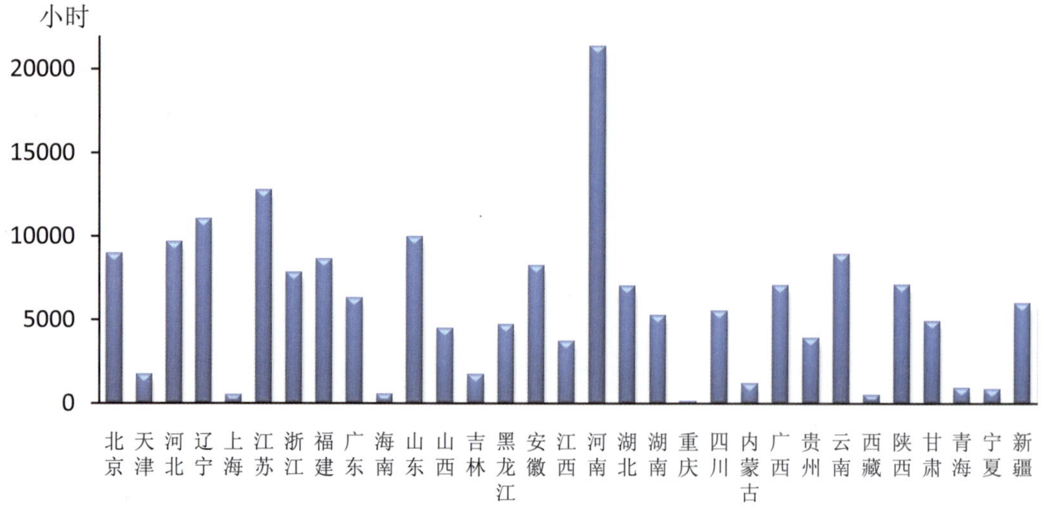


图 4-6　2008 年各省电台播出科普（技）节目时间

### 4.2.2　电视台科普（技）节目

调查表明，我国有高达 91.0%的公众是通过电视获得科技信息，电视已经成为公众获取科技信息最重要的渠道。近年来广电部门逐步加大了对科普事业的支持力度，在有条件的电视台开辟专门的科普（技）栏目。

2008 年全国电视台共播出科普（技）节目时间 21.92 万小时，比 2006 年的统计结果增长了 92.6%。尽管播出时间整体呈现增长态势，但各地区增长幅度差别较大。表 4-3 所示的数据表明，2008 年东、西部地区电视台播出科普（技）节目时间总量基本相同，并高出中部地区约 26.5 个百分点。与 2006 年相比，东、中、西部地区的增长率分别为 50.1%、223.4%和 85.9%，其中增长最快的是中部地区，在 2006 年基础上增长了两倍多。

表 4-3　2004—2008 年电视台播出科普（技）节目时间东、中、西部对比

| 地区 | 电视台播出科普（技）节目（小时） | | |
|---|---|---|---|
| | 2004 年 | 2006 年 | 2008 年 |
| 东部 | 33106 | 52297 | 78511 |
| 中部 | 20025 | 19196 | 62074 |
| 西部 | 21828 | 42265 | 78583 |
| 全国 | 74959 | 113758 | 219168 |

从图 4-7 中可以看出，河南省电视台（20028 小时）科普（技）节目播出时

间居全国首位，其次为云南（17466 小时）、河北（14316 小时）、北京（12445 小时）、贵州（12038）。

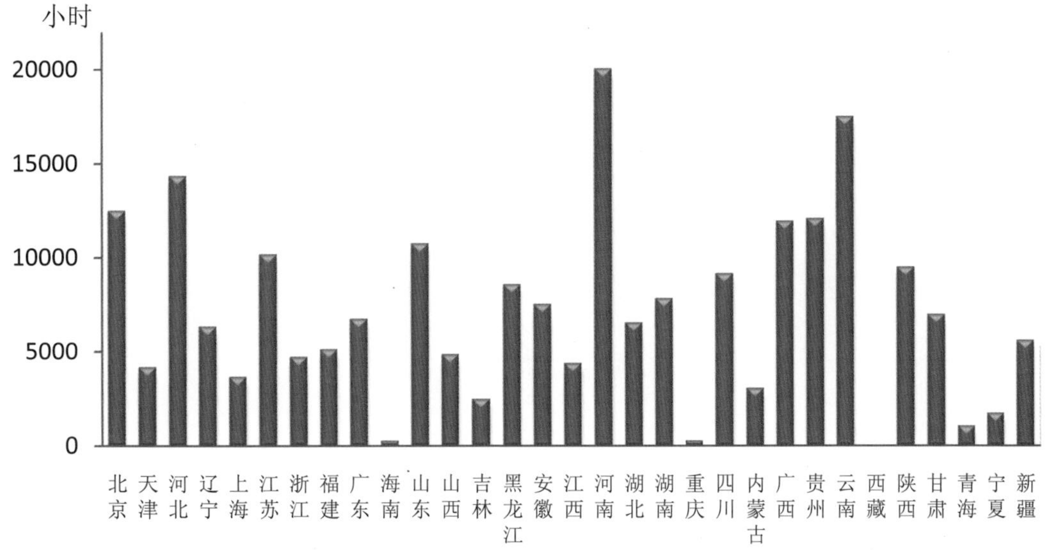


图 4-7　2008 年各省电视台播出科普（技）节目时间对比

## 4.3　科普音像制品及网站

### 4.3.1　科普音像制品

随着电视机、VCD 机、DVD 机等电子产品在我国城乡的普及，新的科普媒介“音像制品”也大量形成。音像制品除了具备电视、广播等媒介的一些优点外，还弥补了电视、广播等媒介的一些不足，具有可反复观看，剪辑、携带方便，不受时间、地域影响等优点。音像制品虽然具有众多优点，但是也存在着一些明显的不足：（1）高度依赖硬件配套设施，如电视机、VCD 机、DVD 机等；（2）信息更换周期长。科普统计中的科普音像制品是指以普及科学技术知识、倡导科学方法、传播科学思想、弘扬科学精神为目的，正式出版的音像制品，包括光盘、录音、录像带等形式。

2008 年全国共出版各类科普音像制品 8147 种，是 2006 年统计结果的 1.83 倍。其中，光盘发行总量为 1052.86 万张，仅约为 2006 年统计结果的 1/5；此外还发行录音、录像带 120.58 万份。

从表 4-4 中的数据不难看出，与 2006 年相比，2008 年科普音像制品出版种数的增速以西部地区最为突出，在短短 2 年时间内，出版种数增加了近 6 倍，其次是中部地区，增加了 3 倍多，而东部地区减少了 450 种。与 2006 年相比，2008 年各地区光盘发行总量则出现了巨大差异，东部地区出现巨幅下降，仅为 2006 年的 1/11，中部地区则为 2006 年的 4 倍多，西部为 2006 年的 2.78 倍。

**表 4-4　2004-2008 年东、中、西部地区科普电子音像制品发行情况对比**

| 地区 | 音像制品出版种数（种） | | | 光盘发行张数（万张） | | |
|---|---|---|---|---|---|---|
| | 2004 年 | 2006 年 | 2008 年 | 2004 年 | 2006 年 | 2008 年 |
| 东部 | 1075 | 2992 | 2542 | 150.04 | 5464.47 | 462.81 |
| 中部 | 216 | 1087 | 3537 | 155.85 | 102.24 | 444.04 |
| 西部 | 267 | 370 | 2068 | 144.73 | 52.51 | 146.01 |
| 全国 | 1558 | 4449 | 8147 | 450.62 | 5566.71 | 1052.86 |

从科普音像制品出版种数来看，东、中、西部地区出版的科普音像制品种数趋于均衡，地区差异在逐渐缩小（图 4-8）。

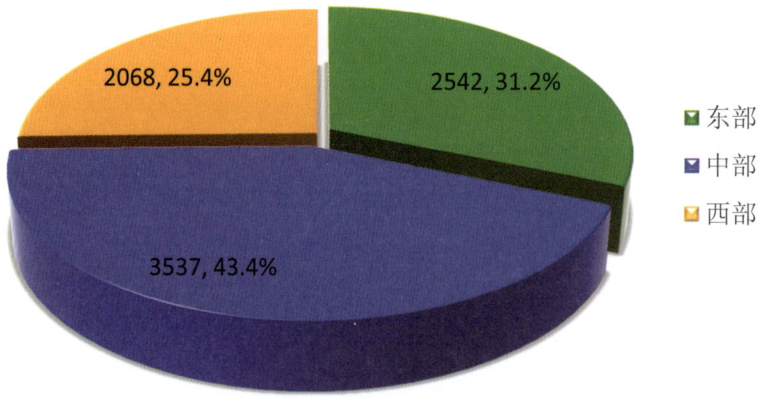


**图 4-8　2008 年东、中、西部地区科普音像制品出版种数(种)及所占比例**

从图 4-9 可以看出，湖北省科普音像制品出版种数居全国首位，达到了近 1400 种，占全国总量的 17.1%，紧随其后的分别是吉林（1222 种）、北京（851 种）、贵州（590 种）和四川（519 种）。

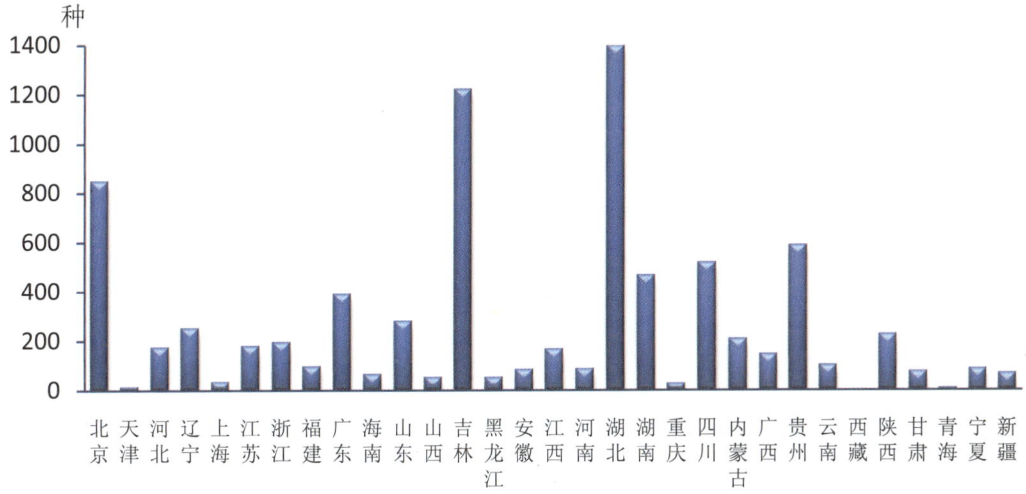


图 4-9　2008 年各省科普音像制品出版种数对比

### 4.3.2　科普网站

科普网站是指由政府财政投资建设的专业科普网站，政府机关的电子政务网站不在统计范围之内。

**中国科普博览**

中国科普博览（http://www.kepu.net.cn/gb/index.html）是依托中科院计算机网络信息中心的超级计算环境、中国科技网高速网络、海量存贮环境，以及下一代互联网技术等信息化基础设施和先进技术的支持，在中国科学院信息化专项的大力支持下，在国家自然科学基金委、中国科协、科技部和北京市科委等的资助下，建立起来的科普网站。1999 年建立之初，是我国最早的大型虚拟博物馆群；2004 年获得“中国优秀文化网站”；2005 获得“联合国世界信息峰会大奖（The World Summit Award）”和“全国优秀科普网站”奖项。中国科普博览已经成为中科院的科普基地、北京市科普传媒基地，也是全国的科普基地。

随着我国经济的快速发展，互联网络在我国得到了飞速发展。中国互联网络信息中心(CNNIC)发布的《第 23 次中国互联网络发展状况统计报告》显示，截至 2008 年 12 月 31 日，中国网民数量达 2.98 亿人，中国互联网普及率以 22.6%的比例首次超过 21.9%的全球平均水平。网民规模较 2007 年增长 8800 万人，年增长率为 41.9%。科普传媒的运用应时刻清醒地认识我国每年大量网民的现实以及仍不断增加的趋势，充分发挥网络在科普中的重要作用。

截至 2008 年底，我国共建成科普网站 1899 个。从图 4-10 可以看出，拥有科普网站数量超过 100 个的省份依次是北京、广东、江苏、四川、湖北、浙江和湖南。其中，北京（186 个）和广东（167 个）这 2 个省市拥有的科普网站数量合计占全国总量的 18.6%。拥有科普网站小于等于 10 个的为海南和西藏。

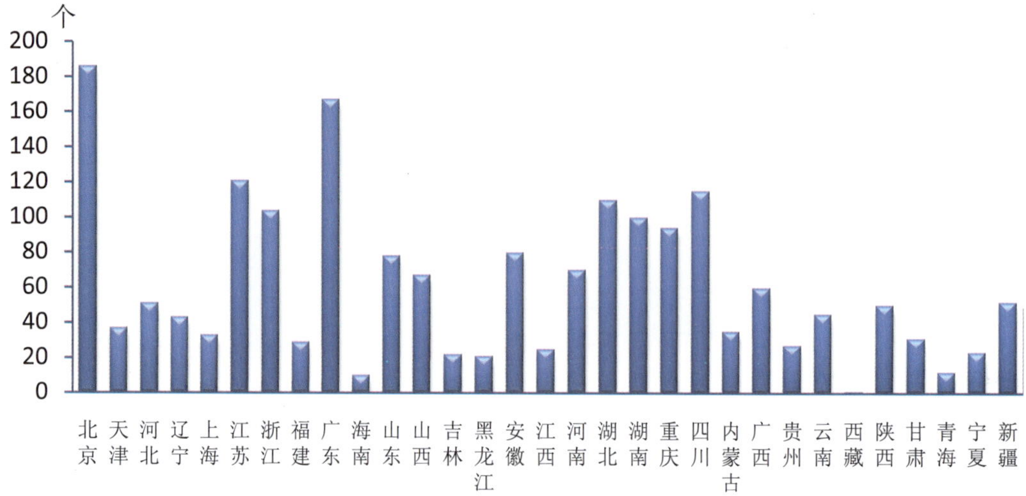


图 4-10　2008 年各省科普网站数量

从科普网站数量的东、中、西部对比可以发现，东部地区拥有全国近一半的科普网站，中、西部地区科普网站拥有量相差不大（图 4-11）。

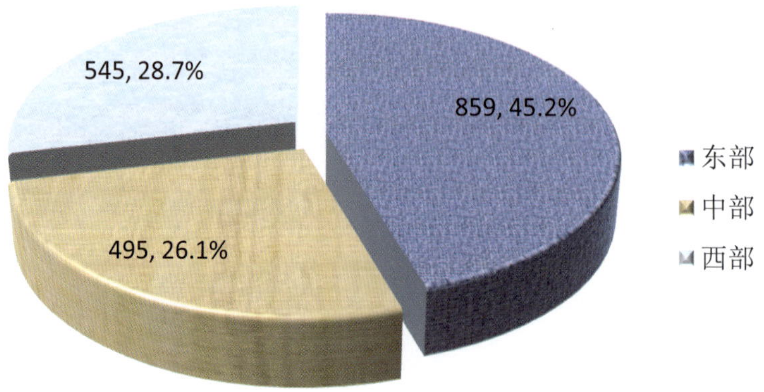


图 4-11　2008 年东、中、西部地区科普网站数量（个）及所占比例

如图 4-12 所示，科协和科技管理部门建设的科普网站数量位居前列，分别

为 292 个和 262 个。另外，超过 100 个科普网站的部门有卫生部门（173 个）、农业部门（167 个）、教育部门（150 个）、气象部门（105 个）和中科院所属单位（102 个）。

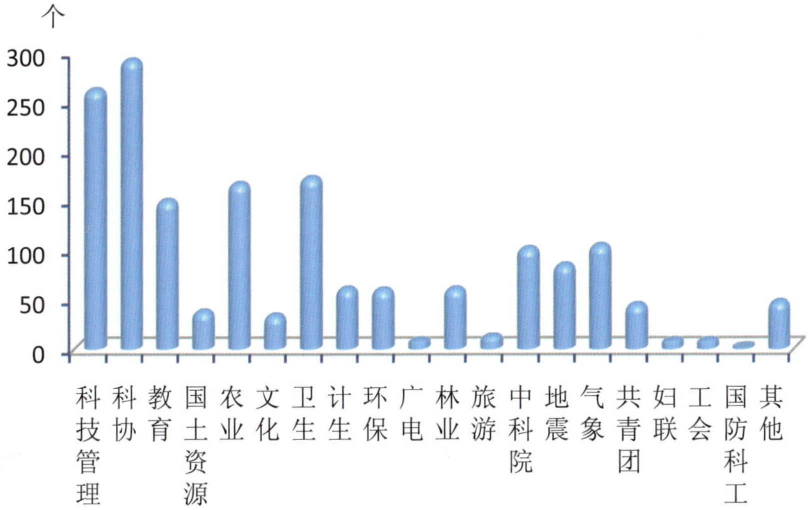


图 4-12　2008 年各部门科普网站数量

# 5　科普活动

科普活动是普及科学技术知识、倡导科学方法、传播科学思想、弘扬科学精神的社会活动。开展科普活动是推进科普工作的主要手段，是提高公众科学素质的重要途径，是培养科技后备人才的有效方式。《科普法》规定：“公民有参与科普活动的权利”，“科普是全社会的共同任务。社会各界都应当组织参加各类科普活动。”

随着《国家中长期科学和技术发展规划纲要（2006—2020年）》和《全民科学素质行动计划纲要（2006—2010—2020）》的全面实施，科普活动得到各地、各部门的高度重视和大力支持，在全国范围内蓬勃开展，公众参与人数大幅上升。总体上，科普活动在数量、质量和规模等方面均跃升到一个新台阶。

据统计，2008年，全国各地、各部门开展了一系列贴近实际、贴近生活、贴近群众，内容丰富、形式多样的科普活动。以科技活动周为代表的重大科普活动产生了越来越大的社会影响。2008年，科技活动周共举办科普专题活动9.63万次，尽管比2006年减少了7.5%，参加人数却增加了3.7%，约为8987万人次；全年开展重大科普活动26152次，比2006年增加了1/4；举办科普（技）讲座95.51万次，听众达1.60亿人次，分别比2006年增长32.0%和8.1%；举办科普（技）专题展览11.53万次，吸引了1.97亿人次参观，分别比2006年增加11.9%和35.8%；大学、科研机构进一步加大开放力度，开放单位数量达到2655个，比2006年增加约15个百分点，吸引了459万人次参加，是2006年的近2倍。2008年，各类机构共举办科普（技）竞赛4.69万次，虽然比2006年略减了2.5%，但参赛人数达到新高，为0.48亿人次，比2006年增加了14.5%；举办科普国际交流2097次，比2006年有所减少，且参加人数下降了3成，为45.77万人次。2008年，举办科技夏（冬）令营活动1.44万次，比2006年稍有增加，但参加人数明显减少，为353.15万人次；青少年科技兴趣小组仍然很受青少年的欢迎，共开展青少年科技兴趣小组31.82万个，尽管数量低于2006年，但参加人数达到2154万人次，比2006年增加约139万人次。

## 5.1 科技活动周

科技活动周是由科技部联合中宣部、中国科协等19个部门在全国举办的大规模群众性科技节日，是提高公众科学素质、增强国家软实力的一项重要举措。自2001年首次举办以来，坚持每年举办一届，每届都紧扣科技和经济社会发展的热点，如2008年科技活动周继续以“携手建设创新型国家”为主题。经过多年的发展与积淀，科技活动周的品牌效应已经突显，参与人数越来越多，社会影响力越来越大，成为广大人民群众参与科技活动的重要平台。

### 科技活动周

根据《国务院关于同意设立“科技活动周”的批复》(国函[2001]30号)，自2001年起，每年5月的第三周为“科技活动周”，在全国开展多系列、多层次的群众性科学技术活动。从2001年到2008年，科技活动周已成功举办了8届，已经成为集中宣传党和国家科技方针政策的重要阵地，集中展示我国最新科技成果的重要平台，以及政府部门与社会各界共同推动科普工作的重要载体。

2008年科技活动周延续了前两届的主题——“携手建设创新型国家”，深入贯彻落实科学发展观，紧紧围绕提高自主创新能力、建设创新型国家的宏伟目标，突出“科技惠及民生”和“科技支撑发展”两大主线，进一步宣传和解读国家科技发展的大政方针，让广大群众亲身体验到科技进步和创新的重要作用。这次科技活动周重点突出4个方面的内容：突出服务民生和改善民生，让科技惠及广大公众；突出节能减排和安全健康，不断转变生产生活方式；突出科技奥运和绿色奥运，展示科技奥运的最新成果，体现自主创新对北京奥运会的贡献；突出科普传播和科普创作，让科普能力建设的最新成果服务公众、回报社会。考虑到四川发生汶川特大地震灾害，2008年科技活动周还突出了抗震救灾科普宣传，向公众宣传抗震救灾知识。

2008年科技活动周还开展了一系列重点示范活动，包括：“科技助燃圣火，创新圆梦中国”大型科普互动展览展示活动，让公众参与体验科技奥运成果，感受科技奥运福祉；“节能减排、建设生态文明家园”系列科普活动，宣传节能减排公众齐参与的理念；振兴老区、服务三农”科技列车贵州行活动，结合科技文化卫生“三下乡”活动的开展，举办科技下乡集中示范活动等。

历届全国科技活动周主题

2001年——“科技在我身边”

2002年——“科技创造未来”

2003 年——“依靠科学，战胜非典”
2004 年——“科技以人为本，全面建设小康”
2005 年——“科技以人为本，全面建设小康”
2006 年——“携手建设创新型国家”
2007 年——“携手建设创新型国家”
2008 年——“携手建设创新型国家”

### 5.1.1 科普专题活动

2008 年科技活动周期间，共举办科普专题活动 9.63 万次，比 2006 年减少了 7.5%，但科技活动周的群众参与度进一步提升，参加人数达到 8987 万人次，比 2006 年增加了 318 万人次；全国每万人口参加科技活动周的人数为 687 人次，比 2006 年增长 4.1%（见表 5-1）。

表 5-1 2004—2008 年科技活动周举办情况

| 指 标 | 科技活动周举办情况 | | | 2008 年比 2006 年增长比例（%） |
|---|---|---|---|---|
| | 2004 年 | 2006 年 | 2008 年 | |
| 科普专题活动举办次数（次） | 94172 | 104132 | 96335 | -7.5 |
| 参加人次（万人次） | 8283 | 8669 | 8987 | 3.7 |
| 每万人口参加人次 | 640 | 660 | 687 | 4.1 |

从地区来看，2008 年，东部地区科技活动周科普专题活动举办次数占全国总数的 44.6%，所占份额再次居于多数；西部地区和中部地区，分别占 31.5% 和 23.9%。但与 2006 年相比，只有西部地区的科普专题活动出现了增长，且增幅达到 51.3%，科普专题活动举办次数也从 2006 年的第 3 位上升到第 2 位。东部和中部地区举办次数均出现了不同程度的下降，分别减少了 26.9%和 9.1%（见图 5-1）。

东、中、西部地区科技活动周参与人次占全国的比重分别为 44.6%、22.8% 和 32.6%，与各地区科普专题活动次数占全国的比重相当。而东部和中部地区的参与人数持续下降，比 2006 年分别减少了 1.8%和 29.4%，与西部地区强劲增长 73.4%形成了明显反差（见图 5-2）。可以预计，西部地区扩展科技活动周范围、发动群众广泛参与的空间还比较大。

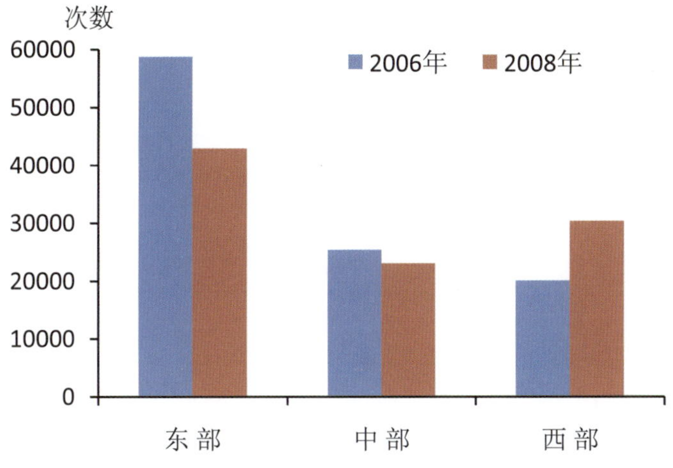


图 5-1　2008 年与 2006 年东、中、西部地区科技活动周科普专题活动举办次数对比

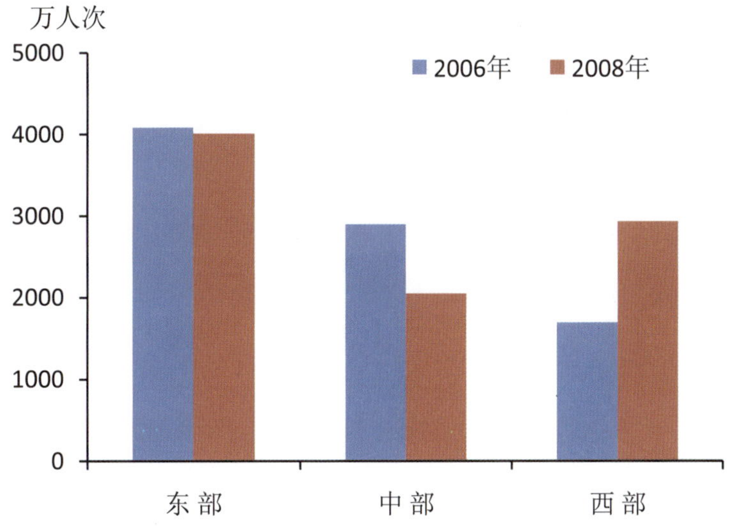


图 5-2　2008 年与 2006 年东、中、西部地区科技活动周参加人次对比

从部门来看，科技管理、科协和教育部门举办的科普专题活动居多，占全国总数的 57.2%，成为组织开展科技活动周的主要力量。这三大部门举办的科普专题活动吸引了大量的群众，参加人数均在 1900 万人次以上。其中，科技管理部门的科普专题参与人次最多，为 2759 万人次，科协和教育部门的科普专题参与人次分居第 2 位和第 3 位，分别为 1949 万人次和 1930 万人次；三部门开展的科技活动周吸引的参观人次合计占全国总参观人次的 73.9%。其次为农业、计生、林业、卫生等部门（见图 5-3）。

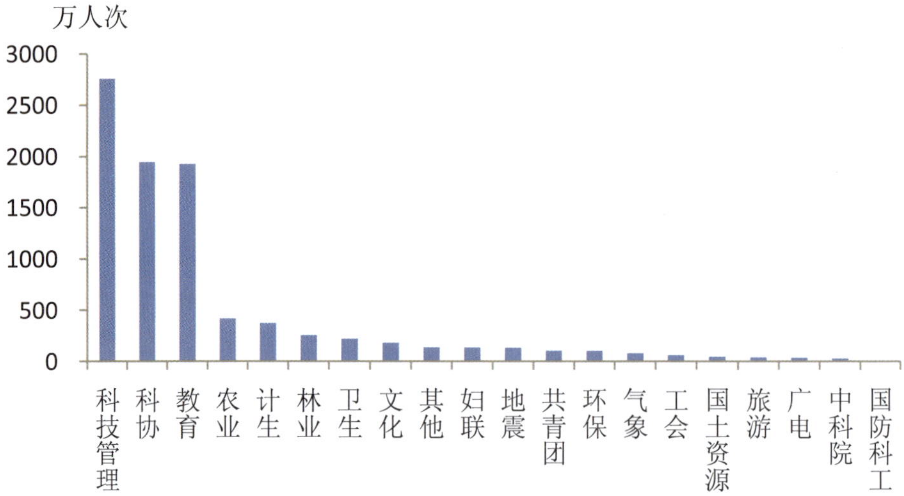


图 5-3 2008 年全国科技活动周参加人次部门比较

从行政级别来看，统计调查单位的行政级别越低，其举办科普专题活动参与的人次越多。其中，县级单位举办的科普专题活动吸引的参与人次占全国参与总人次的 64.3%，可见基层群众的参与积极性很高；其次为地市级单位、省级单位和中央部门，分别占 15.2%、14.5%和 5.9%。与 2006 年相比，中央部门举办科普专题活动的参与人次大幅上涨了 6.6 倍，省级和县级也分别增长了 14.9%和 10.0%，只有地市级下降了近 2/5（见图 5-4）。

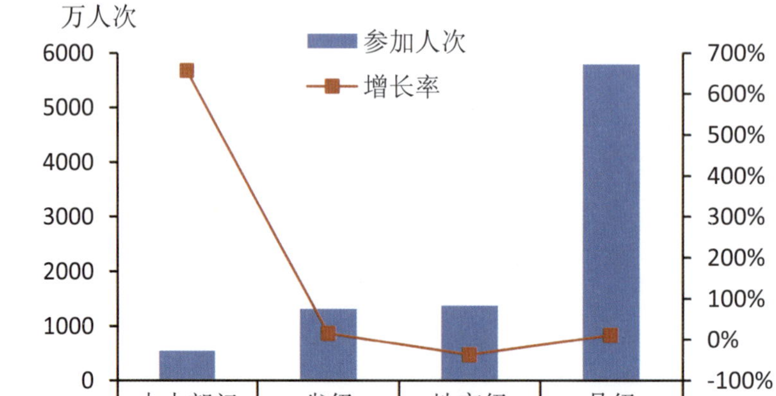


| | 中央部门 | 省级 | 地市级 | 县级 |
|---|---|---|---|---|
| 参加人次 | 532.3 | 1307.4 | 1368 | 5779.2 |
| 增长率 | 656% | 15% | -38% | 10% |

图 5-4 2008 年科技活动周参加人次层级对比

从各省来看，科技活动周期间，江苏、广东和河南三省的科普专题活动次数与参与人次均居全国前列。具体地，浙江、江苏、四川、广东和河南等省份举办科普专题活动的次数位居前 5 位，而广西、江苏、北京、广东和河南等省份的参与人次居多，均超过 500 万人次，其中，广西突破了 1030 万人次(图 5-5)。

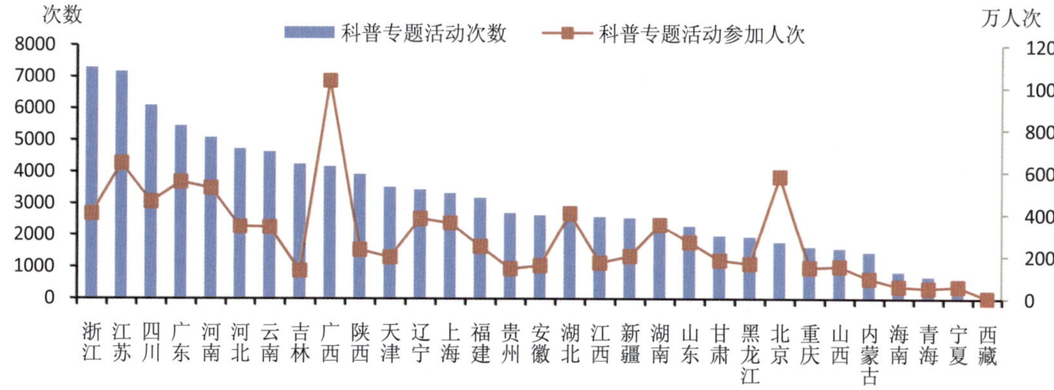


**图 5-5　2008 年各省科普专题活动举办次数和参加人次**

2008 年，各省每万人口参与科技活动周人次的差异比较明显，分布不均。全国科技活动周每万人口参与人数为 687 人次，北京、广西、上海和天津的每万人口参与人数均超过 1600 人次，位于全国前 4 位，这些省份的公众参与度较高。在所统计的 31 个省份中，有 13 个省份超过了全国平均水平。其中，东部省份和西部省份各占 6 个，分别是北京、上海、天津、辽宁、江苏、浙江及广西、新疆、宁夏、青海、云南、甘肃；只有 1 个中部省份（湖北）高于全国平均水平；其余 18 个省份低于全国平均水平（见图 5-6）。

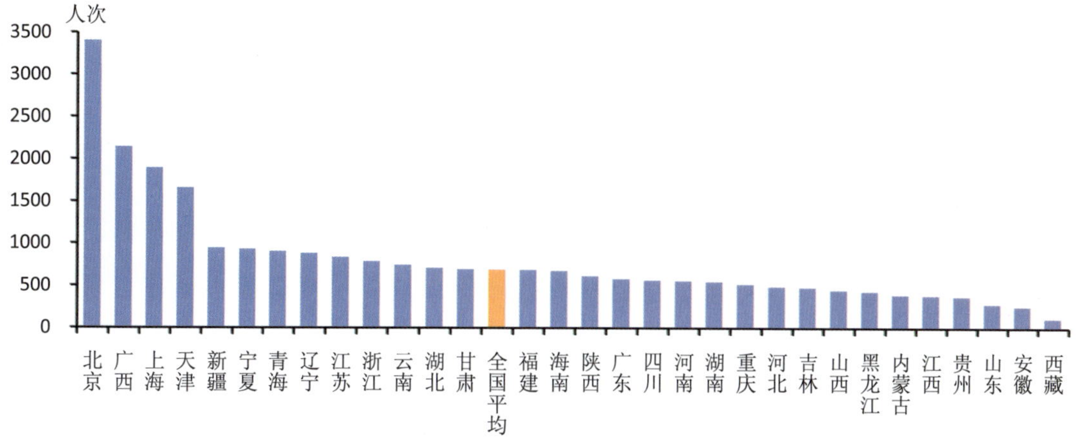


**图 5-6　2008 年各省科技活动周每万人口参加人次比较**

### 5.1.2　科技活动周经费

2008 年，科技活动周经费来源渠道仍然比较单一，主要为政府拨款。科技活动周的经费筹集总额为 2.73 亿元，占年度科普经费筹集总额的 4.2%。其中，政府拨款 1.88 亿元，占科技活动周经费筹集总额的 68.9%，约高出 2006 年 12 个百分点；企业赞助 0.17 亿元，比 2006 年减少 0.13 亿元，占科技活动周经费筹集总额的 6.2%，余下部分 0.68 亿元为单位自筹，但仍主要来源于政府财政，占科技活动周经费筹集总额的 24.9%。

从部门来看，2008 年，大多数部门的科技活动周经费主要来自政府拨款，教育部门和中科院有相当一部分经费来自单位自筹。筹集经费最多的部门是科技管理部门，筹集经费突破了 1 亿元，占科技活动周经费的 36.8%，比 2006 年高出 10 多个百分点；其次是科协、教育、农业和卫生等部门（见图 5-7）。

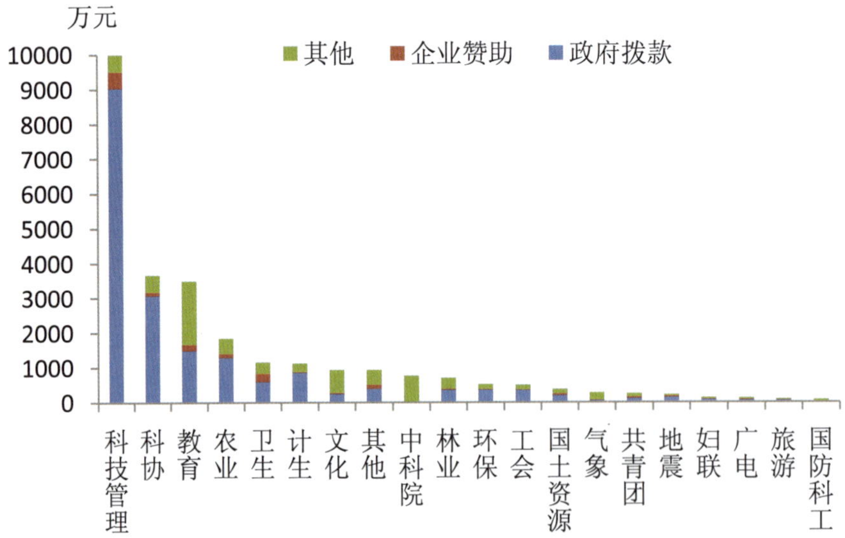


**图 5-7　2008 年各部门科技活动周经费筹集额及构成情况**

从各地区来看，很明显，经济越发达的地区，其筹集的经费总额越多。2008 年，东部地区筹集的经费超过了科技活动周经费总额的一半，中部地区和西部地区所占份额相差不大，均只有 20%多（见图 5-8）。

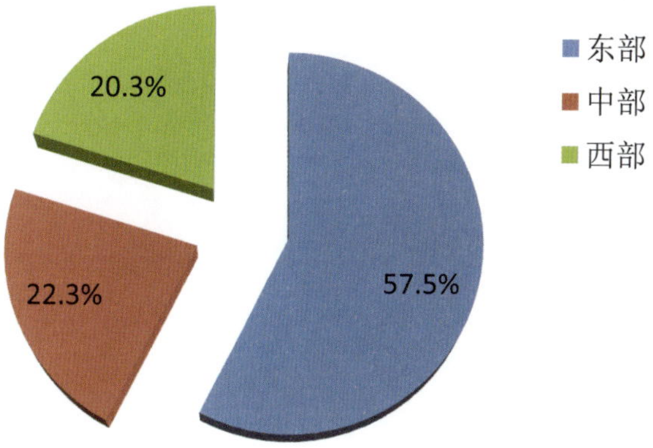


**图 5-8　2008 年东、中、西部地区科技活动周筹集经费所占份额**

从行政级别来看，统计调查单位的行政级别越低，其筹集的科技活动周经费总额越高。2008 年，县级单位科技活动周经费筹集额为 1.7 亿元，占全国科技活动周经费筹集总额的 62.6%，与 2006 年所占比重相差无几，地市级占 20.6%，省级和中央部门分别占 12.0%和 4.8%（见图 5-9）。

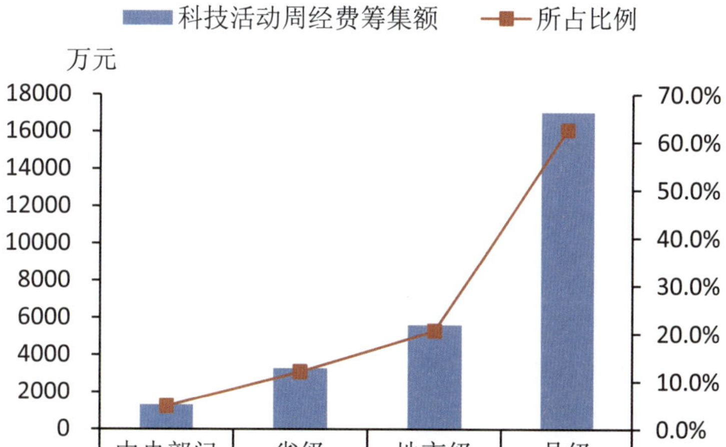


| | 中央部门 | 省级 | 地市级 | 县级 |
|---|---|---|---|---|
| 科技活动周经费筹集额 | 1317.0 | 3281.7 | 5603.4 | 17049.1 |
| 所占比例 | 4.8% | 12.0% | 20.6% | 62.6% |

**图 5-9　2008 年各层级科技活动周经费筹集额对比**

2008 年，全国人均科技活动周经费为 0.21 元，比 2006 年增加了 0.04 元。

在统计的31个省份中，有12个省份的人均科技活动周经费超过了全国平均值。其中，北京、上海为第一方阵，北京的人均科技活动周经费最高，比2006年增加了0.22元，达到1.69元，比第2名的上海高出0.52元。浙江、海南、天津、湖南、江苏、贵州、广西、吉林、福建、辽宁为第二方阵，人均科技活动周经费在0.22~0.53元之间。广东、湖北、新疆、宁夏、云南、甘肃、重庆、山西、江西、四川、河南为第三方阵，人均科技活动周经费在0.1~0.2元之间。陕西、内蒙古、安徽、青海、河北、山东、西藏和黑龙江等省的人均科技活动周经费不足0.1元（见图5-10）。

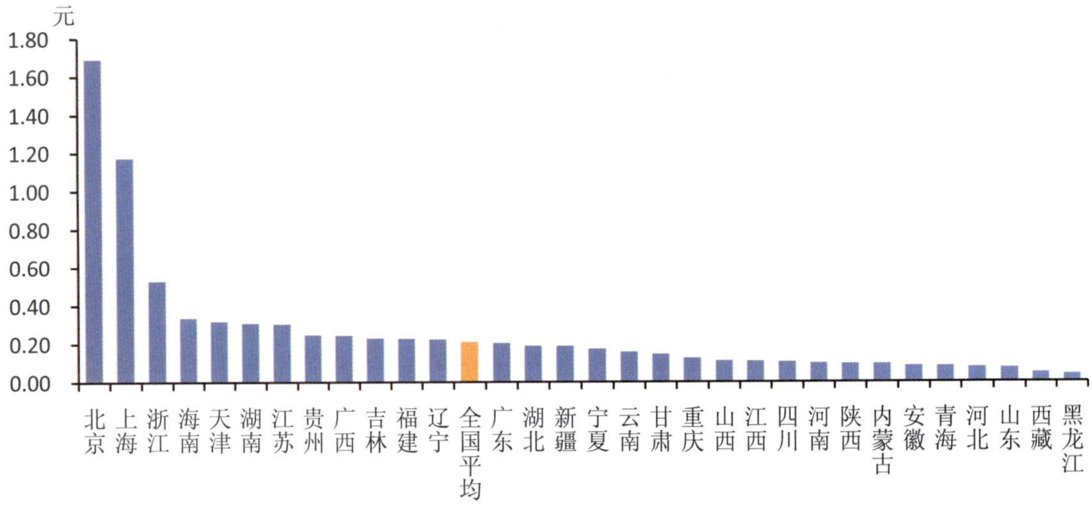


图5-10 2008年各省人均科技活动周经费

## 5.2 科普（技）讲座、展览和竞赛

### 5.2.1 整体概况

2008年，全国共开展科普（技）讲座、展览和竞赛三类科普活动111.73万次，参与人次4.05亿人次，分别比2006年增长27.8%和20.9%。其中，科普（技）讲座举办的次数最多，为95.51万次，占三类科普活动的85.5%，科普（技）讲座参加人次1.6亿人次，占三类科普活动人次的39.5%。科普（技）展览举办了11.53万次，吸引的人数最多，达到1.97亿人次，占三类科普活动人次的48.6%。科普（技）竞赛举办了4.69万次，有0.48亿人次参加。

2008年科普（技）讲座和展览的举办次数与参加人次均比2006年有增加，

科普（技）竞赛的举办次数虽然略有减少，但参加人次有所增加（见表 5-2）。

表 5-2　2008 年和 2006 年科普（技）讲座、展览和竞赛开展情况

| 活动类型 | 举办次数（万次） | | 参加人数（亿人次） | | 2008 年平均每次科普活动参加人数（人） |
|---|---|---|---|---|---|
| | 2006 年 | 2008 年 | 2006 年 | 2008 年 | |
| 科普（技）讲座 | 72.33 | 95.51 | 1.48 | 1.6 | 167 |
| 科普（技）展览 | 10.31 | 11.53 | 1.45 | 1.97 | 1710 |
| 科普（技）竞赛 | 4.81 | 4.69 | 0.42 | 0.48 | 1033 |

### 5.2.2　科普（技）讲座

从地区来看，2008 年，东部地区的科普（技）讲座参与人次最多，比 2006 年增长 8.6%，达到 6827 万人次，占全国科普（技）讲座参与人次的 42.7%；其次为西部地区，参与人次比 2006 年增加 25.2%，增长率位居三地区之首，参与人次为 5147.8 万人次，占全国科普（技）讲座参与人次的 32.2%；中部地区的参与人次下降了 8.8%，为 3997.3 万人次（见图 5-11）。

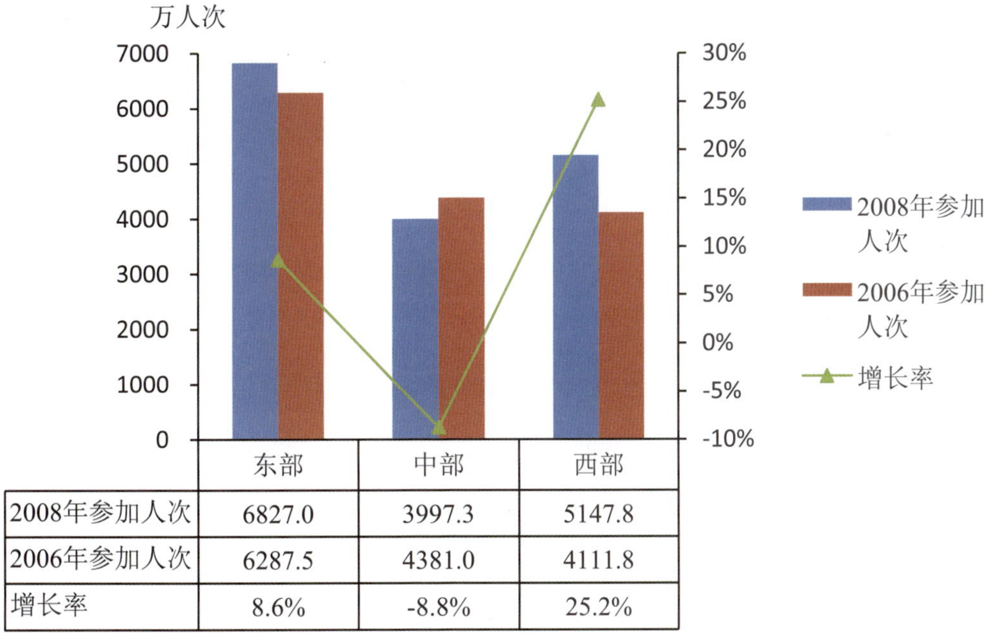


图 5-11　2008 年与 2006 年东、中、西部地区科普（技）讲座参加人数及变化

从部门来看，农业部门的科普（技）讲座次数和参与人数均高于其他部门，分别为 30.23 万次和 3234.58 万人次，各占全国科普（技）讲座次数和参与人数

的 31.6%和 20.3%。教育部门举办科普（技）讲座 8.71 万次，吸引 3019.93 万人次参加，仅次于农业部门。卫生部门举办科普（技）讲座 10.48 万次，仅少于农业部门，共有 1349.58 万人次参加。科技管理部门举办科普（技）讲座次数居第 3 位，为 10.31 万次，吸引 1802.00 万人次参加。科协举办科普（技）讲座的参与人次排第 3 位，达到 2185.83 万人次，共举办了 9.40 万次（见图 5-12）。

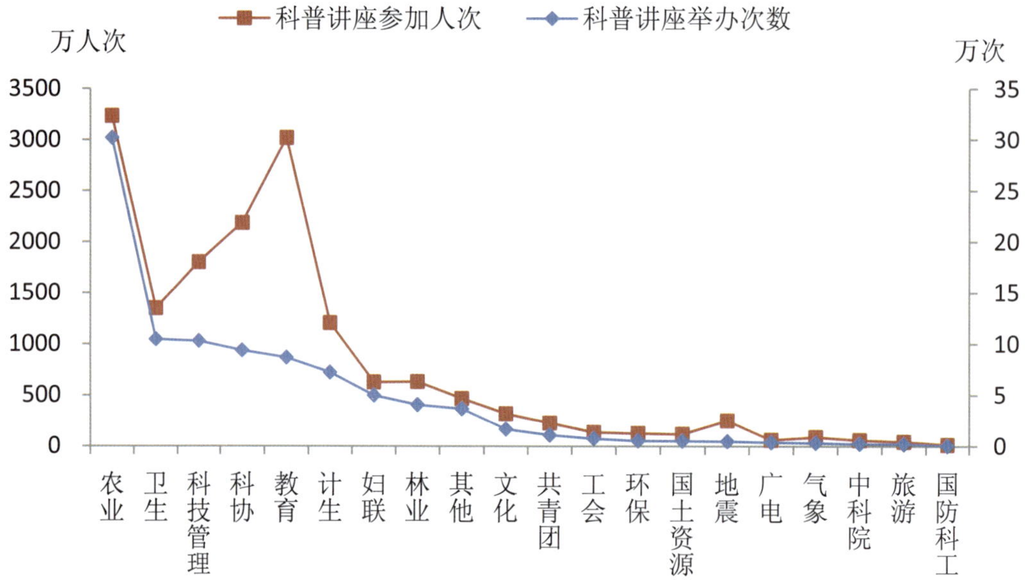


图 5-12　2008 年部门科普（技）讲座举办次数及参加人次比较

从各省来看，举办科普（技）讲座次数居前 10 位的省份分别是：云南、江苏、广西、浙江、广东、河南、四川、北京、河北和辽宁。其中，云南以 8.01 万次高居榜首，继续保持了 2006 年的领先优势，江苏和广西分别以 6.23 万次和 5.95 万次居第 2 位和第 3 位（见图 5-13）。

从各省来看，科普（技）讲座参加人次居前 10 位的省份分别是：河南、江苏、广东、四川、云南、北京、浙江、山东、陕西和广西，均在 730 万人次以上。其中，河南的参加人数达到 1038.98 万人次，是唯一突破千万人次的省份；江苏、广东和四川紧随其后，参加人次超过了 900 万人次。重庆的参加人次增幅最大，接近 2006 年 4.5 倍。但全国有 12 个省份的参加人次比 2006 年有所减少，其中吉林省在 2006 年引领最快增长速度后，2008 年出现了最大降幅，降幅达到 59.2%（见图 5-14）。

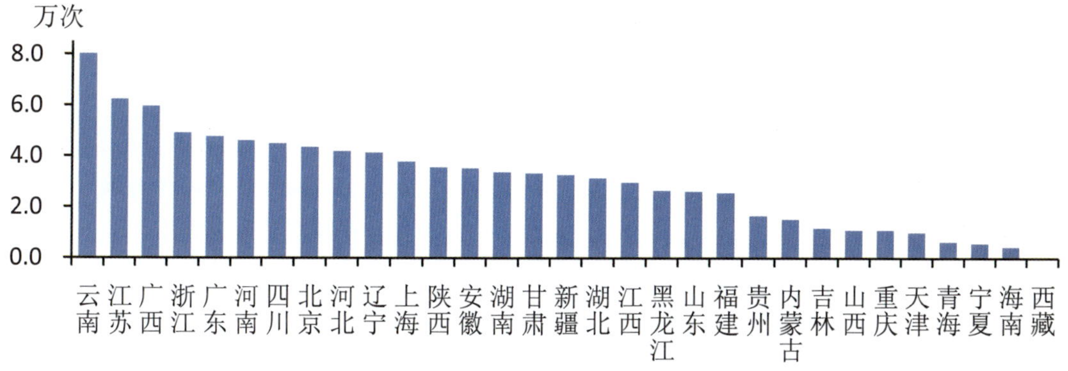


**图 5-13　2008 年各省科普（技）讲座举办次数**

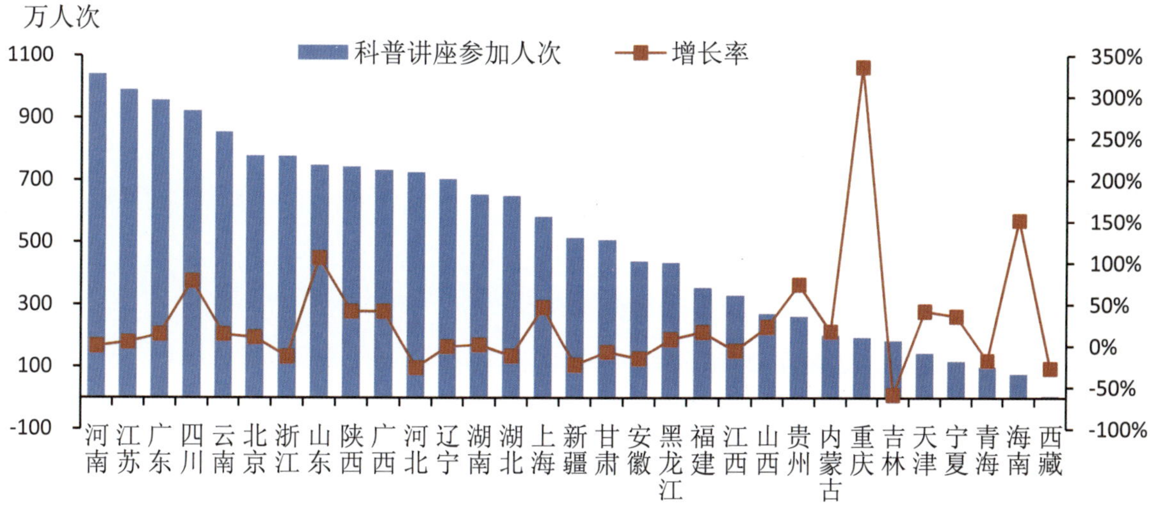


**图 5-14　2008 年各省科普讲座参加人次及增长率**

2008 年科普（技）讲座全国每万人口参加人次为 1221 人次，有 13 个省份超过了全国平均水平。每万人口参加人次前 10 位的省份为：北京、上海、新疆、陕西、甘肃、宁夏、云南、青海、辽宁和广西。其中，西部省份占了 7 个，这些省份的参与率较高（见表 5-3）。

表 5-3　2008 年科普（技）讲座每万人口参加人次排名前 10 位的省份

| 地　区 | 每万人口参加人次 |
|---|---|
| 全国平均 | 1221 |
| 北京 | 4586 |
| 上海 | 3078 |
| 新疆 | 2409 |
| 陕西 | 1972 |
| 甘肃 | 1928 |
| 宁夏 | 1903 |
| 云南 | 1879 |
| 青海 | 1792 |
| 辽宁 | 1629 |
| 广西 | 1519 |

### 5.2.3　科普(技)展览

从各部门来看，2008 年科协举办科普（技）展览 2.27 万次，接待 5211 万人次，在展览举办数量和参观人次上均排第 1 位。教育部门举办的展览数居第 2 位，为 1.98 万次，参观人次达 2161 万次；科技管理部门举办的展览数为第 3 位，有 1.28 万次，吸引了 2402 万人次参观。科协、教育和科技管理部门接待的参观人次约占全国总参观人次的一半（见图 5-15）。

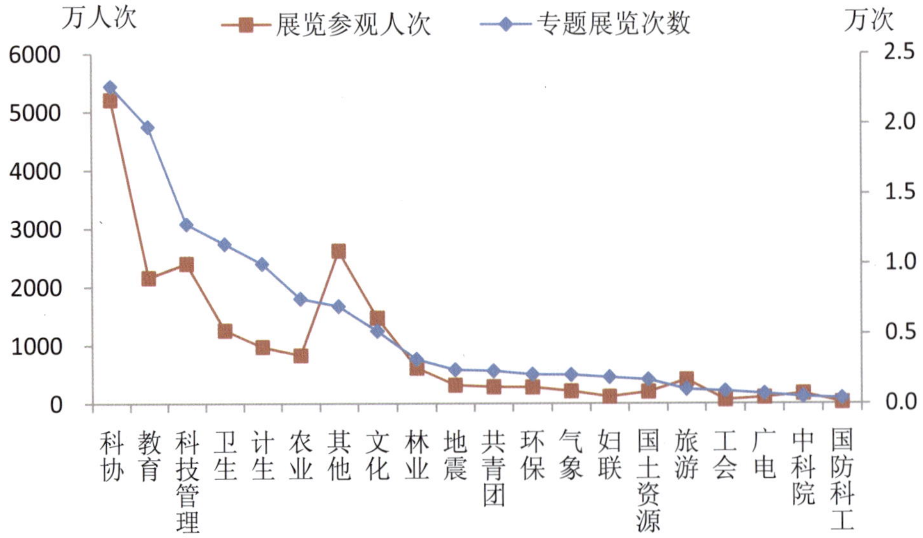


图 5-15　2008 年部门科普（技）展览举办次数及参观人次

科普（技）展览全国每万人口参观人数为 1507 人次，有 10 个省份超过了这一平均值，科普（技）展览每万人口参观人数排名前 10 位的省份有：北京、上海、青海、陕西、宁夏、浙江、云南、广东、甘肃和新疆，西部省份占了 6 个，参与度较高。北京以每万人口参观人次 17253 人次遥遥领先（见表 5-4）。

**表 5-4　2008 年科普（技）展览每万人口参观人次排名前 10 位的省份**

| 地 区 | 每万人口参观人次 |
|---|---|
| 全国平均 | 1507 |
| 北 京 | 17253 |
| 上 海 | 4698 |
| 青 海 | 2654 |
| 陕 西 | 2272 |
| 宁 夏 | 2081 |
| 浙 江 | 2003 |
| 云 南 | 1877 |
| 广 东 | 1769 |
| 甘 肃 | 1602 |
| 新 疆 | 1533 |

### 5.2.4　科普（技）竞赛

从各部门来看，2008 年，教育部门保持了 2006 年的领先优势，在科普（技）竞赛举办次数以及参加人数上均排名第 1 位，共开展科普（技）竞赛 2.06 万次，比排名第 2 位的科协多了 3 倍多，约有 1730.14 万人次参加。科协吸引了 1335.53 万人次参加。教育部门和科协的科普（技）竞赛参加人数之和占全国总数的 63.2%，与 2006 年的比重相当（见图 5-16）。

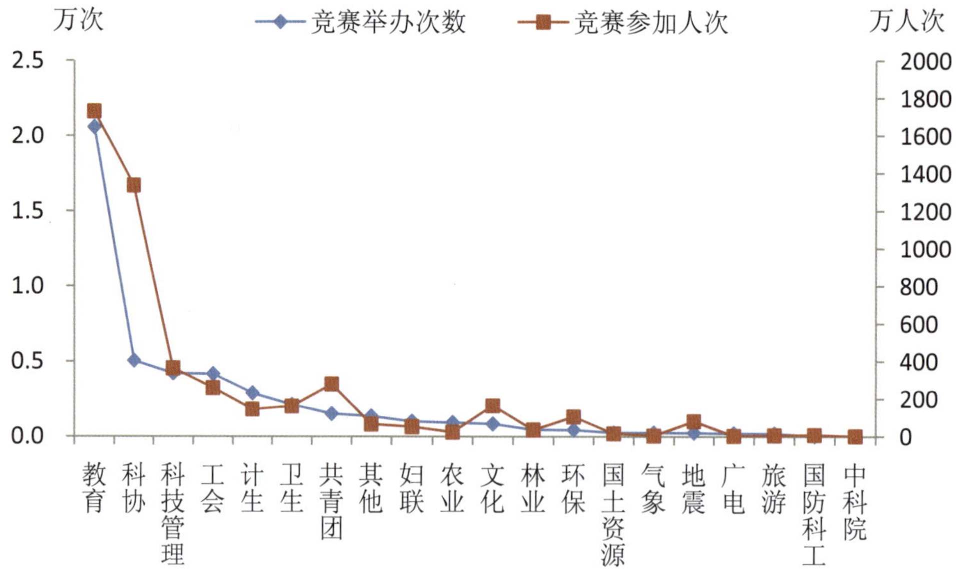


**图 5-16　2008 年部门科普（技）竞赛举办次数及参加人次**

从各省来看，科普（技）竞赛参加人数排名前 10 位的省份是：江苏、广东、四川、上海、北京、广西、辽宁、浙江、河南和山东（见图 5-17）。

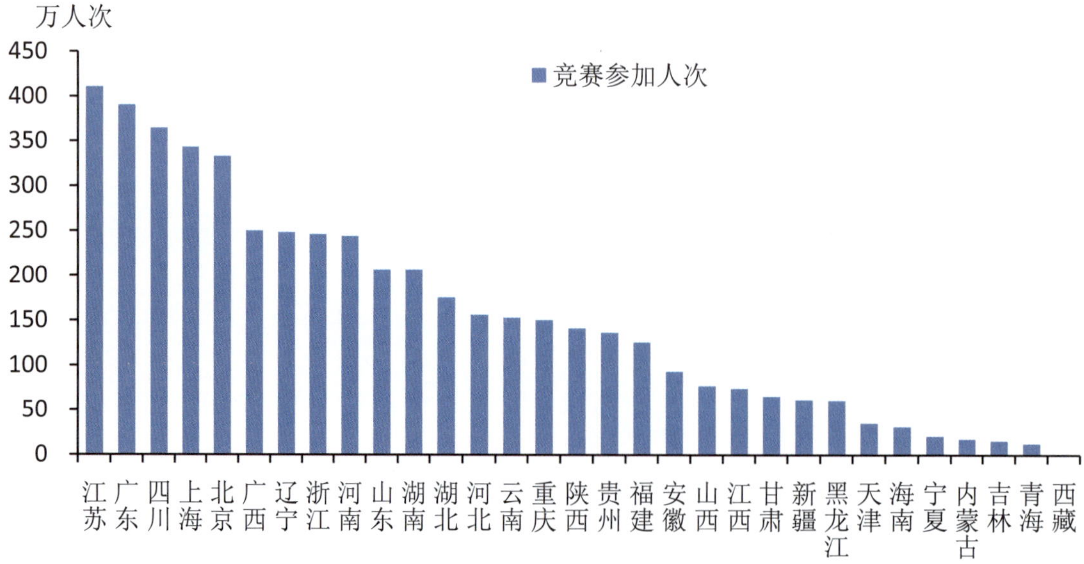


**图 5-17　2008 年各省科普（技）竞赛参加人次情况**

2008 年，全国科普（技）竞赛每万人口参加人数为 371 人次，超过全国平均水平的有 10 个省份，如表 5-5 所示。

**表 5-5 2008 年科普（技）竞赛每万人口参加人次排名前 10 位的省份**

| 地　区 | 每万人口参加人数（人次） |
|---|---|
| 全国平均 | 371 |
| 北京 | 1965 |
| 上海 | 1818 |
| 辽宁 | 576 |
| 江苏 | 535 |
| 重庆 | 530 |
| 广西 | 520 |
| 浙江 | 481 |
| 四川 | 448 |
| 广东 | 409 |
| 陕西 | 376 |

## 5.3 青少年科普活动

### 5.3.1 青少年科普活动概况

2008 年，青少年科普活动的举办次数和参加人次均比 2006 年有所减少，其中，青少年科技兴趣小组举办了 31.82 万次，比 2006 年减少了 8%，但参加人数稍增了 6.9%，达到 2154.13 万人次；科技夏（冬）令营举办了 1.44 万次，比 2006 年略有增加，但参加人数减少了 1/3 多（见表 5-6）。

**表 5-6 2008 年与 2006 年青少年科普活动开展情况**

| 活动类型 | 举办次数 | | | 参加人次 | | |
|---|---|---|---|---|---|---|
| | 2006 年（万次） | 2008 年（万次） | 增长率（%） | 2006 年（万人次） | 2008 年（万人次） | 增长率（%） |
| 青少年科技兴趣小组 | 34.58 | 31.82 | −8.0 | 2015.53 | 2154.13 | 6.9 |
| 科技夏（冬）令营 | 1.43 | 1.44 | 0.7 | 566.72 | 353.15 | −37.7 |

### 5.3.2 青少年科技兴趣小组

从地区来看，2008 年，东部地区有青少年科技兴趣小组 13.58 万个，有 885.69 万人次参加；中部地区有青少年科技兴趣小组 9.23 万个，564.85 万人次参加；

西部地区有青少年科技兴趣小组 9.01 万个，703.60 万人次参加。2008 年，东部和中部地区的青少年科技兴趣小组参与人次均比 2006 年减少，只有西部地区增加了 29.4%（图 5-18）。

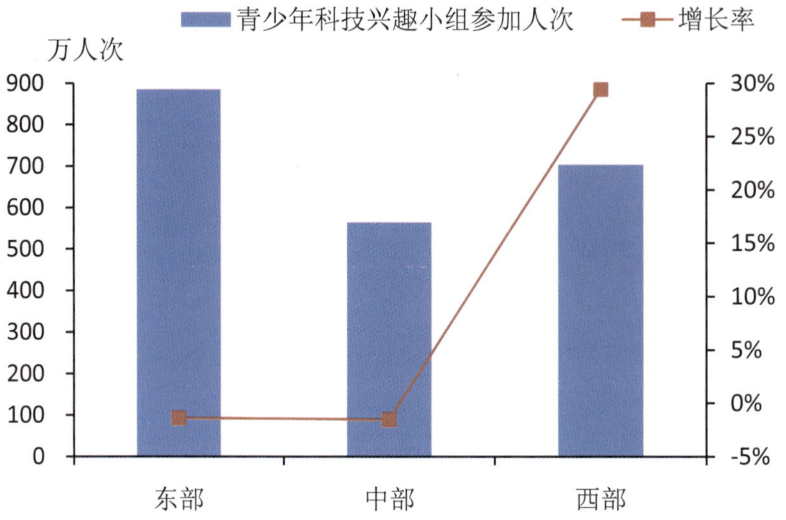


图 5-18　2008 年东、中、西部地区青少年科技兴趣小组参加人次及增长率

从各省来看，2008 年，青少年科技兴趣小组数量最多的前 5 个省份是：河南、广东、山东、四川和江苏。其中，河南和广东均超过了 3 万个，分别为 3.23 万个和 3.05 万个。青少年科技兴趣小组参与人数最多的前 5 个省份是：四川、山东、江苏、河南和广西，其中，四川和山东分别达到 220.31 万人次和 194.38 万人次（见图 5-19）。

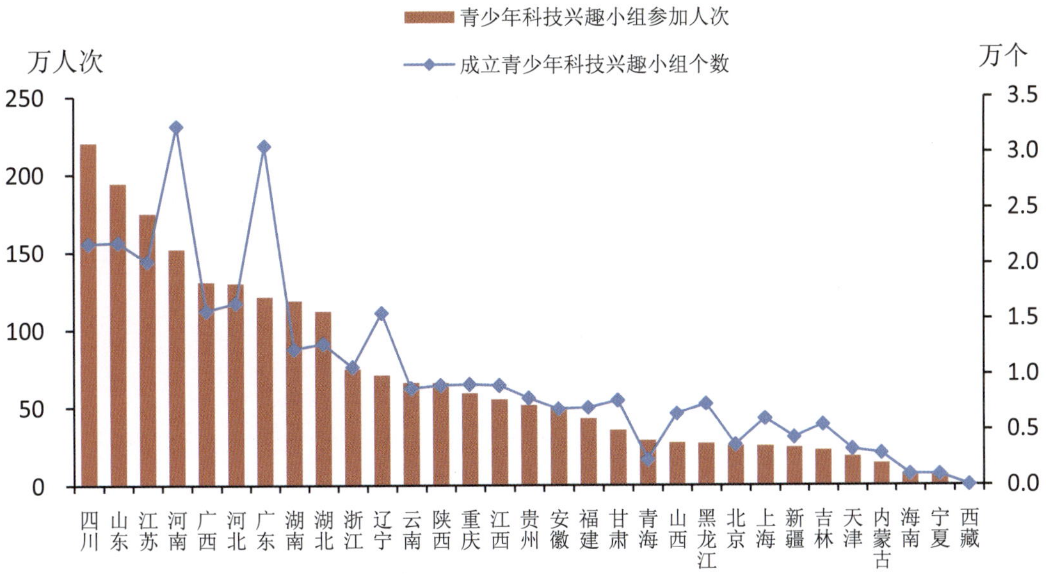


图 5-19　2008 年各省青少年科技兴趣小组数量及参加人次

### 5.3.3　科技夏（冬）令营

从地区来看，2008 年，东部地区科技夏（冬）令营参加人次达到 206.63 万人次，占全国参加总人数的 58.5%，但人数比 2006 年减少了 22.9%。中部和西部地区的科技夏(冬)令营参加人次分别为 93.48 万人次和 53.04 万人次，比 2006 年分别增加了 3.6%和 23.4%（见图 5-20）。

从部门来看，2008 年，教育、科协和科技管理部门的科技夏（冬）令营举办次数和参与人次居前 3 位。三部门举办科技夏（冬）令营次数占全国总次数的 68.3%，参加人数合计占全国参加总人次的 72.4%。其中，教育部门举办科技夏（冬）令营 4872 次，有 151.41 万人次参加。科协和科技管理部门分别有 59.34 万人次和 44.91 万人次参加。旅游部门举办了 375 次科技夏（冬）令营，有 11.45 万人次参加，排名第 6 位（见图 5-21）。

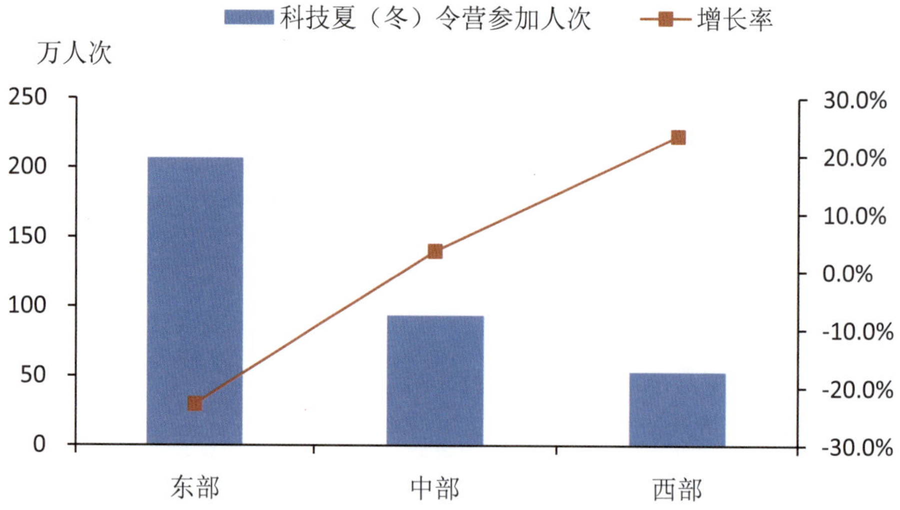


图 5-20　2008 年东、中、西部地区科技夏（冬）令营参加人次及增长率

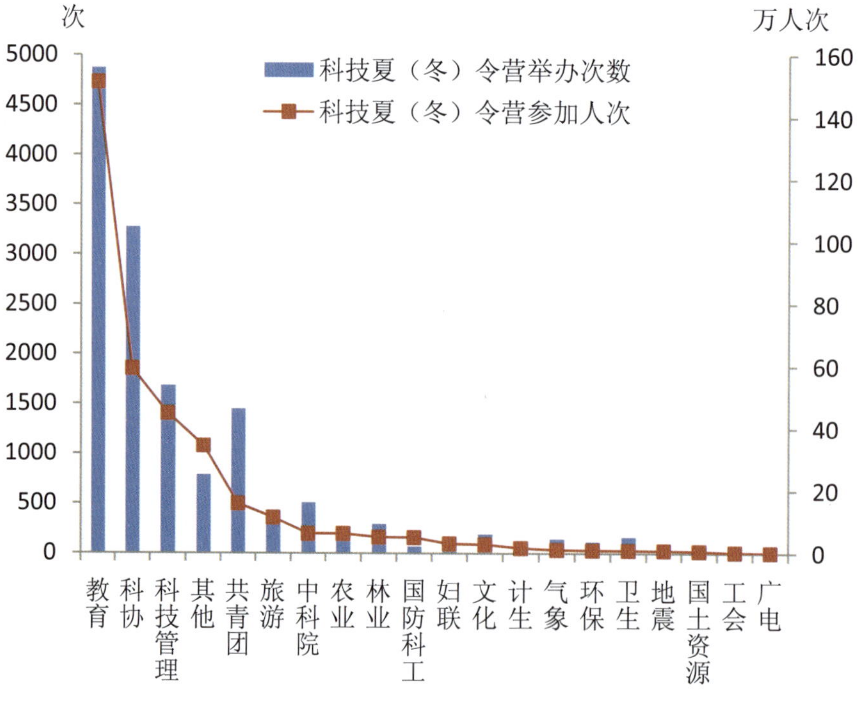


图 5-21　2008 年各部门科技夏（冬）令营举办次数及参加人次比较

## 5.4　大学、科研机构向社会开放情况

根据科技部等七部委发布的《关于科研机构和大学向社会开展科普活动的若干意见》，发动具备条件的科研机构、大学、实验室向公众开放。通过组织公众参观科研机构，参与科研实践活动，增进公众对科学技术的兴趣和理解，提高公众科学素质。

2008 年，全国共有 2655 个大学、科研机构向社会开放，吸引 459.17 万人次参加开放活动，平均每个开放单位接待参观人次为 1729 人，比 2006 年增加 707 人，增幅明显。

从部门来看，2008 年，教育部门、科技管理部门和中科院的开放单位数最多，分别为 986 个、451 个和 227 个，三部门参观人数合计占全国总参观人数的 46%，其中，中科院吸引的参观人次有 116.50 万人次，居各部门之首；其次为文化和教育部门，分别为 80.88 万人次和 56.98 万人次（见图 5-22）。

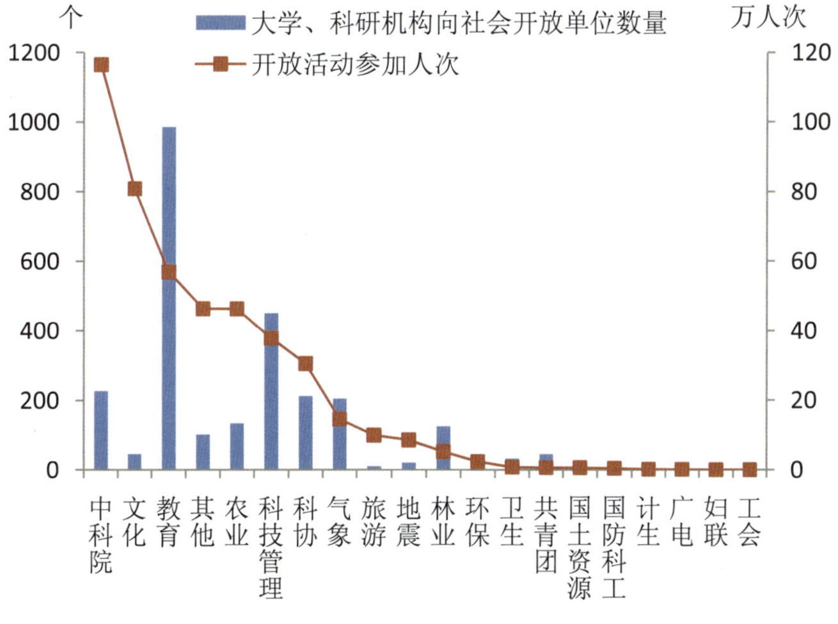


**图 5-22　2008 年各部门开放单位数量及开放活动参加人次比较**

从各省来看，开放活动参加人次居多的前 5 个省份是：河南、广东、湖北、云南和四川，其中，河南以 96.29 万人次遥遥领先。向社会开放单位最多的 5 个省份是：江苏、天津、北京、河北和湖南，其中，江苏向社会开放的单位达到 319 个（见图 5-23）。

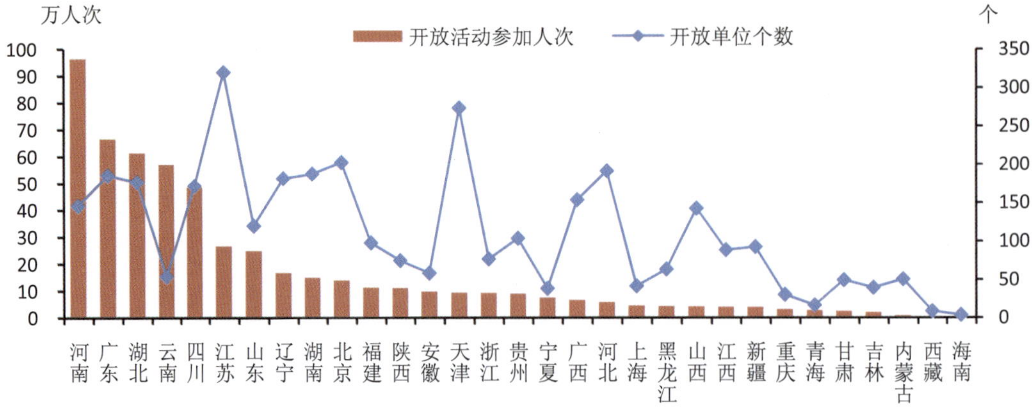


**图 5-23　2008 年各省大学、科研机构开放单位数量及开放活动参加人数的比较**

## 5.5　科普国际交流

科普国际交流是指国内科普机构和个人与外国及境外地区进行的以有关科普访问、接待、展览、培训、研讨等形式开展的交流活动。2008 年，全国共举办科普国际交流 2365 次，比 2006 年增加 10.9%，但参加人次为 47.45 万人次，减少了 27.7%。从部门来看，教育、科协和科技管理部门举办的国际科普交流活动居多，分别为 504 次、498 次和 247 次。文化、科技管理和科协举办国际科普交流的参与人次居多，分别为 12.4 万人次、5.0 万人次和 4.0 万人次（见图 5-24）。

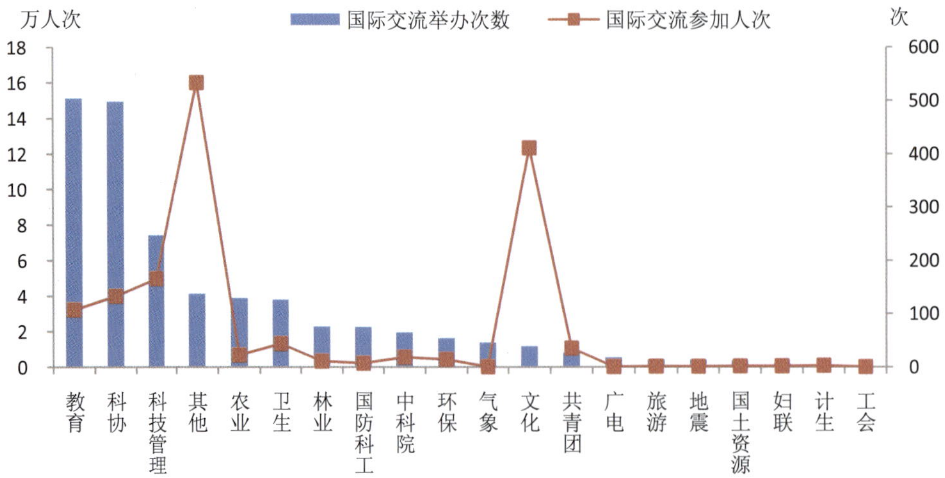


**图 5-24　2008 年各部门科普国际交流活动举办次数与参加人次比较**

# 附录 1　科普工作统计报表制度

本报表制度根据《中华人民共和国统计法》的有关规定制定。

《中华人民共和国统计法》第三条规定：国家机关、社会团体、企业事业组织和个体工商户等统计调查对象，必须依照本法和国家规定，如实提供统计资料，不得虚报、瞒报、拒报、迟报，不得伪造、篡改。

基层群众性自治组织和公民有义务如实提供国家统计调查所需要的情况。

《中华人民共和国统计法》第十五条规定：统计机构、统计人员对在统计调查中知悉的统计调查对象的商业秘密，负有保密义务。

# 一、总 说 明

(一)调查目的：调查国家科普资源基本状况，了解国家科普工作运行质量。

(二)统计对象和范围：国家机关、社会团体和企事业单位等机构和组织。

(三)主要指标：科普人员、科普场地、科普经费、科普传媒和科普活动。

(四)报告期：2008 年 1 月 1 日—2008 年 12 月 31 日（对于科普场地和科普网站，填写截至 2008 年 12 月 31 日 24 时已经建成开放的科普场地和科普网站）。

(五)本调查为全面调查，填报单位需严格按照报表所规定的指标含义、指标解释进行填报。

(六)凡在表“KP-002 科普场地”的第一部分“科普场馆”填报数据的单位，均需把每个“科普场馆”单独填报一份报表，同时将本单位的其他相关数据填报为另一份报表，与“科普场馆”的报表同时上报，不需汇总。

# 二、报 表 目 录

| 表 号 | 表 名 | 报告期别 | 填报范围 | 报送单位 | 报送日期及方式 | 页码 |
|---|---|---|---|---|---|---|
| KP-001 | 科普人员 | 年报 | 国家机关、社会团体和企事业单位等机构、组织 | 各省、自治区、直辖市科技厅（委、局） | 4 月 15 日前电子邮件 | 1 |
| KP-002 | 科普场地 | 年报 | 同上 | 同上 | 同上 | 1 |
| KP-003 | 科普经费 | 年报 | 同上 | 同上 | 同上 | 1 |
| KP-004 | 科普传媒 | 年报 | 同上 | 同上 | 同上 | 1 |
| KP-005 | 科普活动 | 年报 | 同上 | 同上 | 同上 | 1 |

# 三、调 查 表 式

## （一）科普人员

表　　号：KP-001
制表机关：科 学 技 术 部
批准机关：国 家 统 计 局
批准文号：国统制[2008]134 号
有效期至：2009 年 10 月

省(自治区、直辖市)　　地(市、州、盟)　　县(区、市、旗)
行政区划代码：□□_□□_□□
综合机关名称：
联系电话：　　机构主管部门类别代码（见附录）：　　单位级别：中央部门□ 省级□ 地市级□ 县级□

| 指标名称 | 代码 | 计量单位 | 数量 |
|---|---|---|---|
| 甲 | 乙 | 丙 | 1 |
| 一、科普专职人员 | KR100 | 人 | |
| 其中：中级职称及以上或本科及以上学历人员 | KR110 | 人 | |
| 女性科普人员 | KR120 | 人 | |
| 农村科普人员 | KR130 | 人 | |
| 科普管理人员 | KR140 | 人 | |
| 科普创作人员 | KR150 | 人 | |
| 二、科普兼职人员 | KR200 | 人 | |
| 其中：中级职称及以上或本科及以上学历人员 | KR210 | 人 | |
| 女性科普人员 | KR220 | 人 | |
| 农村科普人员 | KR230 | 人 | |
| 注册科普志愿者 | KR240 | 人 | |
| 年度实际投入工作量 | KR250 | 人月 | |

单位负责人：　　统计负责人：　　填表人：　　报出日期：2009 年　月　日

填报说明：

1．本表由各省、自治区、直辖市科技行政主管部门逐级报送，报送时不汇总。
2．本报表为年报，报送时间为年后 4 月 15 日前。报送方式为网络报送。

# （二）科普场地

表　　号：KP-002
制表机关：科 学 技 术 部
批准机关：国 家 统 计 局
批准文号：国统制[2008]134 号
有效期至：2009 年 10 月

省(自治区、直辖市)　　　地(市、州、盟)　　　县(区、市、旗)
行政区划代码：□□_□□_□□
综合机关名称：
联系电话：　　　机构主管部门类别代码（见附录）：　单位级别：中央部门□ 省级□ 地市级□ 县级□

| 指标名称 | 代码 | 计量单位 | 数量 |
|---|---|---|---|
| 甲 | 乙 | 丙 | 1 |
| 一、科普场馆 | — | — | — |
| 1. 科技馆 | KC110 | 个 | |
| 建筑面积 | KC111 | 平方米 | |
| 展厅面积 | KC112 | 平方米 | |
| 参观人次 | KC113 | 人次 | |
| 2. 科学技术博物馆 | KC120 | 个 | |
| 建筑面积 | KC121 | 平方米 | |
| 展厅面积 | KC122 | 平方米 | |
| 参观人次 | KC123 | 人次 | |
| 3. 青少年科技馆站 | KC130 | 个 | |
| 二、非场馆类科普基地 | — | — | — |
| 1. 个数 | KC210 | 个 | |
| 2. 科普展厅面积 | KC220 | 平方米 | |
| 3. 参观人次 | KC230 | 人次 | |
| 三、公共场所科普宣传设施 | — | — | — |
| 1. 城市社区科普（技）专用活动室 | KC310 | 个 | |
| 2. 农村科普（技）活动场地 | KC320 | 个 | |
| 3. 科普宣传专用车 | KC330 | 辆 | |
| 4. 科普画廊 | KC340 | 个 | |
| 四、科普（技）教育基地 | — | — | — |
| 1. 国家级科普（技）教育基地 | KC410 | 个 | |
| 享受过税收优惠的基地 | KC411 | 个 | |
| 2. 省级科普（技）教育基地 | KC420 | 个 | |
| 享受过税收优惠的基地 | KC421 | 个 | |

单位负责人：　　　　　统计负责人：　　　填表人：　　　报出日期：2009 年　月　日

填报说明：

1. 本表由各省、自治区、直辖市科技行政主管部门逐级报送，报送时不汇总。

2. 本报表为年报，报送时间为年后 4 月 15 日前。报送方式为网络报送。

3. 凡在本表第一部分“科普场馆”填报数据的单位，均需把每个“科普场馆”单独填报一份报表，同时将本单位的其他相关数据填报为另一份报表，与“科普场馆”的报表同时上报，不需汇总。

## （三）科普经费

表　　号：KP-003
制表机关：科 学 技 术 部
批准机关：国 家 统 计 局
批准文号：国统制[2008]134 号
有效期至：2009 年 10 月

省(自治区、直辖市)　　　地(市、州、盟)　　　县(区、市、旗)
行政区划代码：□□_□□_□□
综合机关名称：
联系电话：　　　机构主管部门类别代码（见附录）：　　　单位级别：中央部门□ 省级□ 地市级□ 县级□

| 指标名称 | 代码 | 计量单位 | 数量 |
|---|---|---|---|
| 甲 | 乙 | 丙 | 1 |
| 一、年度科普经费筹集额 | KJ100 | 千元 | |
| 1. 政府拨款 | KJ110 | 千元 | |
| 其中：科普专项经费 | KJ111 | 千元 | |
| 2. 捐赠 | KJ120 | 千元 | |
| 3. 自筹资金 | KJ130 | 千元 | |
| 4. 其他收入 | KJ140 | 千元 | |
| 二、年度科普经费使用额 | KJ200 | 千元 | |
| 1. 行政支出 | KJ210 | 千元 | |
| 2. 科普活动支出 | KJ220 | 千元 | |
| 3. 科普场馆基建支出 | KJ230 | 千元 | |
| 其中：政府拨款支出 | KJ231 | 千元 | |
| 4. 其他支出 | KJ240 | 千元 | |
| 三、科技活动周经费专项统计 | — | — | — |
| 科技活动周经费筹集额 | KJ300 | 千元 | |
| 其中：政府拨款 | KJ310 | 千元 | |
| 企业赞助 | KJ320 | 千元 | |

单位负责人：　　　　统计负责人：　　　填表人：　　　报出日期：2009 年　月　日

填报说明：

1. 本表由各省、自治区、直辖市科技行政主管部门逐级报送，报送时不汇总。
2. 本报表为年报，报送时间为年后 4 月 15 日前。报送方式为网络报送。
3. 本表主要平衡关系：KJ100＝KJ110＋KJ120＋KJ130＋KJ140；KJ110≥KJ111；
KJ200＝KJ210＋KJ220＋KJ230＋KJ240；KJ230≥KJ231.

## （四）科普传媒

表　　号：KP-004
制表机关：科 学 技 术 部
批准机关：国 家 统 计 局
批准文号：国统制[2008]134 号
有效期至：2009 年 10 月

省(自治区、直辖市)　　　地(市、州、盟)　　　县(区、市、旗)
行政区划代码：□□_□□_□□
综合机关名称：
联系电话：　　　机构主管部门类别代码（见附录）：　　　单位级别：中央部门□ 省级□ 地市级□ 县级□

| 指标名称 | 代码 | 计量单位 | 数量 |
|---|---|---|---|
| 甲 | 乙 | 丙 | 1 |
| 一、科普图书 | — | — | — |
| 1. 出版种数 | KM110 | 种 | |
| 2. 年出版总册数 | KM120 | 册 | |
| 二、科普期刊 | — | — | — |
| 1. 出版种数 | KM210 | 种 | |
| 2. 年出版总册数 | KM220 | 册 | |
| 三、科普（技）音像制品 | — | — | — |
| 1. 出版种数 | KM310 | 种 | |
| 2. 光盘发行总量 | KM320 | 张 | |
| 3. 录音、录像带发行总量 | KM330 | 盒 | |
| 四、科技类报纸年发行总份数 | KM400 | 份 | |
| 五、电视台播出科普（技）节目时间 | KM500 | 小时 | |
| 六、电台播出科普（技）节目时间 | KM600 | 小时 | |
| 七、科普网站个数 | KM700 | 个 | |

单位负责人：　　　统计负责人：　　　填表人：　　　报出日期：2009 年　月　日

填报说明：

1．本表由各省、自治区、直辖市科技行政主管部门逐级报送，报送时不汇总。

2．本报表为年报，报送时间为年后 4 月 15 日前。报送方式为网络报送。

3．本表第一部分、第二部分、第三部分、第四部分由含有出版机构的单位填写，第五部分、第六部分由广电部门填写。

# （五）科普活动

表　　号：KP-005
制表机关：科 学 技 术 部
批准机关：国 家 统 计 局
批准文号：国统制[2008]134 号
有效期至：2009 年 10 月

省(自治区、直辖市)　　地(市、州、盟)　　县(区、市、旗)
行政区划代码：□□_□□_□□
综合机关名称：
联系电话：　　机构主管部门类别代码（见附录）：　　单位级别：中央部门□ 省级□ 地市级□ 县级□

| 指标名称 | 代码 | 计量单位 | 数量 |
|---|---|---|---|
| 甲 | 乙 | 丙 | 1 |
| 一、科普（技）讲座 | — | — | — |
| 举办次数 | KH110 | 次 | |
| 参加人次 | KH120 | 人次 | |
| 二、科普（技）展览 | — | — | — |
| 专题展览次数 | KH210 | 次 | |
| 参观人次 | KH220 | 人次 | |
| 三、科普（技）竞赛 | — | — | — |
| 举办次数 | KH310 | 次 | |
| 参加人次 | KH320 | 人次 | |
| 四、科普国际交流 | — | — | — |
| 举办次数 | KH410 | 次 | |
| 参加人次 | KH420 | 人次 | |
| 五、青少年科普 | — | — | — |
| 1. 青少年科技兴趣小组 | — | — | — |
| 个数 | KH511 | 个 | |
| 参加人次 | KH512 | 人次 | |
| 2. 科技夏（冬）令营 | — | — | — |
| 举办次数 | KH521 | 次 | |
| 参加人次 | KH522 | 人次 | |
| 六、科技活动周 | — | — | — |
| 科普专题活动次数 | KH610 | 次 | |
| 参加人次 | KH620 | 人次 | |
| 七、大学、科研机构向社会开放 | — | — | — |
| 开放单位个数 | KH710 | 个 | |
| 参加人次 | KH720 | 人次 | |
| 八、重大科普活动次数 | KH800 | 次 | |

单位负责人：　　统计负责人：　　填表人：　　报出日期：2009 年　月　日

填报说明：

1．本表由各省、自治区、直辖市科技行政主管部门逐级报送，报送时不汇总。

2．本报表为年报，报送时间为年后 4 月 15 日前。报送方式为网络报送。

## 四、主要指标解释

1. 科普专职人员（KR100）：指在统计年度中，从事科普工作时间占其全部工作时间60%及以上的人员。包括各级国家机关和社会团体的科普管理工作者，科研院所和大中专院校中从事专业科普研究和创作的人员，专职科普作家，中小学专职科技辅导员，各类科普场馆的相关工作人员，科普类图书、期刊、报刊科技（普）专栏版的编辑，电台、电视台科普频道、栏目的编导，科普网站信息加工人员等。以上人员数由其所在单位填写。

2. 农村科普人员（KR130）：指在统计年度中，面向农村进行科学技术普及工作时间占本人全部工作时间 60%及以上的人员。包括农业管理部门的专职科普人员，农技咨询协会工作人员，农函大教员等。

3. 科普管理人员（KR140）：指各级国家机关和社会团体中从事科普管理工作的人员。

4. 科普创作人员（KR150）：指专职从事科普作品创作的人员。包括科普文学作品创作人员、科普影视作品创作人员、科普展品创作人员及科普理论研究人员等，这些人以科普作品的创作为其主要工作内容。

5. 科普兼职人员（KR200）：指在非职业范围内从事科普工作，仅在某些科普活动中从事宣传、辅导、演讲等工作的人员以及工作时间不能满足科普专职人员要求的从事科普工作的人员。包括进行科普（技）讲座等科普活动的科技人员、中小学兼职科技辅导员、参与科普活动的志愿者、科技馆（站）的志愿者等。

6. 注册科普志愿者（KR240）：指按照一定程序在科协、共青团等组织以及科普志愿者注册机构注册登记，参加科普服务活动的志愿者。

7. 年度实际投入工作量（KR250）：按月累加计算。例如，科普兼职人员有

3 人，其投入科普工作的时间分别为 2 个月，3 个月和 1 个月，则投入工作量合计为 2＋3＋1＝6（人月）。

8. 科普场馆：包括科技馆（以科技馆、科学中心、科学宫等命名的以展示教育为主，传播、普及科学的科普场馆），科学技术博物馆（包括科技类博物馆、天文馆、水族馆、标本馆以及设有自然科学部的综合博物馆等），青少年科技馆站、中心等。以上只填报建筑面积在 500 平方米以上的馆（站）。每个科普场馆必须单独填报一份报表。

9. 非场馆类科普基地：包括动物园、植物园、青少年夏（冬）令营基地、国家地质公园以及科技类农场等。

10. 城市社区科普（技）专用活动室（KC310）：指在城市社区建立的，专门用于开展社区科普（技）活动的场所。

11. 农村科普（技）活动场地（KC320）：指各类专门开展科普（技）活动的农村科技大院、农村科技活动中心（站）和农村科技活动室等。

12. 科普宣传专用车（KC330）：包括科普大篷车以及其他专门用于科普活动的车辆。

13. 科普画廊（KC340）：指本单位建立的、固定用于向社会公众宣传科普知识的、长 10 米以上的橱窗。

14. 国家级科普（技）教育基地（KC410）：指由国家科技行政管理部门和中国科协命名的科普（技）基地，如果某单位同时获得了两块牌子，只计 1 次。

15. 省级科普（技）教育基地（KC420）：指由省级科技行政管理部门和省级科协命名的科普（技）基地，如果某单位同时获得了两块牌子，只计 1 次。

16. 享受过税收优惠的基地：指遵循《关于鼓励科普事业发展税收政策问题的通知》的精神，按照《科普税收优惠政策实施办法》，经科技行政管理部门认定后，享受了税收优惠政策的科普（技）教育基地。

17. 年度科普经费筹集额（KJ100）：指本单位内可专门用于科普工作管理、

研究以及开展科普活动等科普事业的各项收入之和。

18. 政府拨款（KJ110）：指填表单位从各级政府部门获得的用于本单位科普工作实施的经费，不包括代管经费和划转到其他单位去的经费。

19. 科普专项经费（KJ111）：指国家各级政府财政部门拨款或资助的、指定用于某项科普活动的经费。

20. 捐赠（KJ120）：指从国内外各类团体和个人获得的专门用于开展科普活动的经费（捐物不在统计范围内）。

21. 自筹资金（KJ130）：指本单位自行筹集的，专门用于开展科普工作的经费。

22. 其他收入（KJ140）：指本单位科普经费筹集额中除上述经费外的收入。

23. 年度科普经费使用额（KJ200）：指本单位内实际用于科普管理、研究以及开展科普活动的全部实际支出。

24. 科普活动支出（KJ220）：指直接用于组织和开展科普活动的支出。

25. 科普场馆基建支出（KJ230）：指本年度内实际用于科普场馆（指表 2 中第一项：科普场馆）的基本建设资金。包括实际用于科技馆的土建费（场馆修缮和新场馆建设）以及添加科普展品和设施所产生的费用两部分。

26. 其他支出（KJ240）：指本单位科普经费使用额中除上述支出外，用于科普工作的相关支出。

27. 科技活动周经费筹集额（KJ300）：指本年度科技活动周期间，本单位筹集的准备用于科技活动周的经费总额。

28. 科普图书：指以非专业人员为阅读对象，以普及科学技术知识、倡导科学方法、传播科学思想、弘扬科学精神为目的，在新闻出版机构登记、有正式书号的科技类图书。

29. 出版种数（KM110）：图书的“种数”以年度为界线。1 种图书在同 1 年度内无论印制多少次，只在第 1 次印制时计算种数。

30. 年出版总册数（KM120）：指本年内每种图书印刷册数之和。

31. 科普期刊：指面向社会发行并在新闻出版机构登记、有正式刊号或有内部准印证的科普性刊物。

32. 年出版总册数（KM220）：指本年内每种期刊年度印刷册数之和。

33. 科普（技）音像制品：指以普及科学技术知识、倡导科学方法、传播科学思想、弘扬科学精神为目的，正式出版的音像制品。包括光盘、录音、录像带等形式。

34. 科技类报纸年发行总份数（KM400）：指报纸的每期发行份数×年发行期数所得数量。

35. 科普（技）节目：指电台、电视台播出的面向社会大众的以普及科技知识、倡导科学方法、传播科学思想、弘扬科学精神为主要目的的节目。

36. 科普网站个数（KM700）：只统计由政府财政投资建设的专业科普网站数量。政府机关电子政务网站不在统计范围。

37. 科普（技）讲座：指各种面向社会的以普及科学技术知识、倡导科学方法、传播科学思想、弘扬科学精神为主要内容的科技讲座。由讲座的第一组织单位填写。如由几个单位联合举办，组织单位名单中排名第一的为第一组织者，其他几个组织单位不再统计本次活动，下同。

38. 科普（技）专题展览：指围绕某个主题所进行的具有科普性质的展教活动，包括常设展览、临时展览和巡回展览；参观人数只统计参观专题展览的人数，而不是场馆的年度总参观人数。

39. 科普（技）竞赛：指国家机关、社会团体及其他组织作为第一组织者开展的科技知识普及性竞赛。由竞赛的第一组织单位填写。

40. 科普国际交流：指填表单位与其他国家及境外地区进行的有关科普接待和外派参加会议、访问、展览、培训等交流活动。

41. 科普专题活动次数（KH610）：指科技活动周期间举办的科普专题活动

次数。

42. 大学、科研机构开放：指填表单位所属的大学、科研机构向社会开放，面向公众举办科普活动。参加人数为所有下属单位组织的开放活动参加的总人数。例如：共有 3 个开放单位，参加人数分别为 500、300、700，则总的参加人数为 1500 人。

43. 重大科普活动：指参加活动的人数在 1000 人次以上的科普活动。该项由活动的第一组织单位填写。

# 五、附 录

（一）机构主管部门类别

| 代码 | 机构主管部门 | 代码 | 机构主管部门 |
|---|---|---|---|
| 01 | 科技管理部门 | 11 | 林业部门 |
| 02 | 科协部门 | 12 | 旅游部门 |
| 03 | 教育部门 | 13 | 中科院所属单位 |
| 04 | 国土资源部门 | 14 | 地震部门 |
| 05 | 农业部门 | 15 | 气象部门 |
| 06 | 文化部门 | 16 | 共青团组织 |
| 07 | 卫生部门 | 17 | 妇联组织 |
| 08 | 计生部门 | 18 | 工会系统 |
| 09 | 环保部门 | 19 | 其他部门 |
| 10 | 广电部门 | 20 | 国防科工系统 |

(二)科普工作统计调查方案

## 一、科普工作统计的内容和任务

科普工作统计是国家科技统计的重要组成部分。通过开展全国科普工作统计调查，可以使政府管理部门及时掌握国家科普资源概况，更好地监测国家科普工作的运行质量，为政府制定科普政策提供依据。因此，全国科普工作统计的内容包括两个方面：

1．调查国家和地方科普资源投入状况。科普资源包括科普机构和人员、科普经费投入、科普场地以及科普传媒等。

2．监测国家科普工作运行状况。通过掌握科普活动的基础数据，了解全国科普活动的总体情况。

## 二、科普工作统计的范围

本次统计的范围包括中央、国务院各有关部门及其直属单位、省（自治区、直辖市，以下简称省）、市（地区、州、盟，以下简称市）、县（市、区、旗，以下简称县）人民政府有关部门及其直属单位、社会团体等机构和组织。

统计填报单位主要包括：

1．中央、国务院各有关部门：科技部、中国科协、教育部、国土资源部、农业部、文化部、卫生部、国家人口和计划生育委员会、环境保护部、国家广电总局、国家林业局、国家旅游局、中国科学院、中国地震局、中国气象局、全国总工会、共青团中央、全国妇联等。

2．省级单位：省科技厅、省科协、省教育厅、省国土资源厅、省农业厅、省文化厅、省卫生厅、省计生委、省环保局、省广电局、省林业厅、省旅游局、省园林局、省地震局、省气象局、省工会、省团委、省妇联等。

3．市级单位：市科技局、市科协、市教育局、市国土资源局、市农业局、市文化局、市卫生局、市计生委、市环保局、市广电局、市林业局、市旅游局、市园林局、市地震局、市气象局、市工会、市团委、市妇联等。

4．县级单位：县科技局、县科协、县教育局、县国土资源局、县农业局、县文化局、县卫生局、县计生委、县环保局、县广电局、县林业局、县旅游局、县园林局、县气象局、县工会、县团委、县妇联等。

**三、科普工作统计的组织**

科普工作统计由科技部牵头，会同有关部门共同组织实施。科技部负责制定统计方案，提出工作要求，指导和协调中央、国务院有关部门和省科技行政管理部门的统计工作。中国科学技术信息研究所负责具体的统计实施工作。

各省、市、县科技行政管理部门牵头组织本行政区域内各单位的科普工作统计。

**四、科普工作统计的操作步骤**

全国科普工作统计按部委及省、市、县分级实施，采取条块结合的方式。

1．科技部负责全国科普工作统计。包括：向中央、国务院有关部门科技主管单位以及省科技厅布置科普工作统计，开展统计人员培训，发放并回收调查表，审核数据，汇总全国科普工作统计数据，形成全国科普工作统计报告。

2．中央、国务院有关部门负责自身及其直属机构的科普工作统计。包括：

向直属机构布置科普工作统计，对统计人员进行培训，发放并回收调查表，审核数据；将本部门的所有调查表报科技部备查。

3．各省科技厅负责本省科普工作统计。包括：向本省同级有关部门、所属各市科技局布置科普工作统计，对统计人员进行培训，发放并回收调查表，审核数据；把本省所有调查表录入全国科普工作数据库，建立本省科普工作统计数据库；将本省的所有调查表报科技部备查。

4．市科技局负责本市科普工作统计。包括：向本市同级有关部门、所属县科技局布置科普工作统计，对统计人员进行培训，发放并回收调查表，审核数据；将本市的所有调查表报省科技厅备查。

5．县科技局负责本县科普工作统计。包括：向本县同级有关部门布置科普工作统计，对统计人员进行培训，发放并回收调查表，审核数据，将本县的所有调查表报市科技局备查。

**五、调查表下载和数据上报**

科普工作调查表可以从科学技术部网站下载，网址为：http://www.most.cn/kxjspj/index.htm。

中央、国务院各有关部门科技主管单位、各省科技厅负责将统计数据录入科普工作统计管理软件系统。科普工作统计管理软件系统由科技部负责提供，下载网址同上。

**六、报送时间**

请中央、国务院有关部门科技主管单位及各省科技厅于 2009 年 4 月 15 日前将本部门、本省的所有调查表以及电子化的科普工作统计数据上报科技部。

**七、数据的修正和反馈**

科技部在汇总各有关部门、各省科普工作统计数据后，将组织专家对填报数据进行联合会审，就上报数据质量进行评估。对数据质量存在问题的，将要求核实和修正。

调查数据的质量是统计工作的灵魂。如果各部门各地方没有严格的数据质量控制，必然导致数据填报失真。因此，各级科技行政管理部门和填报单位，要有高度的责任心和勇于负责的精神，对填报的数据层层把关。

为明确责任，严控数据质量，对有关各级部门责任划分如下：

1. 科技部对中央、国务院有关部门科技主管单位、各省科技厅上报的数据进行审核，对有疑义或明显错误的数据，应要求其进行核实和修正；中央、国务院有关部门科技主管单位对本部门及直属单位填报的数据负责，配合科技部做好数据质量控制工作。

2. 省科技厅对本省同级部门和所属各市填报的数据进行审核，对有疑义或明显错误的数据，应要求其进行核实和修正；其他省级相关部门对本部门报送省科技厅的数据负责，协助省科技厅做好数据质量控制工作。

3. 市科技局对本市同级部门的数据和所属各县的填报数据进行审核，对有疑义或明显错误的数据，应要求其进行核实和修正；其他市级相关部门对本部门报送市科技局的数据负责，协助市科技局做好数据质量控制工作。

4. 县科技局对本县同级部门的数据进行审核，对有疑义或明显错误的数据，应要求其进行核实和修正；其他县级相关部门对本部门填报的数据负责，协助县科技局做好数据质量控制工作。

**八、与2006年度相比的主要变化**

1. 根据国家统计局的要求和规范，报表样式有所改变。使用当前国内外流行的“数据流表式”，即通过主栏实现对数据质的规定，通过宾栏实现对数据量的规定。指标解释放到了报表后面。

2. 报表指标没有变化。填报要求有一个重要改动。凡在“科普场地”报表中填写“科普场馆”填报数据的单位，均需把每个“科普场馆”单独填报一份报表，同时将本单位的其他相关数据填报为另一份报表，与“科普场馆”的报表同时上报，不需汇总。以XX市卫生局为例，原来只需填报一份包括该卫生局及其直属事业单位的报表。如果现在该卫生局下属有一科技馆，则应上报两份报表，一份为下属科技馆的统计数据，一份为该卫生局去除下属科技馆后的统计数据。两份报表的统计数据不应存在重合。如果下属有多个科普场馆，则每个科普场馆都需要单独填写一份报表。

# 附录 2　2008 年全国科普统计分类数据统计表

各项统计数据均未包括香港特别行政区、澳门特别行政区和台湾省的数据。

科普宣传专用车、科普图书、科普期刊、科普网站与科普国际交流情况均由市级以上（含市级）填报单位的数据统计得出。

非场馆类科普基地，因为理解差异，此次暂未列入。

东、中、西部地区的划分：东部地区包括北京、天津、河北、辽宁、上海、江苏、浙江、福建、山东、广东和海南 11 个省和直辖市；中部地区包括山西、吉林、黑龙江、安徽、江西、河南、湖北和湖南 8 个省；西部地区包括内蒙古、广西、重庆、四川、贵州、云南、西藏、陕西、甘肃、青海、宁夏和新疆 12 个省、自治区和直辖市。

## 附表 2-1　2008 年各省科普人员　　单位：人

| 地　区 | 科普专职人员 | 中级职称以上或大学本科以上学历人员 | 女性 | 农村科普人员 | 管理人员 | 科普创作人员 |
|---|---|---|---|---|---|---|
| 全　国 | 229684 | 112139 | 75356 | 81287 | 45040 | 8526 |
| 东　部 | 66765 | 35996 | 23811 | 18014 | 15613 | 4225 |
| 中　部 | 86877 | 42228 | 26598 | 34206 | 16094 | 2620 |
| 西　部 | 76042 | 33915 | 24947 | 29067 | 13333 | 1681 |
| 北　京 | 5814 | 3603 | 2858 | 841 | 1627 | 791 |
| 天　津 | 1992 | 1362 | 842 | 416 | 549 | 211 |
| 河　北 | 5351 | 3058 | 2402 | 1240 | 1402 | 272 |
| 山　西 | 8305 | 3826 | 3019 | 3097 | 1636 | 158 |
| 内蒙古 | 5105 | 2324 | 1701 | 1542 | 758 | 138 |
| 辽　宁 | 5309 | 2969 | 2060 | 1482 | 1280 | 343 |
| 吉　林 | 7426 | 3235 | 2648 | 3654 | 1011 | 166 |
| 黑龙江 | 1651 | 1093 | 799 | 400 | 540 | 102 |
| 上　海 | 4004 | 2430 | 1725 | 554 | 1159 | 707 |
| 江　苏 | 9639 | 5446 | 3177 | 2843 | 2103 | 510 |
| 浙　江 | 7040 | 4203 | 2010 | 2527 | 1156 | 245 |
| 安　徽 | 11943 | 5610 | 2819 | 5502 | 1668 | 284 |
| 福　建 | 6111 | 3138 | 1724 | 2002 | 1347 | 226 |
| 江　西 | 8555 | 3332 | 2563 | 3544 | 1668 | 248 |
| 山　东 | 7921 | 4622 | 2665 | 2141 | 2173 | 436 |
| 河　南 | 17091 | 8188 | 6022 | 5004 | 3477 | 644 |
| 湖　北 | 14627 | 9196 | 3659 | 6825 | 2656 | 445 |
| 湖　南 | 17279 | 7748 | 5069 | 6180 | 3438 | 573 |
| 广　东 | 11560 | 4437 | 3757 | 3349 | 2533 | 456 |
| 广　西 | 7540 | 3784 | 2336 | 3196 | 1291 | 168 |
| 海　南 | 2024 | 728 | 591 | 619 | 284 | 28 |
| 重　庆 | 6538 | 3205 | 2293 | 2691 | 1047 | 102 |
| 四　川 | 15157 | 6676 | 4980 | 5774 | 2731 | 370 |
| 贵　州 | 9371 | 3321 | 3185 | 4337 | 1565 | 151 |
| 云　南 | 13071 | 5715 | 4170 | 5669 | 2138 | 147 |
| 西　藏 | 22 | 12 | 7 | 6 | 9 | 0 |
| 陕　西 | 6790 | 3150 | 1963 | 2295 | 1534 | 233 |
| 甘　肃 | 6800 | 2997 | 1960 | 2045 | 1213 | 131 |
| 青　海 | 1449 | 682 | 653 | 178 | 180 | 68 |
| 宁　夏 | 1149 | 544 | 467 | 289 | 270 | 44 |
| 新　疆 | 3050 | 1505 | 1232 | 1045 | 597 | 129 |

附表 2-1　续表　　单位：人

| 地　区 | 科普兼职人员 | 中级职称以上或大学本科以上学历人员 | 女性 | 农村科普人员 | 注册科普志愿者 | 年度实际投入工作量（人月） |
|---|---|---|---|---|---|---|
| 全　国 | 1531365 | 631513 | 522799 | 488598 | 767806 | 2129874 |
| 东　部 | 616333 | 273833 | 212919 | 159503 | 388889 | 875820 |
| 中　部 | 449355 | 184268 | 145840 | 171841 | 225921 | 632557 |
| 西　部 | 465677 | 173412 | 164040 | 157254 | 152996 | 621497 |
| 北　京 | 37044 | 19791 | 19068 | 5609 | 3461 | 63925 |
| 天　津 | 35208 | 12046 | 10192 | 2425 | 8907 | 52572 |
| 河　北 | 30711 | 16578 | 12866 | 7509 | 12625 | 43009 |
| 山　西 | 40131 | 13124 | 15048 | 15588 | 18060 | 51742 |
| 内蒙古 | 26419 | 11871 | 9376 | 7131 | 3272 | 37575 |
| 辽　宁 | 62569 | 27528 | 26163 | 16603 | 30762 | 90922 |
| 吉　林 | 23279 | 7459 | 8170 | 13716 | 7237 | 20005 |
| 黑龙江 | 42225 | 21422 | 13832 | 16595 | 20295 | 57358 |
| 上　海 | 28227 | 12324 | 12515 | 4366 | 33622 | 51742 |
| 江　苏 | 84765 | 40304 | 27559 | 22134 | 163581 | 120651 |
| 浙　江 | 122208 | 45118 | 34268 | 35768 | 55093 | 169184 |
| 安　徽 | 55953 | 22373 | 18677 | 19523 | 20351 | 89157 |
| 福　建 | 66252 | 33001 | 20293 | 21186 | 25009 | 90286 |
| 江　西 | 43408 | 16310 | 12895 | 14856 | 6363 | 62996 |
| 山　东 | 52006 | 23657 | 16848 | 19394 | 19280 | 86212 |
| 河　南 | 92293 | 36935 | 30072 | 35797 | 25101 | 160755 |
| 湖　北 | 57795 | 28288 | 18924 | 22019 | 33063 | 65249 |
| 湖　南 | 94271 | 38357 | 28222 | 33747 | 95451 | 125295 |
| 广　东 | 86333 | 40581 | 30253 | 19731 | 30083 | 97631 |
| 广　西 | 51767 | 20851 | 20369 | 16583 | 12812 | 78706 |
| 海　南 | 11010 | 2905 | 2894 | 4778 | 6466 | 9686 |
| 重　庆 | 35565 | 13798 | 11222 | 14127 | 9350 | 32496 |
| 四　川 | 98570 | 37304 | 34029 | 34214 | 67609 | 120325 |
| 贵　州 | 49171 | 15520 | 17741 | 18584 | 13087 | 58666 |
| 云　南 | 76903 | 26635 | 26746 | 28085 | 26366 | 106965 |
| 西　藏 | 651 | 348 | 126 | 100 | 380 | 473 |
| 陕　西 | 61877 | 20433 | 19773 | 19759 | 8202 | 80461 |
| 甘　肃 | 27744 | 10567 | 8049 | 8293 | 3794 | 43425 |
| 青　海 | 7862 | 3969 | 2755 | 1592 | 1143 | 9066 |
| 宁　夏 | 5983 | 3169 | 2310 | 1473 | 4422 | 13238 |
| 新　疆 | 23165 | 8947 | 11544 | 7313 | 2559 | 40101 |

## 附表 2-2　2008 年各省科普场地*

| 地区 | 科技馆（个） | 建筑面积（米²） | 展厅面积（米²） | 当年参观人数（人次） | 科学技术博物馆（个） | 建筑面积（米²） | 展厅面积（米²） | 当年参观人数（人次） | 青少年科技馆（站）（个） |
|---|---|---|---|---|---|---|---|---|---|
| 全　国 | 285 | 1799175 | 832622 | 22821901 | 380 | 2281352 | 1186060 | 38752463 | 442 |
| 东　部 | 147 | 1110110 | 562144 | 15103722 | 256 | 1577420 | 800739 | 25501790 | 194 |
| 中　部 | 95 | 380712 | 156787 | 4635190 | 59 | 283960 | 141792 | 5333619 | 110 |
| 西　部 | 43 | 308353 | 113691 | 3082989 | 65 | 419972 | 243529 | 7917054 | 138 |
| 北　京 | 11 | 88335 | 50353 | 2175363 | 37 | 404230 | 213675 | 6361795 | 23 |
| 天　津 | 2 | 32604 | 23335 | 310549 | 10 | 72060 | 50341 | 993990 | 7 |
| 河　北 | 9 | 66030 | 33016 | 446860 | 7 | 19592 | 9765 | 693500 | 12 |
| 山　西 | 2 | 14290 | 3500 | 384000 | 2 | 8467 | 5860 | 40000 | 9 |
| 内蒙古 | 6 | 23315 | 5496 | 122400 | 3 | 5303 | 4350 | 47550 | 7 |
| 辽　宁 | 15 | 118339 | 52364 | 2186800 | 16 | 135380 | 70060 | 1987083 | 17 |
| 吉　林 | 10 | 30250 | 6585 | 69600 | 7 | 35980 | 21470 | 450000 | 9 |
| 黑龙江 | 10 | 53084 | 30371 | 769600 | 7 | 48947 | 30152 | 334400 | 8 |
| 上　海 | 12 | 137482 | 84705 | 4288599 | 100 | 457977 | 234705 | 5270248 | 21 |
| 江　苏 | 16 | 100914 | 52040 | 829229 | 25 | 210210 | 92342 | 4115627 | 31 |
| 浙　江 | 18 | 75452 | 31505 | 511300 | 17 | 54802 | 29833 | 2758989 | 12 |
| 安　徽 | 9 | 57837 | 31048 | 933689 | 5 | 6036 | 3071 | 75689 | 13 |
| 福　建 | 11 | 44714 | 20726 | 441727 | 8 | 13700 | 11141 | 188060 | 17 |
| 江　西 | 5 | 31946 | 14848 | 519000 | 10 | 31717 | 17593 | 320300 | 12 |
| 山　东 | 25 | 103852 | 58600 | 1721600 | 14 | 92044 | 52457 | 452496 | 10 |
| 河　南 | 6 | 40430 | 12299 | 415000 | 9 | 89560 | 29801 | 3398300 | 4 |
| 湖　北 | 49 | 140515 | 55436 | 1433301 | 16 | 59505 | 31365 | 689500 | 35 |
| 湖　南 | 4 | 12360 | 2700 | 111000 | 3 | 3748 | 2480 | 25430 | 20 |
| 广　东 | 28 | 342388 | 155500 | 2191695 | 19 | 101351 | 32320 | 1577002 | 40 |
| 广　西 | 2 | 45388 | 15400 | 67600 | 11 | 53326 | 48038 | 1282670 | 7 |
| 海　南 | 0 | 0 | 0 | 0 | 3 | 16074 | 4100 | 1103000 | 4 |
| 重　庆 | 3 | 36739 | 4850 | 80000 | 3 | 69110 | 35878 | 215700 | 10 |
| 四　川 | 7 | 52438 | 29178 | 1461200 | 11 | 62999 | 33499 | 1956650 | 19 |
| 贵　州 | 2 | 22805 | 12000 | 989000 | 3 | 13070 | 6500 | 101000 | 19 |
| 云　南 | 6 | 52730 | 12943 | 39889 | 12 | 60559 | 23978 | 1536983 | 22 |
| 西　藏 | 0 | 0 | 0 | 0 | 1 | 810 | 540 | 1100 | 1 |
| 陕　西 | 3 | 10820 | 2800 | 64000 | 10 | 108700 | 68044 | 2119100 | 18 |
| 甘　肃 | 7 | 12515 | 6179 | 29900 | 3 | 10857 | 4355 | 223000 | 13 |
| 青　海 | 2 | 10489 | 2261 | 50000 | 2 | 2960 | 1000 | 27000 | 3 |
| 宁　夏 | 3 | 30664 | 16360 | 113000 | 2 | 1850 | 1647 | 12000 | 3 |
| 新　疆 | 2 | 10450 | 6224 | 66000 | 4 | 30428 | 15700 | 394301 | 16 |

*非场馆类科普基地，因为理解差异，此次暂未列入。

**附表 2-2　续表**

| 地　区 | 城市社区科普（技）专用活动室（个） | 农村科普（技）活动场地（个） | 科普宣传专用车（辆） | 科普画廊（个） | 国家级科普（技）教育基地（个） | 享受过税收优惠的基地（个） | 省级科普（技）教育基地（个） | 享受过税收优惠的基地（个） |
|---|---|---|---|---|---|---|---|---|
| 全　国 | 55996 | 265029 | 1414 | 187009 | 387 | 46 | 1973 | 154 |
| 东　部 | 25137 | 102304 | 600 | 98679 | 193 | 32 | 1021 | 106 |
| 中　部 | 17847 | 84797 | 303 | 56679 | 79 | 5 | 540 | 20 |
| 西　部 | 13012 | 77928 | 511 | 31651 | 115 | 10 | 412 | 28 |
| 北　京 | 1271 | 2403 | 196 | 3412 | 44 | 1 | 112 | 9 |
| 天　津 | 1157 | 694 | 56 | 2604 | 16 | 1 | 93 | 2 |
| 河　北 | 2110 | 19440 | 36 | 7859 | 10 | 0 | 30 | 0 |
| 山　西 | 1212 | 9223 | 60 | 4353 | 8 | 0 | 42 | 1 |
| 内蒙古 | 1038 | 3480 | 27 | 1576 | 10 | 1 | 17 | 1 |
| 辽　宁 | 3468 | 11151 | 23 | 6183 | 16 | 1 | 50 | 2 |
| 吉　林 | 1207 | 5144 | 21 | 1642 | 8 | 0 | 74 | 0 |
| 黑龙江 | 1302 | 4926 | 23 | 2521 | 11 | 0 | 61 | 4 |
| 上　海 | 2116 | 1055 | 37 | 4837 | 24 | 14 | 192 | 35 |
| 江　苏 | 4321 | 10965 | 48 | 16009 | 17 | 0 | 146 | 5 |
| 浙　江 | 2645 | 16125 | 19 | 17328 | 12 | 4 | 66 | 10 |
| 安　徽 | 2223 | 7539 | 23 | 7153 | 7 | 3 | 28 | 1 |
| 福　建 | 1270 | 6778 | 21 | 7490 | 14 | 1 | 106 | 1 |
| 江　西 | 1219 | 6062 | 19 | 5744 | 11 | 0 | 30 | 1 |
| 山　东 | 3158 | 16789 | 45 | 9127 | 14 | 2 | 65 | 1 |
| 河　南 | 3263 | 21422 | 54 | 12459 | 9 | 0 | 45 | 2 |
| 湖　北 | 2258 | 14685 | 50 | 6612 | 12 | 1 | 96 | 6 |
| 湖　南 | 5163 | 15796 | 53 | 16195 | 13 | 0 | 164 | 5 |
| 广　东 | 3283 | 15726 | 107 | 23078 | 19 | 8 | 146 | 40 |
| 广　西 | 1239 | 9953 | 60 | 4753 | 10 | 0 | 48 | 9 |
| 海　南 | 338 | 1178 | 12 | 752 | 7 | 0 | 15 | 1 |
| 重　庆 | 1296 | 6085 | 117 | 2098 | 9 | 1 | 44 | 2 |
| 四　川 | 3648 | 20315 | 92 | 9391 | 11 | 1 | 51 | 4 |
| 贵　州 | 991 | 3156 | 19 | 3264 | 13 | 2 | 39 | 1 |
| 云　南 | 907 | 8963 | 43 | 3675 | 14 | 3 | 71 | 4 |
| 西　藏 | 10 | 36 | 15 | 35 | 4 | 0 | 7 | 0 |
| 陕　西 | 1594 | 10354 | 42 | 2583 | 10 | 1 | 26 | 2 |
| 甘　肃 | 588 | 6059 | 13 | 1106 | 9 | 0 | 26 | 1 |
| 青　海 | 83 | 1270 | 5 | 550 | 7 | 1 | 21 | 1 |
| 宁　夏 | 644 | 2361 | 21 | 1019 | 7 | 1 | 46 | 1 |
| 新　疆 | 974 | 5896 | 57 | 1601 | 11 | 0 | 16 | 2 |

## 附表 2-3　2008 年各省科普经费

单位：千元

| 地区 | 年度科普经费筹集额 | 政府拨款 | 科普专项经费 | 捐赠 | 自筹资金 | 其他收入 | 科技活动周经费筹集额 | 政府拨款 | 企业赞助 |
|---|---|---|---|---|---|---|---|---|---|
| 全国 | 6483741 | 4699625 | 2441911 | 82794 | 1229967 | 482363 | 272512 | 187752 | 16776 |
| 东部 | 4058785 | 2970219 | 1785249 | 39568 | 733063 | 315830 | 156625 | 108059 | 8501 |
| 中部 | 1114273 | 806320 | 332760 | 14585 | 244517 | 59964 | 60643 | 39946 | 5053 |
| 西部 | 1310683 | 923086 | 323902 | 28641 | 252387 | 106569 | 55244 | 39747 | 3222 |
| 北京 | 1348752 | 1103343 | 800245 | 15075 | 144197 | 86137 | 28646 | 10389 | 2523 |
| 天津 | 109117 | 54246 | 36004 | 1437 | 51623 | 1811 | 3727 | 2683 | 80 |
| 河北 | 68429 | 48432 | 27587 | 691 | 17515 | 1791 | 5256 | 3077 | 304 |
| 山西 | 101687 | 86157 | 47702 | 308 | 12949 | 2273 | 3721 | 3034 | 175 |
| 内蒙古 | 43617 | 29498 | 12019 | 1963 | 10467 | 1689 | 2253 | 1673 | 193 |
| 辽宁 | 148011 | 116804 | 72596 | 1298 | 21510 | 8190 | 9588 | 7993 | 642 |
| 吉林 | 49374 | 39634 | 14389 | 286 | 6188 | 3266 | 6234 | 749 | 117 |
| 黑龙江 | 47731 | 27978 | 9102 | 5747 | 11598 | 2408 | 1474 | 1083 | 161 |
| 上海 | 499498 | 309950 | 225117 | 1480 | 155009 | 33059 | 22129 | 18695 | 1219 |
| 江苏 | 457871 | 324579 | 120720 | 2933 | 106263 | 24096 | 23193 | 15792 | 1027 |
| 浙江 | 475222 | 357202 | 153214 | 3946 | 80331 | 33743 | 27011 | 22327 | 190 |
| 安徽 | 139106 | 103165 | 56260 | 1003 | 24534 | 10404 | 5089 | 3359 | 328 |
| 福建 | 272374 | 153452 | 63841 | 2275 | 27458 | 89293 | 8154 | 5607 | 318 |
| 江西 | 97498 | 56477 | 34679 | 2740 | 30306 | 7975 | 4689 | 3140 | 225 |
| 山东 | 144905 | 103089 | 58498 | 1708 | 30078 | 10030 | 6756 | 3950 | 1439 |
| 河南 | 162570 | 115347 | 53958 | 619 | 40268 | 6336 | 9109 | 5896 | 1809 |
| 湖北 | 317236 | 243577 | 43047 | 1394 | 66283 | 17095 | 10738 | 5865 | 737 |
| 湖南 | 199071 | 133985 | 73623 | 2488 | 52391 | 10207 | 19589 | 16820 | 1501 |
| 广东 | 496622 | 370911 | 220116 | 8612 | 94063 | 23036 | 19308 | 15078 | 540 |
| 广西 | 162480 | 99189 | 41680 | 4855 | 50624 | 7812 | 11702 | 9319 | 767 |
| 海南 | 37984 | 28211 | 7311 | 113 | 5016 | 4644 | 2857 | 2468 | 219 |
| 重庆 | 127829 | 63299 | 34125 | 2300 | 17209 | 45021 | 3509 | 1933 | 482 |
| 四川 | 202258 | 144154 | 53718 | 5211 | 42490 | 10403 | 8454 | 5446 | 386 |
| 贵州 | 127240 | 105267 | 34096 | 1209 | 14122 | 6642 | 9321 | 8590 | 179 |
| 云南 | 334651 | 266582 | 67288 | 4057 | 49342 | 14670 | 7058 | 5173 | 226 |
| 西藏 | 2335 | 1787 | 810 | 10 | 18 | 520 | 135 | 85 | 0 |
| 陕西 | 100708 | 56782 | 22894 | 5001 | 34467 | 4458 | 3535 | 2169 | 242 |
| 甘肃 | 39231 | 27246 | 14240 | 875 | 9747 | 1363 | 3781 | 1531 | 121 |
| 青海 | 18743 | 12929 | 3184 | 680 | 3414 | 1720 | 453 | 206 | 15 |
| 宁夏 | 36797 | 25181 | 12718 | 153 | 4667 | 6796 | 1061 | 665 | 80 |
| 新疆 | 114794 | 91172 | 27130 | 2327 | 15820 | 5475 | 3982 | 2957 | 531 |

附表 2-3　续表　　单位：千元

| 地　区 | 年度科普经费使用额 | 行政支出 | 科普活动支出 | 科普场馆基建支出 | 政府拨款支出 | 其他支出 |
|---|---|---|---|---|---|---|
| 全　国 | 6231198 | 886916 | 3602504 | 1190785 | 844766 | 557546 |
| 东　部 | 3925341 | 496705 | 2064534 | 994889 | 745374 | 369616 |
| 中　部 | 1100144 | 187531 | 756504 | 99415 | 57356 | 62909 |
| 西　部 | 1205713 | 202680 | 781466 | 96481 | 42036 | 125021 |
| 北　京 | 1330877 | 150857 | 509405 | 565097 | 529864 | 105518 |
| 天　津 | 107530 | 5901 | 73765 | 26557 | 298 | 1307 |
| 河　北 | 70392 | 8166 | 51811 | 6953 | 3264 | 3462 |
| 山　西 | 93551 | 33617 | 42677 | 5203 | 2565 | 12054 |
| 内蒙古 | 40726 | 6231 | 26661 | 4486 | 2662 | 3283 |
| 辽　宁 | 159558 | 19360 | 106813 | 23020 | 17669 | 10644 |
| 吉　林 | 45007 | 9711 | 28384 | 2524 | 636 | 4388 |
| 黑龙江 | 45712 | 13022 | 23078 | 8912 | 7351 | 700 |
| 上　海 | 412395 | 25649 | 288971 | 82546 | 37830 | 15229 |
| 江　苏 | 440771 | 64608 | 263123 | 82088 | 57906 | 30952 |
| 浙　江 | 496220 | 74904 | 265679 | 97225 | 39540 | 58412 |
| 安　徽 | 141309 | 19674 | 96426 | 14953 | 10918 | 10256 |
| 福　建 | 270218 | 38831 | 112607 | 21235 | 11130 | 97645 |
| 江　西 | 101872 | 13853 | 70483 | 7377 | 4867 | 10159 |
| 山　东 | 145065 | 32582 | 94977 | 9278 | 5392 | 8228 |
| 河　南 | 161423 | 17853 | 119458 | 17914 | 14833 | 6198 |
| 湖　北 | 314132 | 51344 | 235357 | 26171 | 7008 | 7475 |
| 湖　南 | 197138 | 28457 | 140641 | 16361 | 9178 | 11679 |
| 广　东 | 454287 | 71933 | 271420 | 76064 | 39150 | 34894 |
| 广　西 | 151773 | 16697 | 114554 | 12590 | 4485 | 7932 |
| 海　南 | 38028 | 3914 | 25963 | 4826 | 3331 | 3325 |
| 重　庆 | 121784 | 12567 | 55955 | 10374 | 6156 | 42888 |
| 四　川 | 214126 | 35155 | 138161 | 24351 | 9689 | 16459 |
| 贵　州 | 124692 | 36750 | 68116 | 8232 | 7007 | 11594 |
| 云　南 | 247004 | 52577 | 157561 | 16522 | 6786 | 20344 |
| 西　藏 | 2583 | 367 | 2186 | 0 | 0 | 30 |
| 陕　西 | 84912 | 10013 | 60466 | 9003 | 1803 | 5430 |
| 甘　肃 | 44737 | 4899 | 36271 | 1297 | 388 | 2270 |
| 青　海 | 20170 | 7965 | 10390 | 810 | 513 | 1005 |
| 宁　夏 | 42053 | 5981 | 26422 | 1777 | 643 | 7873 |
| 新　疆 | 111153 | 13478 | 84723 | 7039 | 1904 | 5913 |

## 附表 2-4　2008 年各省科普传媒

| 地区 | 科普图书 | | 科普期刊 | | 科普（技）音像制品 | | |
| --- | --- | --- | --- | --- | --- | --- | --- |
| | 出版种数（种） | 年出版总册数（册） | 出版种数（种） | 年出版总册数（册） | 出版种数（种） | 光盘发行总量（张） | 录音、录像带发行总量（盒） |
| 全　国 | 3888 | 45389228 | 561 | 143144712 | 8147 | 10528568 | 1205798 |
| 东　部 | 2762 | 28828842 | 334 | 102409508 | 2542 | 4628068 | 560740 |
| 中　部 | 526 | 5982145 | 107 | 14988568 | 3537 | 4440395 | 353868 |
| 西　部 | 600 | 10578241 | 120 | 25746636 | 2068 | 1460105 | 291190 |
| 北　京 | 1019 | 16113995 | 64 | 23993830 | 851 | 2828153 | 6200 |
| 天　津 | 143 | 765420 | 20 | 1492410 | 15 | 33505 | 524 |
| 河　北 | 64 | 739300 | 23 | 851000 | 174 | 68869 | 5810 |
| 山　西 | 44 | 277400 | 6 | 549000 | 55 | 74504 | 12648 |
| 内蒙古 | 52 | 290717 | 5 | 76200 | 209 | 60415 | 4005 |
| 辽　宁 | 120 | 599602 | 13 | 952200 | 254 | 172446 | 75183 |
| 吉　林 | 39 | 180600 | 11 | 116720 | 1222 | 141515 | 12829 |
| 黑龙江 | 38 | 84000 | 6 | 87400 | 53 | 38565 | 2251 |
| 上　海 | 604 | 4042917 | 61 | 23897528 | 35 | 114273 | 4500 |
| 江　苏 | 183 | 1555050 | 52 | 10886960 | 180 | 320577 | 99094 |
| 浙　江 | 244 | 1701870 | 29 | 1877220 | 195 | 68635 | 3997 |
| 安　徽 | 53 | 402500 | 6 | 144600 | 86 | 108086 | 4416 |
| 福　建 | 59 | 455100 | 14 | 1914000 | 98 | 182573 | 73049 |
| 江　西 | 69 | 1392695 | 24 | 5056448 | 168 | 562331 | 70607 |
| 山　东 | 108 | 819500 | 11 | 4603100 | 282 | 322340 | 40934 |
| 河　南 | 88 | 2319350 | 7 | 1170000 | 88 | 65505 | 17558 |
| 湖　北 | 96 | 725500 | 34 | 2153400 | 1397 | 172701 | 55694 |
| 湖　南 | 99 | 600100 | 13 | 5711000 | 468 | 3277188 | 177865 |
| 广　东 | 158 | 1834588 | 34 | 30042060 | 392 | 281676 | 230988 |
| 广　西 | 75 | 3397730 | 16 | 1552830 | 146 | 57350 | 12798 |
| 海　南 | 60 | 201500 | 13 | 1899200 | 66 | 235021 | 20461 |
| 重　庆 | 65 | 2398000 | 21 | 18104500 | 28 | 47812 | 4180 |
| 四　川 | 91 | 1089996 | 14 | 3350930 | 519 | 724081 | 233130 |
| 贵　州 | 34 | 391800 | 9 | 88000 | 590 | 158344 | 2082 |
| 云　南 | 54 | 535600 | 11 | 1502636 | 103 | 79109 | 8130 |
| 西　藏 | 5 | 40800 | 1 | 600 | 3 | 3700 | 0 |
| 陕　西 | 78 | 1085098 | 8 | 228400 | 227 | 125720 | 5307 |
| 甘　肃 | 38 | 253600 | 15 | 94800 | 77 | 27003 | 6625 |
| 青　海 | 25 | 241000 | 3 | 47800 | 10 | 22095 | 63 |
| 宁　夏 | 53 | 705000 | 6 | 470000 | 88 | 119664 | 10703 |
| 新　疆 | 30 | 148900 | 11 | 229940 | 68 | 34812 | 4167 |

**附表 2-4　续表**

| 地　区 | 科技类报纸年发行总份数（份） | 电视台播出科普（技）节目时间（小时） | 电台播出科普（技）节目时间（小时） | 科普网站个数（个） |
|---|---|---|---|---|
| 全　国 | 372081569 | 219168 | 182844 | 1899 |
| 东　部 | 217713911 | 78511 | 78405 | 859 |
| 中　部 | 72094488 | 62074 | 56859 | 495 |
| 西　部 | 82273170 | 78583 | 47580 | 545 |
| 北　京 | 67691010 | 12445 | 9009 | 186 |
| 天　津 | 1830500 | 4145 | 1773 | 37 |
| 河　北 | 3231433 | 14316 | 9712 | 51 |
| 山　西 | 6615245 | 4827 | 4526 | 67 |
| 内蒙古 | 148220 | 3026 | 1237 | 35 |
| 辽　宁 | 2264629 | 6310 | 11072 | 43 |
| 吉　林 | 358357 | 2442 | 1760 | 22 |
| 黑龙江 | 30955 | 8558 | 4737 | 21 |
| 上　海 | 11736262 | 3656 | 543 | 33 |
| 江　苏 | 5372747 | 10143 | 12784 | 121 |
| 浙　江 | 102840140 | 4678 | 7878 | 104 |
| 安　徽 | 3397238 | 7517 | 8292 | 80 |
| 福　建 | 4813132 | 5109 | 8686 | 29 |
| 江　西 | 2541284 | 4357 | 3741 | 25 |
| 山　东 | 5914831 | 10730 | 9998 | 78 |
| 河　南 | 25768201 | 20028 | 21414 | 70 |
| 湖　北 | 10904699 | 6528 | 7072 | 110 |
| 湖　南 | 22478509 | 7817 | 5317 | 100 |
| 广　东 | 11999225 | 6732 | 6360 | 167 |
| 广　西 | 47126439 | 11926 | 7122 | 60 |
| 海　南 | 20002 | 247 | 590 | 10 |
| 重　庆 | 25990134 | 255 | 177 | 94 |
| 四　川 | 2709400 | 9119 | 5583 | 115 |
| 贵　州 | 461880 | 12038 | 3929 | 27 |
| 云　南 | 2160412 | 17466 | 8978 | 45 |
| 西　藏 | 41955 | 0 | 548 | 1 |
| 陕　西 | 2099772 | 9463 | 7133 | 50 |
| 甘　肃 | 469555 | 6977 | 4981 | 31 |
| 青　海 | 548463 | 1038 | 968 | 12 |
| 宁　夏 | 218955 | 1717 | 899 | 23 |
| 新　疆 | 297985 | 5558 | 6025 | 52 |

## 附表 2-5　2008 年各省科普活动

| 地区 | 科普（技）讲座 | | 科普（技）展览 | | 科普（技）竞赛 | | 科普国际交流 | |
|---|---|---|---|---|---|---|---|---|
| | 举办次数（次） | 参加人数（人次） | 专题展览次数（次） | 参观人数（人次） | 举办次数（次） | 参加人数（人次） | 举办次数（次） | 参加人数（人次） |
| 全　国 | 955142 | 159721490 | 115339 | 197195420 | 46933 | 48488409 | 2365 | 474495 |
| 东　部 | 389392 | 68270108 | 49927 | 103145871 | 23613 | 25279232 | 1447 | 374734 |
| 中　部 | 224971 | 39972940 | 29365 | 43070348 | 9782 | 9471229 | 363 | 36128 |
| 西　部 | 340779 | 51478442 | 36047 | 50979201 | 13538 | 13737948 | 555 | 63633 |
| 北　京 | 43518 | 7772966 | 4143 | 29243989 | 3203 | 3330974 | 418 | 120714 |
| 天　津 | 10023 | 1445193 | 2973 | 1740781 | 586 | 353784 | 21 | 1908 |
| 河　北 | 41812 | 7242728 | 4297 | 6039121 | 1109 | 1563290 | 22 | 1523 |
| 山　西 | 11004 | 2709023 | 1689 | 3192516 | 644 | 771703 | 16 | 984 |
| 内蒙古 | 15191 | 2012268 | 1461 | 1685223 | 612 | 178446 | 10 | 1450 |
| 辽　宁 | 41243 | 7028129 | 3842 | 6078019 | 1874 | 2483641 | 110 | 16878 |
| 吉　林 | 11710 | 1839784 | 838 | 1582776 | 442 | 158284 | 78 | 2900 |
| 黑龙江 | 26405 | 4337552 | 2593 | 3143999 | 1060 | 606228 | 30 | 3039 |
| 上　海 | 37703 | 5813221 | 2213 | 8871301 | 3171 | 3432713 | 258 | 12869 |
| 江　苏 | 62301 | 9883339 | 7503 | 10713099 | 3976 | 4108130 | 189 | 10691 |
| 浙　江 | 49114 | 7761112 | 6801 | 10254285 | 3650 | 2462701 | 165 | 121611 |
| 安　徽 | 35167 | 4384213 | 4528 | 4735843 | 1251 | 931275 | 17 | 1699 |
| 福　建 | 25532 | 3537071 | 5422 | 4995554 | 1791 | 1258150 | 55 | 2281 |
| 江　西 | 29611 | 3290612 | 4335 | 4545462 | 1156 | 743278 | 18 | 2164 |
| 山　东 | 26084 | 7473032 | 3759 | 7576788 | 1543 | 2064478 | 59 | 7605 |
| 河　南 | 46132 | 10389754 | 7076 | 11475879 | 1876 | 2442145 | 48 | 11507 |
| 湖　北 | 31293 | 6488754 | 4515 | 6631142 | 1638 | 1755312 | 65 | 4444 |
| 湖　南 | 33649 | 6533248 | 3791 | 7762731 | 1715 | 2063004 | 91 | 9391 |
| 广　东 | 47686 | 9549146 | 8367 | 16887678 | 2494 | 3906231 | 106 | 77092 |
| 广　西 | 59523 | 7314639 | 3971 | 5182106 | 1472 | 2502615 | 150 | 11881 |
| 海　南 | 4376 | 764171 | 607 | 745256 | 216 | 315140 | 44 | 1562 |
| 重　庆 | 10963 | 1942430 | 1689 | 3797448 | 746 | 1503515 | 29 | 23322 |
| 四　川 | 44901 | 9214066 | 6289 | 10537564 | 2781 | 3644651 | 77 | 7190 |
| 贵　州 | 16584 | 2618324 | 2544 | 2437575 | 1029 | 1365391 | 64 | 2679 |
| 云　南 | 80141 | 8535983 | 6737 | 8527838 | 1118 | 1530218 | 42 | 3134 |
| 西　藏 | 106 | 52450 | 33 | 31760 | 0 | 0 | 0 | 0 |
| 陕　西 | 35492 | 7420166 | 4459 | 8546990 | 2647 | 1413280 | 112 | 8249 |
| 甘　肃 | 33165 | 5066366 | 3477 | 4209147 | 1222 | 649733 | 33 | 3414 |
| 青　海 | 6408 | 993244 | 1281 | 1471196 | 155 | 127781 | 11 | 305 |
| 宁　夏 | 5764 | 1175732 | 867 | 1285231 | 230 | 209483 | 2 | 350 |
| 新　疆 | 32541 | 5132774 | 3239 | 3267123 | 1526 | 612835 | 25 | 1659 |

**附表 2-5　续表**

| 地区 | 成立青少年科技兴趣小组 | | 科技夏（冬）令营 | | 科技活动周 | | 大学、科研机构向社会开放 | | 重大科普活动次数（次） |
|---|---|---|---|---|---|---|---|---|---|
| | 个数（个） | 参加人数（人次） | 举办次数（次） | 参加人数（人次） | 科普专题活动次数（次） | 参加人数（人次） | 开放单位个数（个） | 参加人数（人次） | |
| 全　国 | 318230 | 21541347 | 14386 | 3531511 | 96335 | 89868572 | 3422 | 5377162 | 26152 |
| 东　部 | 135849 | 8856853 | 7739 | 2066262 | 42940 | 40109259 | 1687 | 1886059 | 10292 |
| 中　部 | 92282 | 5648524 | 3046 | 934822 | 23057 | 20455867 | 898 | 1966219 | 6635 |
| 西　部 | 90099 | 7035970 | 3601 | 530427 | 30338 | 29303446 | 837 | 1524884 | 9225 |
| 北　京 | 3612 | 253181 | 481 | 199054 | 1774 | 5766581 | 202 | 138723 | 789 |
| 天　津 | 3220 | 184064 | 216 | 53244 | 3514 | 1947195 | 273 | 93650 | 344 |
| 河　北 | 16409 | 1299970 | 248 | 64849 | 4717 | 3404336 | 191 | 58408 | 1175 |
| 山　西 | 6415 | 271800 | 130 | 13944 | 1574 | 1519945 | 142 | 41660 | 380 |
| 内蒙古 | 2861 | 140479 | 214 | 41307 | 1461 | 942579 | 50 | 6964 | 509 |
| 辽　宁 | 15511 | 710341 | 409 | 213449 | 3430 | 3788767 | 181 | 166064 | 1300 |
| 吉　林 | 5424 | 224440 | 286 | 198144 | 4236 | 1305445 | 39 | 19128 | 317 |
| 黑龙江 | 7306 | 268154 | 207 | 50441 | 1943 | 1645831 | 63 | 42665 | 655 |
| 上　海 | 5970 | 251540 | 1179 | 205056 | 3319 | 3569928 | 41 | 45048 | 540 |
| 江　苏 | 20149 | 1749367 | 1745 | 378559 | 7158 | 6394087 | 319 | 265896 | 1732 |
| 浙　江 | 10637 | 748806 | 926 | 268736 | 7284 | 4018454 | 76 | 92338 | 1076 |
| 安　徽 | 6835 | 501125 | 587 | 61860 | 2631 | 1554742 | 58 | 97658 | 874 |
| 福　建 | 6959 | 427660 | 900 | 134046 | 3173 | 2465216 | 97 | 111605 | 845 |
| 江　西 | 8988 | 553829 | 165 | 21124 | 2583 | 1688281 | 88 | 40301 | 627 |
| 山　东 | 21870 | 1943755 | 421 | 79594 | 2289 | 2662938 | 119 | 247878 | 1003 |
| 河　南 | 32317 | 1519906 | 762 | 277011 | 5070 | 5225892 | 145 | 962925 | 1770 |
| 湖　北 | 12745 | 1120825 | 455 | 119825 | 2621 | 4029599 | 176 | 613060 | 1052 |
| 湖　南 | 12252 | 1188445 | 454 | 192473 | 2399 | 3486132 | 187 | 148822 | 960 |
| 广　东 | 30541 | 1213338 | 1102 | 464557 | 5440 | 5518165 | 185 | 664945 | 1287 |
| 广　西 | 15694 | 1307786 | 210 | 76619 | 4162 | 10306532 | 153 | 65733 | 1317 |
| 海　南 | 971 | 74831 | 112 | 5118 | 842 | 573592 | 3 | 1504 | 201 |
| 重　庆 | 9086 | 593786 | 49 | 4375 | 1625 | 1461796 | 30 | 30298 | 276 |
| 四　川 | 21764 | 2203062 | 1261 | 67883 | 6081 | 4582581 | 171 | 484980 | 1701 |
| 贵　州 | 7839 | 515856 | 132 | 35434 | 2697 | 1408618 | 103 | 89936 | 643 |
| 云　南 | 8727 | 661662 | 473 | 134287 | 4623 | 3376529 | 53 | 570185 | 1180 |
| 西　藏 | 1 | 600 | 3 | 1720 | 24 | 32357 | 8 | 2400 | 33 |
| 陕　西 | 8994 | 659965 | 284 | 52135 | 3920 | 2300086 | 74 | 110891 | 1257 |
| 甘　肃 | 7624 | 353704 | 373 | 28510 | 1978 | 1814581 | 49 | 23113 | 800 |
| 青　海 | 2276 | 288046 | 69 | 7697 | 692 | 499922 | 16 | 25930 | 512 |
| 宁　夏 | 947 | 68828 | 30 | 2945 | 531 | 573589 | 38 | 74929 | 287 |
| 新　疆 | 4286 | 242196 | 503 | 77515 | 2544 | 2004276 | 92 | 39525 | 710 |

# 附录 3　2006 年全国科普统计分类数据统计表

各项统计数据均未包括香港特别行政区、澳门特别行政区和台湾省的数据。

科普创作人员、科普场馆、科普宣传专用车、科普图书、科普期刊与科普国际交流情况均由市级以上（含市级）填报单位的数据统计得出。

非场馆类科普基地，因为理解差异，此次暂未列入。

东、中、西部地区的划分：东部地区包括北京、天津、河北、辽宁、上海、江苏、浙江、福建、山东、广东和海南 11 个省和直辖市；中部地区包括山西、吉林、黑龙江、安徽、江西、河南、湖北和湖南 8 个省；西部地区包括内蒙古、广西、重庆、四川、贵州、云南、西藏、陕西、甘肃、青海、宁夏和新疆 12 个省、自治区和直辖市。

## 附表 3-1 2006 年各省科普人员

单位：人

| 地区 | 科普专职人员 | 中级职称以上或大学本科以上学历人员 | 女性 | 农村科普人员 | 管理人员 | 科普创作人员 |
|---|---|---|---|---|---|---|
| 全国 | 199913 | 90749 | 61402 | 81938 | 43509 | 8665 |
| 东部 | 61482 | 31082 | 20011 | 20227 | 15365 | 3928 |
| 中部 | 73993 | 32943 | 21489 | 31973 | 15694 | 3075 |
| 西部 | 64438 | 26724 | 19902 | 29738 | 12450 | 1662 |
| 北京 | 5137 | 3085 | 2280 | 1290 | 1482 | 753 |
| 天津 | 1653 | 1023 | 709 | 562 | 274 | 118 |
| 河北 | 5067 | 2728 | 2017 | 1354 | 1704 | 394 |
| 山西 | 8582 | 3340 | 2692 | 3501 | 1770 | 407 |
| 内蒙古 | 4043 | 2234 | 1413 | 1382 | 750 | 130 |
| 辽宁 | 3231 | 1862 | 1189 | 959 | 1039 | 316 |
| 吉林 | 5358 | 2886 | 1516 | 2130 | 1382 | 134 |
| 黑龙江 | 2884 | 1701 | 1149 | 851 | 861 | 238 |
| 上海 | 3497 | 1859 | 1320 | 490 | 1084 | 500 |
| 江苏 | 7877 | 4300 | 2632 | 2864 | 1839 | 453 |
| 浙江 | 6482 | 3479 | 1729 | 2689 | 1513 | 309 |
| 安徽 | 13951 | 5520 | 2703 | 8176 | 2080 | 394 |
| 福建 | 4175 | 2281 | 1222 | 1667 | 1090 | 182 |
| 江西 | 5262 | 2548 | 1339 | 1970 | 1353 | 261 |
| 山东 | 6025 | 3216 | 2126 | 2819 | 1180 | 289 |
| 河南 | 14453 | 6203 | 4910 | 6708 | 3310 | 614 |
| 湖北 | 7073 | 4029 | 2006 | 2433 | 1875 | 382 |
| 湖南 | 16430 | 6716 | 5174 | 6204 | 3063 | 645 |
| 广东 | 17322 | 6754 | 4465 | 5490 | 3831 | 605 |
| 广西 | 7202 | 3305 | 2175 | 3794 | 1718 | 199 |
| 海南 | 1016 | 495 | 322 | 43 | 329 | 9 |
| 重庆 | 7646 | 3505 | 2162 | 3810 | 1069 | 146 |
| 四川 | 8250 | 3592 | 2666 | 5024 | 1299 | 203 |
| 贵州 | 8681 | 2970 | 2445 | 3761 | 1929 | 162 |
| 云南 | 8715 | 3329 | 2543 | 3733 | 1635 | 174 |
| 西藏 | 171 | 94 | 32 | 14 | 48 | 15 |
| 陕西 | 2628 | 1102 | 807 | 772 | 666 | 134 |
| 甘肃 | 9714 | 3566 | 2806 | 4275 | 1853 | 273 |
| 青海 | 1372 | 553 | 444 | 434 | 313 | 56 |
| 宁夏 | 611 | 297 | 205 | 240 | 146 | 22 |
| 新疆 | 5405 | 2177 | 2204 | 2499 | 1024 | 148 |

附表 3-1　续表　　　单位：人

| 地　区 | 科普兼职人员 | 中级职称以上或大学本科以上学历人员 | 女性 | 农村科普人员 | 注册科普志愿者 | 年度实际投入工作量（人月） |
|---|---|---|---|---|---|---|
| 全　国 | 1423587 | 577657 | 442382 | 437780 | 357440 | 2186075 |
| 东　部 | 573858 | 256139 | 190313 | 144420 | 156608 | 865372 |
| 中　部 | 380034 | 150532 | 119423 | 148684 | 75982 | 671493 |
| 西　部 | 469695 | 170986 | 132646 | 144676 | 124850 | 649210 |
| 北　京 | 38537 | 24096 | 19321 | 5926 | 4727 | 57704 |
| 天　津 | 26976 | 10680 | 6191 | 2664 | 3540 | 22559 |
| 河　北 | 35125 | 18143 | 15458 | 9567 | 2785 | 61205 |
| 山　西 | 35800 | 11513 | 10059 | 14349 | 11503 | 51973 |
| 内蒙古 | 11355 | 5007 | 4490 | 4416 | 588 | 13622 |
| 辽　宁 | 42093 | 17409 | 16492 | 10416 | 15290 | 54786 |
| 吉　林 | 18679 | 7763 | 5815 | 9912 | 5800 | 83735 |
| 黑龙江 | 26222 | 11092 | 9710 | 9211 | 3925 | 45318 |
| 上　海 | 25274 | 8662 | 9669 | 2799 | 4288 | 53577 |
| 江　苏 | 83764 | 39123 | 26211 | 26551 | 29669 | 153823 |
| 浙　江 | 109187 | 45740 | 30908 | 23401 | 49972 | 122611 |
| 安　徽 | 60558 | 23458 | 19061 | 19945 | 12313 | 104435 |
| 福　建 | 37873 | 16399 | 11101 | 13498 | 8561 | 48359 |
| 江　西 | 40012 | 16161 | 11838 | 17869 | 1857 | 70324 |
| 山　东 | 40852 | 19368 | 13258 | 19379 | 3279 | 83485 |
| 河　南 | 70433 | 27741 | 23449 | 26396 | 12289 | 91912 |
| 湖　北 | 52312 | 25009 | 15774 | 20603 | 9889 | 74130 |
| 湖　南 | 76018 | 27795 | 23717 | 30399 | 18406 | 149666 |
| 广　东 | 130611 | 54487 | 40740 | 29332 | 34497 | 204690 |
| 广　西 | 42367 | 15802 | 13828 | 16701 | 6739 | 73138 |
| 海　南 | 3566 | 2032 | 964 | 887 | 0 | 2573 |
| 重　庆 | 44391 | 15234 | 11608 | 7676 | 9394 | 80685 |
| 四　川 | 131943 | 61314 | 32083 | 28050 | 61732 | 124261 |
| 贵　州 | 34649 | 9716 | 11152 | 12685 | 6433 | 48377 |
| 云　南 | 69697 | 19099 | 19302 | 21932 | 24160 | 95833 |
| 西　藏 | 436 | 118 | 92 | 169 | 105 | 433 |
| 陕　西 | 41543 | 13033 | 12386 | 16934 | 4036 | 69312 |
| 甘　肃 | 48450 | 13336 | 9790 | 21977 | 6712 | 72359 |
| 青　海 | 6981 | 2858 | 2454 | 1972 | 983 | 9519 |
| 宁　夏 | 6459 | 3301 | 2038 | 1394 | 738 | 11846 |
| 新　疆 | 31424 | 12168 | 13423 | 10770 | 3230 | 49825 |

## 附表 3-2 2006 年各省科普场地*

| 地区 | 科技馆（个） | 建筑面积（米²） | 展厅面积（米²） | 当年参观人数（人次） | 科学技术博物馆（个） | 建筑面积（米²） | 展厅面积（米²） | 当年参观人数（人次） | 青少年科技馆（站）（个） |
|---|---|---|---|---|---|---|---|---|---|
| 全　国 | 280 | 1606008 | 602160 | 16618717 | 239 | 1948277 | 676006 | 16451520 | 340 |
| 东　部 | 161 | 923554 | 392402 | 11176075 | 164 | 1459904 | 497544 | 13382872 | 177 |
| 中　部 | 68 | 418153 | 129635 | 4223478 | 42 | 219357 | 82757 | 1535365 | 92 |
| 西　部 | 51 | 264301 | 80123 | 1219164 | 33 | 269016 | 95705 | 1533283 | 71 |
| 北　京 | 23 | 120980 | 66767 | 2411761 | 13 | 563115 | 50164 | 724314 | 46 |
| 天　津 | 2 | 23564 | 11290 | 265313 | 4 | 105000 | 44000 | 786861 | 7 |
| 河　北 | 10 | 51239 | 19250 | 504400 | 7 | 18134 | 10176 | 444397 | 8 |
| 山　西 | 2 | 12500 | 4600 | 232000 | 1 | 7360 | 1400 | 16000 | 7 |
| 内蒙古 | 4 | 15926 | 3350 | 65500 | 4 | 24760 | 14249 | 170000 | 9 |
| 辽　宁 | 15 | 93677 | 22688 | 524380 | 8 | 91107 | 50614 | 401383 | 2 |
| 吉　林 | 8 | 20951 | 6086 | 739836 | 2 | 17900 | 6700 | 223524 | 8 |
| 黑龙江 | 17 | 168015 | 44886 | 1097000 | 2 | 21211 | 7211 | 211000 | 11 |
| 上　海 | 4 | 108500 | 67650 | 3084805 | 67 | 287201 | 173179 | 5330730 | 37 |
| 江　苏 | 24 | 94599 | 60368 | 752692 | 21 | 132614 | 36086 | 1189511 | 20 |
| 浙　江 | 26 | 151787 | 36113 | 986076 | 13 | 83740 | 25744 | 2188815 | 7 |
| 安　徽 | 8 | 45265 | 21566 | 791865 | 3 | 5020 | 2960 | 6123 | 18 |
| 福　建 | 12 | 56331 | 27562 | 340906 | 7 | 40023 | 31830 | 266413 | 9 |
| 江　西 | 5 | 33123 | 15335 | 209000 | 9 | 21771 | 10481 | 164100 | 8 |
| 山　东 | 11 | 27801 | 16674 | 477000 | 5 | 19800 | 12900 | 106500 | 21 |
| 河　南 | 6 | 46942 | 12000 | 486000 | 8 | 60943 | 21248 | 553418 | 10 |
| 湖　北 | 15 | 68822 | 19294 | 577177 | 10 | 37542 | 18327 | 167200 | 15 |
| 湖　南 | 7 | 22535 | 5868 | 90600 | 7 | 47610 | 14430 | 194000 | 15 |
| 广　东 | 34 | 195076 | 64040 | 1828742 | 17 | 91150 | 60151 | 1791948 | 19 |
| 广　西 | 8 | 65160 | 7620 | 339880 | 2 | 2550 | 1700 | 70000 | 9 |
| 海　南 | 0 | 0 | 0 | 0 | 2 | 28020 | 2700 | 152000 | 1 |
| 重　庆 | 4 | 17300 | 3780 | 17700 | 4 | 42600 | 21500 | 157000 | 9 |
| 四　川 | 9 | 29775 | 6800 | 115960 | 2 | 24975 | 12550 | 150000 | 15 |
| 贵　州 | 3 | 23600 | 13600 | 154000 | 2 | 11670 | 6100 | 8900 | 2 |
| 云　南 | 3 | 32077 | 10500 | 176000 | 8 | 58367 | 23715 | 217083 | 13 |
| 西　藏 | 0 | 0 | 0 | 0 | 0 | 0 | 0 | 0 | 0 |
| 陕　西 | 3 | 17417 | 14000 | 76064 | 2 | 18960 | 800 | 530100 | 2 |
| 甘　肃 | 8 | 14075 | 4798 | 86160 | 4 | 7174 | 6074 | 48000 | 6 |
| 青　海 | 2 | 9442 | 2590 | 3100 | 1 | 6590 | 3459 | 38300 | 0 |
| 宁　夏 | 5 | 21105 | 6085 | 181800 | 1 | 65300 | 1088 | 120000 | 3 |
| 新　疆 | 2 | 18424 | 7000 | 3000 | 3 | 6070 | 4470 | 23900 | 3 |

*非场馆类科普基地，因为理解差异，此次暂未列入。

附表 3-2 续表

| 地 区 | 城市社区科普（技）专用活动室（个） | 农村科普（技）活动场地（个） | 科普宣传专用车（辆） | 科普画廊（个） | 国家级科普（技）教育基地（个） | 享受过税收优惠的基地（个） | 省级科普（技）教育基地（个） | 享受过税收优惠的基地（个） |
|---|---|---|---|---|---|---|---|---|
| 全 国 | 47071 | 234953 | 1632 | 134525 | 387 | 78 | 1629 | 176 |
| 东 部 | 25373 | 104766 | 707 | 82623 | 193 | 40 | 961 | 110 |
| 中 部 | 13372 | 82973 | 361 | 37444 | 79 | 21 | 370 | 55 |
| 西 部 | 8326 | 47214 | 564 | 14458 | 115 | 17 | 298 | 11 |
| 北 京 | 1518 | 2582 | 327 | 2588 | 44 | 10 | 124 | 10 |
| 天 津 | 828 | 291 | 55 | 624 | 16 | 1 | 85 | 2 |
| 河 北 | 2576 | 17113 | 38 | 7255 | 10 | 2 | 56 | 26 |
| 山 西 | 1224 | 8329 | 70 | 4689 | 8 | 2 | 42 | 0 |
| 内蒙古 | 742 | 2532 | 38 | 653 | 10 | 2 | 14 | 0 |
| 辽 宁 | 3428 | 8711 | 17 | 4305 | 16 | 3 | 86 | 9 |
| 吉 林 | 1470 | 9254 | 90 | 1444 | 8 | 1 | 13 | 0 |
| 黑龙江 | 561 | 1735 | 13 | 1015 | 11 | 3 | 61 | 23 |
| 上 海 | 2214 | 1643 | 31 | 6040 | 24 | 7 | 134 | 26 |
| 江 苏 | 4208 | 10918 | 61 | 14796 | 17 | 2 | 137 | 13 |
| 浙 江 | 2857 | 13187 | 31 | 8320 | 12 | 1 | 66 | 10 |
| 安 徽 | 1937 | 10178 | 29 | 4642 | 7 | 3 | 28 | 4 |
| 福 建 | 1818 | 5390 | 22 | 4374 | 14 | 4 | 91 | 1 |
| 江 西 | 1014 | 8280 | 7 | 4485 | 11 | 2 | 22 | 0 |
| 山 东 | 2520 | 29598 | 41 | 12123 | 14 | 9 | 54 | 13 |
| 河 南 | 1743 | 18788 | 51 | 7826 | 9 | 1 | 5 | 0 |
| 湖 北 | 1985 | 11540 | 31 | 6142 | 12 | 4 | 96 | 10 |
| 湖 南 | 3438 | 14869 | 70 | 7201 | 13 | 5 | 103 | 18 |
| 广 东 | 3159 | 14389 | 62 | 21334 | 19 | 1 | 116 | 0 |
| 广 西 | 1786 | 8295 | 80 | 2521 | 10 | 2 | 47 | 2 |
| 海 南 | 247 | 944 | 22 | 864 | 7 | 0 | 12 | 0 |
| 重 庆 | 511 | 2621 | 77 | 514 | 9 | 1 | 18 | 1 |
| 四 川 | 910 | 6016 | 117 | 2009 | 11 | 2 | 25 | 1 |
| 贵 州 | 567 | 4219 | 13 | 1792 | 13 | 3 | 36 | 3 |
| 云 南 | 616 | 6090 | 41 | 3058 | 14 | 3 | 65 | 0 |
| 西 藏 | 10 | 55 | 80 | 6 | 4 | 0 | 7 | 0 |
| 陕 西 | 784 | 3366 | 24 | 885 | 10 | 0 | 18 | 0 |
| 甘 肃 | 844 | 5878 | 23 | 1403 | 9 | 0 | 14 | 2 |
| 青 海 | 24 | 878 | 12 | 158 | 7 | 1 | 12 | 0 |
| 宁 夏 | 380 | 3206 | 30 | 707 | 7 | 2 | 28 | 2 |
| 新 疆 | 1152 | 4058 | 29 | 752 | 11 | 1 | 14 | 0 |

## 附表 3-3　2006 年各省科普经费

单位：千元

| 地区 | 年度科普经费筹集额 | 政府拨款 | 科普专项经费 | 捐赠 | 自筹资金 | 其他收入 | 科技活动周经费筹集额 | 政府拨款 | 企业赞助 |
|---|---|---|---|---|---|---|---|---|---|
| 全　国 | 4682521 | 3250192 | 1558309 | 77785 | 1061948 | 292338 | 221283 | 125071 | 30917 |
| 东　部 | 3205603 | 2250365 | 1052097 | 46742 | 681856 | 226340 | 135353 | 72737 | 23345 |
| 中　部 | 800807 | 509106 | 280638 | 15865 | 242081 | 33797 | 51530 | 29631 | 5521 |
| 西　部 | 676111 | 490721 | 225574 | 15178 | 138011 | 32201 | 34400 | 22703 | 2051 |
| 北　京 | 1049076 | 811883 | 413708 | 19215 | 170256 | 47722 | 23212 | 5774 | 1422 |
| 天　津 | 35116 | 26364 | 11949 | 4 | 7470 | 1278 | 1510 | 1307 | 161 |
| 河　北 | 106708 | 72007 | 26061 | 475 | 30104 | 4122 | 5755 | 3455 | 440 |
| 山　西 | 36253 | 29139 | 23715 | 442 | 5265 | 1407 | 1975 | 1438 | 154 |
| 内蒙古 | 26169 | 19085 | 10819 | 845 | 5992 | 247 | 2425 | 1568 | 91 |
| 辽　宁 | 111958 | 92120 | 48421 | 1470 | 12972 | 5396 | 11816 | 5760 | 189 |
| 吉　林 | 49305 | 23498 | 14165 | 112 | 24543 | 1152 | 3800 | 2800 | 100 |
| 黑龙江 | 36082 | 18383 | 8185 | 501 | 16429 | 769 | 2182 | 998 | 684 |
| 上　海 | 395053 | 225937 | 82529 | 1975 | 80998 | 86143 | 13058 | 11531 | 526 |
| 江　苏 | 398886 | 246540 | 87447 | 5635 | 122257 | 24454 | 21141 | 10580 | 5050 |
| 浙　江 | 480738 | 344762 | 132961 | 5057 | 99931 | 30988 | 18636 | 13160 | 2726 |
| 安　徽 | 142241 | 87664 | 33514 | 4452 | 43852 | 6314 | 7866 | 5020 | 1355 |
| 福　建 | 120121 | 89185 | 43900 | 993 | 20587 | 9356 | 7483 | 3360 | 2676 |
| 江　西 | 102140 | 61272 | 29527 | 2777 | 34727 | 3365 | 7764 | 3120 | 459 |
| 山　东 | 95146 | 64770 | 49975 | 1669 | 24035 | 4672 | 6001 | 4295 | 1259 |
| 河　南 | 96666 | 60621 | 33246 | 3069 | 27663 | 5313 | 4761 | 3663 | 378 |
| 湖　北 | 205949 | 141620 | 86445 | 2857 | 50892 | 10580 | 11897 | 6231 | 1424 |
| 湖　南 | 132171 | 86909 | 51841 | 1655 | 38710 | 4897 | 11285 | 6361 | 967 |
| 广　东 | 395421 | 264476 | 148257 | 9974 | 108789 | 11882 | 26587 | 13365 | 8892 |
| 广　西 | 123210 | 81053 | 35531 | 1412 | 31443 | 9302 | 7426 | 6092 | 487 |
| 海　南 | 17380 | 12321 | 6889 | 275 | 4457 | 327 | 154 | 150 | 4 |
| 重　庆 | 35966 | 26093 | 13064 | 32 | 8237 | 1604 | 1951 | 1002 | 585 |
| 四　川 | 71240 | 54540 | 23551 | 1397 | 12589 | 2714 | 4878 | 1499 | 142 |
| 贵　州 | 67045 | 51121 | 19803 | 1742 | 11722 | 2460 | 2626 | 1971 | 87 |
| 云　南 | 147743 | 104329 | 63947 | 3153 | 33490 | 6771 | 4804 | 3633 | 109 |
| 西　藏 | 713 | 711 | 624 | 2 | 0 | 0 | 78 | 70 | 0 |
| 陕　西 | 34488 | 22718 | 13307 | 294 | 7492 | 3984 | 2517 | 1864 | 309 |
| 甘　肃 | 34624 | 21066 | 12232 | 428 | 11318 | 1812 | 3565 | 1602 | 84 |
| 青　海 | 10162 | 8775 | 5109 | 0 | 662 | 725 | 424 | 401 | 0 |
| 宁　夏 | 20733 | 16449 | 5904 | 206 | 3220 | 858 | 655 | 434 | 54 |
| 新　疆 | 104018 | 84781 | 21683 | 5667 | 11846 | 1724 | 3051 | 2567 | 103 |

附表 3-3　续表　　单位：千元

| 地区 | 年度科普经费使用额 | 行政支出 | 科普活动支出 | 科普场馆基建支出 | | 其他支出 |
|---|---|---|---|---|---|---|
| | | | | | 政府拨款支出 | |
| 全　国 | 4600761 | 488132 | 2794531 | 977062 | 533856 | 341184 |
| 东　部 | 3046955 | 286141 | 1878233 | 665725 | 359788 | 216848 |
| 中　部 | 852225 | 108073 | 522769 | 162719 | 89034 | 58776 |
| 西　部 | 701581 | 93918 | 393529 | 148618 | 85034 | 65560 |
| 北　京 | 942198 | 41222 | 678539 | 176367 | 32901 | 46094 |
| 天　津 | 34086 | 9578 | 17884 | 6309 | 775 | 315 |
| 河　北 | 106822 | 10774 | 80062 | 6824 | 3588 | 9162 |
| 山　西 | 43278 | 5123 | 29410 | 5756 | 3069 | 2989 |
| 内蒙古 | 28781 | 4561 | 20829 | 2369 | 279 | 1066 |
| 辽　宁 | 128280 | 13244 | 76644 | 28382 | 21105 | 10010 |
| 吉　林 | 51626 | 4460 | 20997 | 16715 | 11487 | 9454 |
| 黑龙江 | 36082 | 3567 | 27872 | 3247 | 1226 | 1396 |
| 上　海 | 312150 | 16149 | 210498 | 71046 | 47961 | 14457 |
| 江　苏 | 414258 | 58662 | 193245 | 135129 | 84783 | 27222 |
| 浙　江 | 461991 | 49058 | 258135 | 94642 | 69552 | 60156 |
| 安　徽 | 162920 | 13472 | 94524 | 45262 | 24088 | 9774 |
| 福　建 | 126027 | 30726 | 68769 | 17899 | 10964 | 8633 |
| 江　西 | 115655 | 14955 | 75428 | 19906 | 4854 | 5366 |
| 山　东 | 101791 | 14672 | 52810 | 27454 | 24877 | 6855 |
| 河　南 | 97194 | 9006 | 67126 | 13173 | 5586 | 7889 |
| 湖　北 | 213411 | 34554 | 124025 | 44372 | 30520 | 10460 |
| 湖　南 | 132059 | 22936 | 83387 | 14288 | 8204 | 11448 |
| 广　东 | 402387 | 40600 | 231011 | 99113 | 60822 | 31631 |
| 广　西 | 126004 | 14702 | 68872 | 31426 | 21673 | 11004 |
| 海　南 | 16965 | 1456 | 10636 | 2560 | 2460 | 2313 |
| 重　庆 | 35962 | 6325 | 24308 | 2964 | 2750 | 2365 |
| 四　川 | 67737 | 8207 | 41453 | 5691 | 3087 | 12386 |
| 贵　州 | 76721 | 16254 | 30498 | 21313 | 17472 | 8656 |
| 云　南 | 155965 | 16354 | 101040 | 23274 | 15996 | 15297 |
| 西　藏 | 7854 | 7000 | 852 | 0 | 0 | 2 |
| 陕　西 | 35361 | 4617 | 23023 | 510 | 194 | 7211 |
| 甘　肃 | 36218 | 6023 | 24469 | 2948 | 1704 | 2778 |
| 青　海 | 8717 | 720 | 6537 | 290 | 129 | 1170 |
| 宁　夏 | 18783 | 556 | 9887 | 8063 | 7636 | 277 |
| 新　疆 | 103478 | 8599 | 41761 | 49770 | 14114 | 3348 |

## 附表 3-4　2006 年各省科普传媒

| 地　区 | 科普图书 | | 科普期刊 | | 科普（技）音像制品 | | |
|---|---|---|---|---|---|---|---|
| | 出版种数（种） | 年出版总册数（册） | 出版种数（种） | 年出版总册数（册） | 出版种数（种） | 光盘发行总量（张） | 录音、录像带发行总量（盒） |
| 全　国 | 3162 | 49223043 | 568 | 132961185 | 4449 | 56192164 | 3514951 |
| 东　部 | 2280 | 36653648 | 349 | 96376654 | 2992 | 54644676 | 3379214 |
| 中　部 | 490 | 8614322 | 112 | 7083302 | 1087 | 1022377 | 42144 |
| 西　部 | 392 | 3951097 | 107 | 29501229 | 370 | 525111 | 93593 |
| 北　京 | 834 | 8175664 | 81 | 31906738 | 2505 | 53692757 | 189788 |
| 天　津 | 135 | 529524 | 21 | 3109202 | 16 | 18717 | 27200 |
| 河　北 | 87 | 569700 | 18 | 414300 | 78 | 417660 | 101130 |
| 山　西 | 37 | 4987282 | 6 | 1008892 | 26 | 163833 | 1415 |
| 内蒙古 | 44 | 144942 | 5 | 157200 | 32 | 48211 | 1052 |
| 辽　宁 | 91 | 529402 | 12 | 1219700 | 43 | 39500 | 620 |
| 吉　林 | 54 | 615839 | 9 | 1178200 | 44 | 445106 | 25000 |
| 黑龙江 | 41 | 124750 | 12 | 171400 | 23 | 10560 | 3554 |
| 上　海 | 444 | 3862517 | 50 | 15929494 | 45 | 99993 | 11536 |
| 江　苏 | 177 | 3694800 | 50 | 8089176 | 88 | 127814 | 11440 |
| 浙　江 | 171 | 16172566 | 53 | 2993368 | 60 | 42550 | 0 |
| 安　徽 | 47 | 272200 | 5 | 80000 | 13 | 37600 | 4070 |
| 福　建 | 98 | 560300 | 16 | 1638800 | 25 | 29780 | 8200 |
| 江　西 | 35 | 128600 | 10 | 1259550 | 14 | 31450 | 0 |
| 山　东 | 90 | 791500 | 11 | 117300 | 81 | 68912 | 23200 |
| 河　南 | 94 | 1422500 | 7 | 1453100 | 844 | 148622 | 3490 |
| 湖　北 | 133 | 924051 | 51 | 1431410 | 58 | 105070 | 1805 |
| 湖　南 | 49 | 139100 | 12 | 500750 | 65 | 80136 | 2810 |
| 广　东 | 147 | 1753175 | 34 | 29927576 | 51 | 106993 | 3006100 |
| 广　西 | 15 | 549000 | 17 | 2440600 | 44 | 68954 | 2000 |
| 海　南 | 6 | 14500 | 3 | 1031000 | 0 | 0 | 0 |
| 重　庆 | 55 | 515733 | 19 | 18412985 | 23 | 60131 | 1422 |
| 四　川 | 63 | 512633 | 13 | 2253800 | 27 | 6726 | 16083 |
| 贵　州 | 16 | 274000 | 5 | 3480000 | 13 | 61148 | 1000 |
| 云　南 | 52 | 495020 | 6 | 2125000 | 28 | 26208 | 2264 |
| 西　藏 | 4 | 35000 | 0 | 0 | 18 | 3500 | 0 |
| 陕　西 | 22 | 492400 | 8 | 158810 | 6 | 26150 | 30000 |
| 甘　肃 | 31 | 53901 | 13 | 62830 | 16 | 34058 | 5592 |
| 青　海 | 35 | 250780 | 4 | 86004 | 2 | 2000 | 0 |
| 宁　夏 | 29 | 527500 | 4 | 24100 | 6 | 38000 | 100 |
| 新　疆 | 26 | 100188 | 13 | 299900 | 155 | 150025 | 34080 |

**附表 3-4　续表**

| 地　区 | 科技类报纸年发行总份数（份） | 电视台播出科普（技）节目时间（小时） | 电台播出科普（技）节目时间（小时） | 科普网站个数（个） |
|---|---|---|---|---|
| 全　国 | 403961158 | 113758 | 99221 | 1465 |
| 东　部 | 332244630 | 52297 | 48360 | 675 |
| 中　部 | 46483989 | 19196 | 24470 | 375 |
| 西　部 | 25232539 | 42265 | 26391 | 415 |
| 北　京 | 181634388 | 7531 | 2290 | 127 |
| 天　津 | 51153000 | 5086 | 183 | 46 |
| 河　北 | 15154327 | 995 | 4656 | 64 |
| 山　西 | 8039592 | 1688 | 5277 | 30 |
| 内蒙古 | 1515057 | 4263 | 1176 | 47 |
| 辽　宁 | 6396150 | 4728 | 6712 | 36 |
| 吉　林 | 4051476 | 3152 | 1776 | 11 |
| 黑龙江 | 4001000 | 1579 | 3028 | 12 |
| 上　海 | 14381976 | 4387 | 3843 | 20 |
| 江　苏 | 19578840 | 7485 | 6022 | 78 |
| 浙　江 | 26621700 | 3977 | 3453 | 64 |
| 安　徽 | 966050 | 4920 | 3257 | 73 |
| 福　建 | 7439700 | 2960 | 3088 | 41 |
| 江　西 | 1667730 | 1774 | 4976 | 28 |
| 山　东 | 553280 | 9010 | 10825 | 56 |
| 河　南 | 725260 | 1032 | 1560 | 59 |
| 湖　北 | 26429727 | 2184 | 2880 | 66 |
| 湖　南 | 603154 | 2867 | 1716 | 96 |
| 广　东 | 9331269 | 5490 | 6676 | 131 |
| 广　西 | 16512084 | 7646 | 2625 | 39 |
| 海　南 | 0 | 648 | 612 | 12 |
| 重　庆 | 2370023 | 3569 | 1320 | 61 |
| 四　川 | 1302800 | 2403 | 3275 | 103 |
| 贵　州 | 289649 | 7518 | 1146 | 26 |
| 云　南 | 2076740 | 4801 | 3901 | 41 |
| 西　藏 | 200100 | 10 | 53 | 18 |
| 陕　西 | 604000 | 3154 | 3900 | 16 |
| 甘　肃 | 129266 | 1252 | 1167 | 17 |
| 青　海 | 77200 | 1469 | 554 | 9 |
| 宁　夏 | 27000 | 1422 | 1260 | 15 |
| 新　疆 | 128620 | 4758 | 6014 | 23 |

## 附表 3-5　2006 年各省科普活动

| 地区 | 科普（技）讲座 | | 科普（技）展览 | | 科普（技）竞赛 | | 科普国际交流 | |
|---|---|---|---|---|---|---|---|---|
| | 举办次数（次） | 参加人数（人次） | 专题展览次数（次） | 参观人数（人次） | 举办次数（次） | 参加人数（人次） | 举办次数（次） | 参加人数（人次） |
| 全　国 | 723337 | 147803437 | 103090 | 145242698 | 48136 | 42250037 | 2132 | 656525 |
| 东　部 | 320724 | 62875363 | 44639 | 65693165 | 28098 | 23488187 | 1516 | 297193 |
| 中　部 | 187158 | 43810400 | 28217 | 41848656 | 10359 | 11013886 | 310 | 284271 |
| 西　部 | 215455 | 41117674 | 30234 | 37700877 | 9679 | 7747964 | 306 | 75061 |
| 北　京 | 35207 | 7067051 | 3890 | 5027356 | 3487 | 2292513 | 571 | 134963 |
| 天　津 | 2799 | 1020327 | 1377 | 1043300 | 238 | 292117 | 115 | 3070 |
| 河　北 | 40100 | 9890627 | 5290 | 6739751 | 1849 | 2600337 | 95 | 3317 |
| 山　西 | 7881 | 2209672 | 1512 | 2424962 | 493 | 718130 | 25 | 731 |
| 内蒙古 | 9428 | 1716015 | 1591 | 1175756 | 539 | 217813 | 13 | 420 |
| 辽　宁 | 45481 | 7106719 | 3705 | 5675082 | 6795 | 2097314 | 116 | 66006 |
| 吉　林 | 10959 | 4511628 | 829 | 1618219 | 209 | 311621 | 41 | 2410 |
| 黑龙江 | 13507 | 4031576 | 3595 | 3156365 | 1471 | 919254 | 40 | 982 |
| 上　海 | 27505 | 3983885 | 1746 | 4674324 | 2556 | 2871279 | 174 | 8836 |
| 江　苏 | 51618 | 9481725 | 7654 | 10252090 | 3604 | 5577515 | 155 | 49739 |
| 浙　江 | 48654 | 8958487 | 7021 | 10491800 | 3387 | 2939811 | 80 | 3232 |
| 安　徽 | 29946 | 5203156 | 5545 | 5328915 | 1517 | 676174 | 20 | 62659 |
| 福　建 | 17974 | 3034888 | 4024 | 3613518 | 1430 | 770473 | 39 | 11522 |
| 江　西 | 19949 | 3497004 | 3496 | 3788746 | 1361 | 777962 | 39 | 2607 |
| 山　东 | 7796 | 3635240 | 2764 | 5346751 | 1658 | 1621804 | 50 | 7070 |
| 河　南 | 53701 | 10461040 | 5076 | 11303658 | 1609 | 3508387 | 19 | 6217 |
| 湖　北 | 27106 | 7428356 | 4592 | 8110066 | 1474 | 1891650 | 78 | 204564 |
| 湖　南 | 24109 | 6467968 | 3572 | 6117725 | 2225 | 2210708 | 48 | 4101 |
| 广　东 | 41918 | 8392311 | 6820 | 12471692 | 2944 | 2396965 | 91 | 6028 |
| 广　西 | 28761 | 5176914 | 3769 | 5580179 | 1090 | 2499047 | 53 | 4142 |
| 海　南 | 1672 | 304103 | 348 | 357501 | 150 | 28059 | 30 | 3410 |
| 重　庆 | 2898 | 445428 | 749 | 997922 | 219 | 215159 | 11 | 56816 |
| 四　川 | 22551 | 5180372 | 6714 | 4725491 | 1522 | 1271632 | 74 | 5803 |
| 贵　州 | 11087 | 1508012 | 1944 | 2432855 | 806 | 312491 | 23 | 472 |
| 云　南 | 65205 | 7498349 | 4596 | 7531262 | 958 | 1012405 | 45 | 4134 |
| 西　藏 | 324 | 72137 | 44 | 84390 | 1 | 2130 | 5 | 4 |
| 陕　西 | 7281 | 5242089 | 2279 | 4753794 | 813 | 689527 | 23 | 1371 |
| 甘　肃 | 24708 | 5488013 | 3050 | 3516705 | 1236 | 704176 | 15 | 767 |
| 青　海 | 7100 | 1207316 | 1181 | 1992326 | 429 | 89375 | 9 | 141 |
| 宁　夏 | 5605 | 865681 | 839 | 1423433 | 188 | 105127 | 4 | 361 |
| 新　疆 | 30507 | 6717348 | 3478 | 3486764 | 1878 | 629082 | 31 | 630 |

## 附表 3-5　续表

| 地区 | 成立青少年科技兴趣小组 | | 科技夏（冬）令营 | | 科技活动周 | | 大学、科研机构向社会开放 | | 重大科普活动次数（次） |
|---|---|---|---|---|---|---|---|---|---|
| | 个数（个） | 参加人数（人次） | 举办次数（次） | 参加人数（人次） | 科普专题活动次数（次） | 参加人数（人次） | 开放单位个数（个） | 参加人数（人次） | |
| 全　国 | 345844 | 20155265 | 14289 | 5667172 | 104132 | 86693702 | 2318 | 2368743 | 20969 |
| 东　部 | 144281 | 8981580 | 8606 | 4334925 | 58711 | 40831414 | 1209 | 1033567 | 9808 |
| 中　部 | 128411 | 5736911 | 3320 | 902505 | 25375 | 28964001 | 495 | 925060 | 6140 |
| 西　部 | 73152 | 5436774 | 2363 | 429742 | 20046 | 16898287 | 614 | 410116 | 5021 |
| 北　京 | 9149 | 378111 | 707 | 95272 | 6773 | 2654232 | 364 | 102871 | 958 |
| 天　津 | 3660 | 116373 | 561 | 2411594 | 10000 | 1100000 | 42 | 9078 | 207 |
| 河　北 | 23583 | 913052 | 270 | 57615 | 5268 | 5664571 | 102 | 62642 | 1489 |
| 山　西 | 3849 | 311245 | 266 | 28779 | 5976 | 1069446 | 42 | 7288 | 336 |
| 内蒙古 | 2995 | 236191 | 211 | 60327 | 1249 | 941535 | 22 | 11880 | 223 |
| 辽　宁 | 19630 | 760114 | 417 | 241126 | 3612 | 4601828 | 111 | 93156 | 1222 |
| 吉　林 | 9892 | 321539 | 121 | 66047 | 1402 | 3820337 | 6 | 37100 | 182 |
| 黑龙江 | 9798 | 272642 | 381 | 91386 | 2239 | 2026071 | 33 | 22402 | 673 |
| 上　海 | 5304 | 287473 | 751 | 96178 | 2873 | 3401889 | 39 | 61205 | 336 |
| 江　苏 | 22630 | 1962286 | 2255 | 279341 | 12962 | 8090375 | 181 | 179624 | 1763 |
| 浙　江 | 13846 | 924427 | 1126 | 177365 | 5288 | 5419358 | 77 | 24959 | 1298 |
| 安　徽 | 10187 | 590344 | 680 | 71684 | 3485 | 2083760 | 35 | 30551 | 739 |
| 福　建 | 9240 | 622746 | 816 | 98595 | 4447 | 2856642 | 54 | 15480 | 550 |
| 江　西 | 7043 | 553909 | 347 | 37801 | 3349 | 2410883 | 84 | 39896 | 510 |
| 山　东 | 11652 | 971304 | 767 | 202229 | 988 | 1376553 | 111 | 47745 | 793 |
| 河　南 | 53128 | 1382916 | 608 | 114992 | 3111 | 3661327 | 61 | 37826 | 1427 |
| 湖　北 | 9240 | 930352 | 555 | 301675 | 3024 | 10678359 | 138 | 594455 | 1203 |
| 湖　南 | 25274 | 1373964 | 362 | 190141 | 2789 | 3213818 | 96 | 155542 | 1070 |
| 广　东 | 25401 | 2021209 | 872 | 659670 | 6368 | 5460076 | 128 | 436807 | 1145 |
| 广　西 | 29374 | 1192258 | 368 | 112954 | 2848 | 3086225 | 25 | 137413 | 1071 |
| 海　南 | 186 | 24485 | 64 | 15940 | 132 | 205890 | 0 | 0 | 47 |
| 重　庆 | 5427 | 215080 | 58 | 9673 | 757 | 855503 | 39 | 16572 | 273 |
| 四　川 | 8686 | 619353 | 165 | 79057 | 2398 | 1846029 | 82 | 70715 | 467 |
| 贵　州 | 4845 | 320060 | 164 | 17850 | 2241 | 1208384 | 12 | 2493 | 333 |
| 云　南 | 7213 | 564710 | 321 | 40919 | 3891 | 3098711 | 28 | 16231 | 840 |
| 西　藏 | 3 | 1500 | 2 | 92 | 29 | 94213 | 0 | 0 | 18 |
| 陕　西 | 2400 | 365017 | 196 | 16257 | 1151 | 1596560 | 19 | 5127 | 370 |
| 甘　肃 | 8358 | 1677172 | 515 | 51282 | 2961 | 2365227 | 31 | 19930 | 827 |
| 青　海 | 1032 | 45402 | 29 | 2385 | 490 | 848175 | 37 | 29760 | 238 |
| 宁　夏 | 1058 | 69698 | 24 | 3916 | 563 | 399907 | 23 | 62800 | 213 |
| 新　疆 | 1761 | 130333 | 310 | 35030 | 1468 | 557818 | 296 | 37195 | 148 |

# 附录 4　2004 年全国科普统计分类数据统计表

各项统计数据均未包括香港特别行政区、澳门特别行政区和台湾省的数据。

科普场馆、科普宣传专用车、科普图书、科普期刊与科普国际交流情况均由市级以上（含市级）填报单位的数据统计得出。

非场馆类科普基地，因为理解差异，此次暂未列入。

东、中、西部地区的划分：东部地区包括北京、天津、河北、辽宁、上海、江苏、浙江、福建、山东、广东和海南 11 个省和直辖市；中部地区包括山西、吉林、黑龙江、安徽、江西、河南、湖北和湖南 8 个省；西部地区包括内蒙古、广西、重庆、四川、贵州、云南、西藏、陕西、甘肃、青海、宁夏和新疆 12 个省、自治区和直辖市。

## 附表 4-1 2004 年各地区科普人员

单位：人

| 地区 | 科普专职人员 | 中级职称以上或大学本科以上学历人员 | 女性 | 农村科普人员 | 管理人员 |
|---|---|---|---|---|---|
| 全国 | 108147 | 51766 | 35517 | 36186 | 31222 |
| 东部 | 36508 | 19350 | 12699 | 9819 | 10373 |
| 中部 | 32236 | 16072 | 9803 | 11212 | 10386 |
| 西部 | 39403 | 16344 | 13015 | 15155 | 10463 |
| 北京 | 5013 | 2953 | 2249 | 865 | 1172 |
| 天津 | 1414 | 883 | 523 | 267 | 447 |
| 河北 | 4507 | 2451 | 1737 | 1344 | 1410 |
| 山西 | 3101 | 1113 | 813 | 1441 | 1127 |
| 内蒙古 | 4432 | 2249 | 1833 | 1648 | 1042 |
| 辽宁 | 1841 | 1091 | 745 | 320 | 655 |
| 吉林 | 2873 | 1578 | 971 | 1101 | 723 |
| 黑龙江 | 815 | 626 | 430 | 137 | 446 |
| 上海 | 3115 | 1896 | 1179 | 341 | 832 |
| 江苏 | 1842 | 1118 | 643 | 295 | 651 |
| 浙江 | 3788 | 2206 | 1002 | 1217 | 998 |
| 安徽 | 1994 | 1066 | 597 | 659 | 665 |
| 福建 | 3532 | 1589 | 1057 | 1408 | 959 |
| 江西 | 6071 | 2775 | 1559 | 2509 | 1893 |
| 山东 | 3943 | 2128 | 1249 | 1242 | 967 |
| 河南 | 5826 | 2756 | 1826 | 1835 | 1743 |
| 湖北 | 5539 | 3110 | 1510 | 1641 | 1511 |
| 湖南 | 6017 | 3048 | 2097 | 1889 | 2278 |
| 广东 | 7304 | 2890 | 2240 | 2434 | 2175 |
| 广西 | 5863 | 2930 | 1973 | 2553 | 1628 |
| 海南 | 209 | 145 | 75 | 86 | 107 |
| 重庆 | 1595 | 777 | 441 | 717 | 461 |
| 四川 | 2853 | 1320 | 904 | 1144 | 834 |
| 贵州 | 4219 | 1427 | 1261 | 1659 | 1078 |
| 云南 | 2148 | 877 | 623 | 685 | 851 |
| 西藏 | 23 | 8 | 4 | 0 | 2 |
| 陕西 | 6528 | 2337 | 1998 | 2396 | 1594 |
| 甘肃 | 6403 | 2440 | 1902 | 2271 | 1780 |
| 青海 | 922 | 331 | 368 | 184 | 128 |
| 宁夏 | 537 | 228 | 189 | 192 | 179 |
| 新疆 | 3880 | 1420 | 1519 | 1706 | 886 |

**附表 4-1　续表**　　　　单位：人

| 地　区 | 科普兼职人员 | 中级职称以上或大学本科以上学历人员 | 女性 | 农村科普人员 | 注册科普志愿者 | 年度实际投入工作量（人月） |
|---|---|---|---|---|---|---|
| 全　国 | 666657 | 285431 | 226741 | 258201 | 1204585 | 666657 |
| 东　部 | 281053 | 137437 | 101679 | 93602 | 473176 | 281053 |
| 中　部 | 159158 | 66605 | 50078 | 69502 | 312012 | 159158 |
| 西　部 | 226446 | 81389 | 74984 | 95097 | 419397 | 226446 |
| 北　京 | 21956 | 12555 | 11610 | 4032 | 42465 | 21956 |
| 天　津 | 15161 | 8182 | 5914 | 2793 | 20827 | 15161 |
| 河　北 | 23955 | 12346 | 9823 | 8544 | 51287 | 23955 |
| 山　西 | 17023 | 5190 | 4261 | 10152 | 26012 | 17023 |
| 内蒙古 | 21064 | 9027 | 7538 | 10225 | 29293 | 21064 |
| 辽　宁 | 21160 | 12624 | 8982 | 7665 | 37928 | 21160 |
| 吉　林 | 6576 | 2812 | 2432 | 3525 | 10340 | 6576 |
| 黑龙江 | 3677 | 2440 | 1790 | 517 | 9787 | 3677 |
| 上　海 | 17016 | 8807 | 7499 | 3313 | 35499 | 17016 |
| 江　苏 | 34811 | 18068 | 13297 | 9344 | 48540 | 34811 |
| 浙　江 | 41498 | 19807 | 14758 | 16174 | 64230 | 41498 |
| 安　徽 | 27732 | 11851 | 8568 | 11722 | 67296 | 27732 |
| 福　建 | 35075 | 15962 | 10138 | 14308 | 53319 | 35075 |
| 江　西 | 31866 | 12919 | 9646 | 12121 | 58391 | 31866 |
| 山　东 | 23120 | 10425 | 6446 | 10811 | 40019 | 23120 |
| 河　南 | 24410 | 10554 | 8921 | 10601 | 46981 | 24410 |
| 湖　北 | 21581 | 9222 | 6091 | 8868 | 41421 | 21581 |
| 湖　南 | 26293 | 11617 | 8369 | 11996 | 51784 | 26293 |
| 广　东 | 43549 | 18013 | 12688 | 14583 | 72868 | 43549 |
| 广　西 | 30223 | 12175 | 11071 | 14997 | 51529 | 30223 |
| 海　南 | 3752 | 648 | 524 | 2035 | 6194 | 3752 |
| 重　庆 | 7221 | 3052 | 1886 | 3026 | 20888 | 7221 |
| 四　川 | 22367 | 9988 | 7052 | 8979 | 34365 | 22367 |
| 贵　州 | 25674 | 8380 | 7487 | 11013 | 50298 | 25674 |
| 云　南 | 27975 | 9827 | 9775 | 10627 | 60502 | 27975 |
| 西　藏 | 508 | 160 | 107 | 20 | 293 | 508 |
| 陕　西 | 40830 | 11712 | 11627 | 16969 | 72503 | 40830 |
| 甘　肃 | 20836 | 6522 | 6116 | 7754 | 59020 | 20836 |
| 青　海 | 3334 | 1088 | 1326 | 681 | 6249 | 3334 |
| 宁　夏 | 3782 | 1894 | 1434 | 1368 | 6777 | 3782 |
| 新　疆 | 22632 | 7564 | 9565 | 9438 | 27680 | 22632 |

## 附表 4-2 2004 年各地区科普场地*

| 地 区 | 科普场馆总数（个） | 科学技术博物馆（个） | 专业科技馆（个） | 青少年科技馆(站)(个) | 建筑面积（米²） | 展厅面积（米²） | 当年参观人数（人次） |
|---|---|---|---|---|---|---|---|
| 全 国 | 704 | 185 | 265 | 254 | 2868763 | 962326 | 29330425 |
| 东 部 | 399 | 121 | 157 | 121 | 1887769 | 648444 | 19218578 |
| 中 部 | 167 | 28 | 66 | 73 | 531161 | 170686 | 4608119 |
| 西 部 | 138 | 36 | 42 | 60 | 449833 | 143196 | 5503728 |
| 北 京 | 98 | 38 | 32 | 28 | 373756 | 142495 | 3919073 |
| 天 津 | 8 | 3 | 3 | 2 | 79376 | 30400 | 1400699 |
| 河 北 | 23 | 4 | 10 | 9 | 80771 | 28257 | 879000 |
| 山 西 | 13 | 0 | 4 | 9 | 48352 | 13537 | 435845 |
| 内蒙古 | 20 | 5 | 4 | 11 | 32926 | 11583 | 323096 |
| 辽 宁 | 27 | 9 | 12 | 6 | 152682 | 57194 | 715969 |
| 吉 林 | 18 | 2 | 8 | 8 | 27860 | 7865 | 227848 |
| 黑龙江 | 25 | 3 | 17 | 5 | 76002 | 32254 | 413500 |
| 上 海 | 47 | 15 | 27 | 5 | 419564 | 144489 | 5876486 |
| 江 苏 | 42 | 13 | 17 | 12 | 151869 | 66144 | 807385 |
| 浙 江 | 34 | 14 | 12 | 8 | 184433 | 53386 | 1926424 |
| 安 徽 | 17 | 2 | 7 | 8 | 69574 | 20616 | 530400 |
| 福 建 | 28 | 10 | 10 | 8 | 103126 | 27549 | 533799 |
| 江 西 | 18 | 2 | 9 | 7 | 47141 | 21488 | 219020 |
| 山 东 | 22 | 1 | 9 | 12 | 63026 | 19283 | 765230 |
| 河 南 | 18 | 3 | 9 | 6 | 67917 | 20377 | 656161 |
| 湖 北 | 33 | 8 | 9 | 16 | 90416 | 22593 | 1129772 |
| 湖 南 | 25 | 8 | 3 | 14 | 103899 | 31956 | 995573 |
| 广 东 | 67 | 14 | 23 | 30 | 276926 | 78547 | 2379492 |
| 广 西 | 19 | 5 | 6 | 8 | 45100 | 19880 | 1267318 |
| 海 南 | 3 | 0 | 2 | 1 | 2240 | 700 | 15021 |
| 重 庆 | 13 | 2 | 6 | 5 | 61100 | 24060 | 291000 |
| 四 川 | 23 | 6 | 4 | 13 | 65462 | 22245 | 876574 |
| 贵 州 | 8 | 0 | 2 | 6 | 32065 | 7250 | 102250 |
| 云 南 | 11 | 6 | 3 | 2 | 53315 | 24458 | 1457840 |
| 西 藏 | 1 | 0 | 0 | 1 | 500 | 100 | 2100 |
| 陕 西 | 12 | 2 | 6 | 4 | 57933 | 12115 | 705570 |
| 甘 肃 | 13 | 6 | 4 | 3 | 46860 | 8420 | 295680 |
| 青 海 | 3 | 1 | 0 | 2 | 9914 | 960 | 36000 |
| 宁 夏 | 8 | 2 | 3 | 3 | 19258 | 5015 | 111800 |
| 新 疆 | 7 | 1 | 4 | 2 | 25400 | 7110 | 34500 |

*非场馆类科普基地，因为理解差异，此次暂未列入。

附表 4-2 续表

| 地 区 | 城市社区科普（技）专用活动室（个） | 农村科普（技）活动场地（个） | 科普宣传专用车（辆） | 科普画廊（个） | 国家级科普（技）教育基地（个） | 省级科普（技）教育基地（个） |
|---|---|---|---|---|---|---|
| 全 国 | 30489 | 116877 | 640 | 61516 | 324 | 958 |
| 东 部 | 14777 | 51108 | 291 | 35496 | 193 | 609 |
| 中 部 | 8074 | 31997 | 137 | 14010 | 57 | 168 |
| 西 部 | 7638 | 33772 | 212 | 12010 | 74 | 181 |
| 北 京 | 1106 | 2164 | 121 | 1997 | 90 | 167 |
| 天 津 | 894 | 94 | 5 | 826 | 13 | 69 |
| 河 北 | 2038 | 12453 | 28 | 5868 | 7 | 20 |
| 山 西 | 1305 | 7137 | 21 | 1547 | 7 | 14 |
| 内蒙古 | 1029 | 4904 | 33 | 1165 | 3 | 9 |
| 辽 宁 | 1521 | 2495 | 16 | 991 | 16 | 46 |
| 吉 林 | 1389 | 1914 | 9 | 773 | 7 | 17 |
| 黑龙江 | 442 | 1541 | 2 | 210 | 7 | 25 |
| 上 海 | 1024 | 993 | 5 | 3294 | 14 | 81 |
| 江 苏 | 1755 | 4802 | 25 | 5594 | 12 | 43 |
| 浙 江 | 1666 | 5065 | 13 | 4351 | 11 | 41 |
| 安 徽 | 735 | 6221 | 18 | 2988 | 8 | 17 |
| 福 建 | 793 | 3610 | 20 | 3452 | 10 | 66 |
| 江 西 | 996 | 4834 | 10 | 3647 | 7 | 14 |
| 山 东 | 2120 | 12741 | 20 | 3231 | 12 | 24 |
| 河 南 | 1066 | 3376 | 27 | 1663 | 6 | 29 |
| 湖 北 | 916 | 2918 | 24 | 1106 | 9 | 30 |
| 湖 南 | 1225 | 4056 | 26 | 2076 | 6 | 22 |
| 广 东 | 1717 | 5716 | 32 | 5707 | 8 | 42 |
| 广 西 | 1710 | 7658 | 29 | 3160 | 12 | 37 |
| 海 南 | 143 | 975 | 6 | 185 | 0 | 10 |
| 重 庆 | 647 | 1155 | 15 | 620 | 11 | 9 |
| 四 川 | 1092 | 4100 | 19 | 1719 | 5 | 28 |
| 贵 州 | 597 | 1676 | 24 | 1142 | 9 | 15 |
| 云 南 | 378 | 2541 | 13 | 1166 | 9 | 20 |
| 西 藏 | 4 | 17 | 3 | 5 | 2 | 1 |
| 陕 西 | 690 | 3267 | 31 | 1000 | 6 | 15 |
| 甘 肃 | 517 | 4389 | 20 | 829 | 5 | 11 |
| 青 海 | 84 | 459 | 2 | 108 | 2 | 7 |
| 宁 夏 | 425 | 974 | 11 | 487 | 7 | 20 |
| 新 疆 | 465 | 2632 | 12 | 609 | 3 | 9 |

## 附表 4-3 2004 年各地区科普经费

单位：千元

| 地区 | 年度科普经费筹集额 | 政府拨款 | 科普专项经费 | 捐赠 | 自筹资金 | 其他收入 |
|---|---|---|---|---|---|---|
| 全 国 | 2416294 | 1551356 | 773041 | 45453 | 621591 | 197893 |
| 东 部 | 1635243 | 1036755 | 511897 | 32349 | 412478 | 153661 |
| 中 部 | 380314 | 240216 | 131667 | 4223 | 113682 | 22193 |
| 西 部 | 400737 | 274385 | 129477 | 8881 | 95431 | 22039 |
| 北 京 | 444224 | 293440 | 146625 | 19485 | 71076 | 60223 |
| 天 津 | 35169 | 18832 | 4978 | 14 | 13338 | 2985 |
| 河 北 | 61969 | 41062 | 11616 | 398 | 16782 | 3727 |
| 山 西 | 16613 | 13064 | 8420 | 280 | 2386 | 883 |
| 内蒙古 | 44087 | 31450 | 11351 | 149 | 8155 | 4333 |
| 辽 宁 | 51069 | 42495 | 19671 | 380 | 5989 | 2205 |
| 吉 林 | 19373 | 12743 | 9838 | 113 | 5934 | 583 |
| 黑龙江 | 20931 | 18421 | 3854 | 92 | 2257 | 161 |
| 上 海 | 355046 | 170613 | 57704 | 1616 | 137802 | 45015 |
| 江 苏 | 133187 | 74997 | 33470 | 1511 | 47967 | 8712 |
| 浙 江 | 219137 | 151422 | 79371 | 989 | 53650 | 13076 |
| 安 徽 | 49001 | 30409 | 16997 | 1055 | 13188 | 4349 |
| 福 建 | 83390 | 58651 | 38680 | 1588 | 17138 | 6013 |
| 江 西 | 51171 | 27697 | 15494 | 638 | 19297 | 3539 |
| 山 东 | 62899 | 46415 | 34782 | 4712 | 9085 | 2687 |
| 河 南 | 62015 | 40802 | 25821 | 192 | 18847 | 2174 |
| 湖 北 | 73074 | 45750 | 20101 | 584 | 21438 | 5302 |
| 湖 南 | 88136 | 51330 | 31142 | 1269 | 30335 | 5202 |
| 广 东 | 177967 | 129322 | 82575 | 1319 | 38917 | 8409 |
| 广 西 | 69592 | 41580 | 27548 | 894 | 20552 | 6566 |
| 海 南 | 11186 | 9506 | 2425 | 337 | 734 | 609 |
| 重 庆 | 42685 | 36161 | 13347 | 1233 | 3414 | 1877 |
| 四 川 | 33783 | 21984 | 14822 | 298 | 10254 | 1247 |
| 贵 州 | 54916 | 45989 | 12656 | 312 | 7410 | 1205 |
| 云 南 | 54980 | 32096 | 17650 | 341 | 19926 | 2617 |
| 西 藏 | 2986 | 1636 | 520 | 0 | 1340 | 10 |
| 陕 西 | 29390 | 18833 | 12248 | 379 | 8663 | 1515 |
| 甘 肃 | 28275 | 19920 | 7425 | 304 | 6855 | 1196 |
| 青 海 | 1662 | 925 | 719 | 21 | 620 | 95 |
| 宁 夏 | 10633 | 7474 | 3324 | 329 | 2392 | 438 |
| 新 疆 | 27748 | 16337 | 7867 | 4621 | 5850 | 940 |

附表 4-3 续表 单位：千元

| 地区 | 年度科普经费使用额 | 行政支出 | 科普活动支出 | 科普场馆基建支出 | | 其他支出 |
|---|---|---|---|---|---|---|
| | | | | | 政府拨款支出 | |
| 全 国 | 2414576 | 324742 | 1383872 | 532464 | 319196 | 173370 |
| 东 部 | 1589000 | 202922 | 882050 | 384689 | 229789 | 119211 |
| 中 部 | 422499 | 67729 | 254434 | 74797 | 34976 | 25539 |
| 西 部 | 403077 | 54091 | 247388 | 72978 | 54431 | 28620 |
| 北 京 | 435009 | 35116 | 252967 | 110402 | 93391 | 36524 |
| 天 津 | 28894 | 6178 | 16423 | 4804 | 605 | 1489 |
| 河 北 | 64612 | 13758 | 35034 | 14265 | 4745 | 1555 |
| 山 西 | 16250 | 2575 | 9567 | 928 | 658 | 3180 |
| 内蒙古 | 43086 | 13039 | 23309 | 3920 | 572 | 2818 |
| 辽 宁 | 52012 | 8492 | 25002 | 15945 | 13399 | 2573 |
| 吉 林 | 22187 | 4029 | 10971 | 5690 | 5262 | 1497 |
| 黑龙江 | 20931 | 4887 | 3850 | 11567 | 10021 | 627 |
| 上 海 | 272301 | 35863 | 133591 | 91892 | 39391 | 10955 |
| 江 苏 | 155304 | 19645 | 75216 | 50369 | 14529 | 9946 |
| 浙 江 | 222734 | 29458 | 144656 | 22878 | 15016 | 25742 |
| 安 徽 | 51088 | 9902 | 33601 | 4901 | 985 | 2684 |
| 福 建 | 92524 | 12304 | 55997 | 16164 | 10996 | 8059 |
| 江 西 | 52754 | 5519 | 39115 | 4885 | 2417 | 3235 |
| 山 东 | 62850 | 9437 | 35681 | 13915 | 8664 | 3817 |
| 河 南 | 63577 | 12280 | 42489 | 5724 | 3964 | 3084 |
| 湖 北 | 92796 | 13833 | 52773 | 22526 | 4325 | 3664 |
| 湖 南 | 102916 | 14704 | 62068 | 18576 | 7344 | 7568 |
| 广 东 | 191998 | 31121 | 102835 | 39837 | 25160 | 18205 |
| 广 西 | 66897 | 5802 | 47111 | 4438 | 3017 | 9546 |
| 海 南 | 10762 | 1550 | 4648 | 4218 | 3893 | 346 |
| 重 庆 | 38669 | 2194 | 17074 | 18584 | 16730 | 817 |
| 四 川 | 35174 | 4524 | 25906 | 2377 | 1879 | 2367 |
| 贵 州 | 66782 | 12015 | 24235 | 24996 | 21898 | 5536 |
| 云 南 | 55490 | 5372 | 42034 | 4141 | 1350 | 3943 |
| 西 藏 | 3016 | 86 | 2840 | 80 | 0 | 10 |
| 陕 西 | 30441 | 2699 | 25876 | 873 | 383 | 993 |
| 甘 肃 | 28458 | 4284 | 15352 | 7860 | 6861 | 962 |
| 青 海 | 2142 | 369 | 1475 | 197 | 182 | 101 |
| 宁 夏 | 10203 | 1464 | 8134 | 280 | 263 | 325 |
| 新 疆 | 22719 | 2243 | 14042 | 5232 | 1296 | 1202 |

## 附表 4-4　2004 年各地区科普传媒

| 地　区 | 科普图书 | | 科普期刊 | | 科普（技）音像制品 | | |
|---|---|---|---|---|---|---|---|
| | 出版种数（种） | 年出版总册数（册） | 出版种数（种） | 年出版总册数（册） | 出版种数（种） | 光盘发行总量（张） | 录音、录像带发行总量（盒） |
| 全　国 | 2523 | 18889846 | 584 | 61832081 | 1558 | 4506286 | 2523 |
| 东　部 | 2026 | 14979327 | 388 | 39396508 | 1075 | 1500436 | 2026 |
| 中　部 | 242 | 2363924 | 88 | 16210999 | 216 | 1558549 | 242 |
| 西　部 | 255 | 1546595 | 108 | 6224574 | 267 | 1447301 | 255 |
| 北　京 | 555 | 5508778 | 127 | 8502230 | 153 | 141714 | 555 |
| 天　津 | 88 | 374500 | 18 | 7728500 | 1 | 20000 | 88 |
| 河　北 | 51 | 282300 | 29 | 415600 | 146 | 21578 | 51 |
| 山　西 | 15 | 28040 | 5 | 380620 | 3 | 7200 | 15 |
| 内蒙古 | 69 | 571979 | 23 | 256072 | 61 | 33025 | 69 |
| 辽　宁 | 75 | 194000 | 15 | 724637 | 34 | 105659 | 75 |
| 吉　林 | 19 | 254504 | 12 | 248250 | 38 | 343106 | 19 |
| 黑龙江 | 46 | 603780 | 15 | 1811800 | 36 | 64953 | 46 |
| 上　海 | 859 | 6760679 | 52 | 15050287 | 80 | 471030 | 859 |
| 江　苏 | 59 | 383850 | 31 | 2365504 | 92 | 179891 | 59 |
| 浙　江 | 86 | 501200 | 37 | 2571112 | 38 | 313611 | 86 |
| 安　徽 | 7 | 19350 | 9 | 73010 | 19 | 15145 | 7 |
| 福　建 | 115 | 308160 | 18 | 677412 | 71 | 66030 | 115 |
| 江　西 | 21 | 596000 | 9 | 54035 | 10 | 636780 | 21 |
| 山　东 | 51 | 232485 | 11 | 39340 | 79 | 52533 | 51 |
| 河　南 | 50 | 295500 | 10 | 833500 | 49 | 268880 | 50 |
| 湖　北 | 63 | 512050 | 15 | 1075111 | 37 | 156200 | 63 |
| 湖　南 | 21 | 54700 | 13 | 11734673 | 24 | 66285 | 21 |
| 广　东 | 83 | 425075 | 49 | 621886 | 366 | 97377 | 83 |
| 广　西 | 12 | 50120 | 19 | 1557840 | 40 | 81997 | 12 |
| 海　南 | 4 | 8300 | 1 | 700000 | 15 | 31013 | 4 |
| 重　庆 | 21 | 45000 | 8 | 641308 | 13 | 1003300 | 21 |
| 四　川 | 13 | 81300 | 9 | 349001 | 8 | 2790 | 13 |
| 贵　州 | 10 | 86000 | 3 | 843100 | 19 | 15381 | 10 |
| 云　南 | 34 | 286200 | 4 | 1875926 | 7 | 10770 | 34 |
| 西　藏 | 4 | 27000 | 0 | 0 | 4 | 300 | 4 |
| 陕　西 | 34 | 211650 | 9 | 256530 | 17 | 207804 | 34 |
| 甘　肃 | 33 | 113296 | 15 | 103869 | 38 | 49424 | 33 |
| 青　海 | 9 | 10300 | 1 | 2000 | 1 | 550 | 9 |
| 宁　夏 | 11 | 46650 | 4 | 48000 | 22 | 30500 | 11 |
| 新　疆 | 5 | 17100 | 13 | 290928 | 37 | 11460 | 5 |

**附表 4-4　续表**

| 地　区 | 科技类报纸年发行总份数（份） | 电视台播出科普（技）节目时间（小时） | 电台播出科普（技）节目时间（小时） | 科普网站个数（个） |
|---|---|---|---|---|
| 全　国 | 271210872 | 74959 | 72511 | 995 |
| 东　部 | 146572442 | 33106 | 38948 | 502 |
| 中　部 | 58668673 | 20025 | 15077 | 264 |
| 西　部 | 65969757 | 21828 | 18486 | 229 |
| 北　京 | 49561478 | 5028 | 7297 | 101 |
| 天　津 | 54000 | 3043 | 279 | 24 |
| 河　北 | 14073609 | 4969 | 4761 | 48 |
| 山　西 | 322020 | 2300 | 1444 | 34 |
| 内蒙古 | 2142494 | 2686 | 3438 | 27 |
| 辽　宁 | 5794921 | 4436 | 8916 | 17 |
| 吉　林 | 4040136 | 1449 | 700 | 26 |
| 黑龙江 | 5167000 | 2959 | 773 | 9 |
| 上　海 | 10815000 | 272 | 443 | 7 |
| 江　苏 | 6628660 | 2506 | 5097 | 49 |
| 浙　江 | 49680552 | 3744 | 3289 | 70 |
| 安　徽 | 1851000 | 1780 | 1887 | 21 |
| 福　建 | 4957092 | 2333 | 1612 | 34 |
| 江　西 | 318601 | 2830 | 1248 | 25 |
| 山　东 | 119840 | 3859 | 3270 | 49 |
| 河　南 | 5328600 | 2585 | 5349 | 52 |
| 湖　北 | 33329835 | 3315 | 2180 | 54 |
| 湖　南 | 8311481 | 2807 | 1496 | 43 |
| 广　东 | 4865363 | 2701 | 3858 | 100 |
| 广　西 | 16218763 | 3553 | 2194 | 40 |
| 海　南 | 21927 | 215 | 126 | 3 |
| 重　庆 | 43000150 | 992 | 427 | 10 |
| 四　川 | 313100 | 2973 | 2668 | 37 |
| 贵　州 | 360000 | 1142 | 554 | 15 |
| 云　南 | 338700 | 2200 | 1160 | 24 |
| 西　藏 | 2000 | 425 | 65 | 0 |
| 陕　西 | 2641005 | 3190 | 2973 | 39 |
| 甘　肃 | 448205 | 2775 | 2176 | 21 |
| 青　海 | 3000 | 322 | 300 | 2 |
| 宁　夏 | 475000 | 1149 | 886 | 8 |
| 新　疆 | 27340 | 421 | 1645 | 6 |

## 附表 4-5　2004 年各地区科普活动

| 地区 | 科普（技）讲座 | | 科普（技）展览 | | 科普（技）竞赛 | | 科普国际交流 | |
|---|---|---|---|---|---|---|---|---|
| | 举办次数（次） | 参加人数（人次） | 专题展览次数（次） | 参观人数（人次） | 举办次数（次） | 参加人数（人次） | 举办次数（次） | 参加人数（人次） |
| 全　国 | 381345 | 76480072 | 70583 | 100178244 | 33255 | 20567196 | 1135 | 81587 |
| 东　部 | 188119 | 34430874 | 34528 | 51805707 | 21219 | 12822765 | 829 | 58750 |
| 中　部 | 78220 | 16651288 | 16461 | 21517813 | 5572 | 3953451 | 131 | 6313 |
| 西　部 | 115006 | 25397910 | 19594 | 26854724 | 6464 | 3790980 | 175 | 16524 |
| 北　京 | 27371 | 3542760 | 3193 | 5090696 | 7457 | 1603516 | 307 | 26690 |
| 天　津 | 6650 | 883918 | 1554 | 1385533 | 437 | 247326 | 26 | 804 |
| 河　北 | 31761 | 6740461 | 5039 | 7115431 | 1171 | 1015701 | 26 | 726 |
| 山　西 | 4813 | 976676 | 1123 | 1223191 | 514 | 270362 | 16 | 504 |
| 内蒙古 | 10678 | 2617377 | 1697 | 1758945 | 584 | 178235 | 24 | 1375 |
| 辽　宁 | 19855 | 3857644 | 4120 | 5535052 | 1556 | 1138481 | 88 | 2688 |
| 吉　林 | 2991 | 734032 | 456 | 652084 | 185 | 151011 | 7 | 83 |
| 黑龙江 | 6336 | 728737 | 1598 | 989792 | 754 | 131137 | 6 | 641 |
| 上　海 | 14973 | 2096700 | 997 | 3889284 | 2001 | 1463638 | 122 | 7104 |
| 江　苏 | 22957 | 4097464 | 4525 | 6492228 | 2833 | 2128927 | 36 | 5872 |
| 浙　江 | 27486 | 4556201 | 5110 | 8061757 | 2425 | 2477348 | 57 | 2763 |
| 安　徽 | 16414 | 2697008 | 3657 | 3659814 | 879 | 343187 | 22 | 354 |
| 福　建 | 14802 | 2743520 | 3614 | 4084706 | 1141 | 740236 | 35 | 1813 |
| 江　西 | 13888 | 2159547 | 3038 | 2418645 | 1057 | 512131 | 20 | 698 |
| 山　东 | 4504 | 1771160 | 1945 | 3705160 | 899 | 925758 | 31 | 4151 |
| 河　南 | 13804 | 3663478 | 3072 | 6315802 | 761 | 797919 | 17 | 1330 |
| 湖　北 | 7343 | 2706474 | 1419 | 2843092 | 403 | 724849 | 21 | 2551 |
| 湖　南 | 12631 | 2985336 | 2098 | 3415393 | 1019 | 1022855 | 22 | 152 |
| 广　东 | 16793 | 3873374 | 4232 | 6195312 | 1175 | 1052404 | 97 | 5697 |
| 广　西 | 17230 | 3274069 | 2545 | 3796886 | 768 | 439281 | 13 | 365 |
| 海　南 | 967 | 267672 | 199 | 250548 | 124 | 29430 | 4 | 442 |
| 重　庆 | 1133 | 759289 | 549 | 529943 | 183 | 123465 | 6 | 834 |
| 四　川 | 10414 | 2369109 | 1744 | 2980241 | 600 | 561746 | 10 | 775 |
| 贵　州 | 7129 | 1662742 | 1496 | 2003972 | 619 | 303945 | 10 | 126 |
| 云　南 | 16218 | 2670876 | 2369 | 4787024 | 581 | 632201 | 21 | 1131 |
| 西　藏 | 140 | 18763 | 20 | 29654 | 1 | 280 | 0 | 0 |
| 陕　西 | 12933 | 3896985 | 3740 | 3816896 | 761 | 475486 | 39 | 8414 |
| 甘　肃 | 15193 | 3079657 | 2116 | 3239704 | 662 | 328238 | 27 | 2571 |
| 青　海 | 2680 | 669493 | 550 | 912276 | 165 | 69355 | 2 | 250 |
| 宁　夏 | 5271 | 927651 | 811 | 1161469 | 245 | 180704 | 5 | 6 |
| 新　疆 | 15987 | 3451899 | 1957 | 1837714 | 1295 | 498044 | 18 | 677 |

**附表 4-5　续表**

| 地区 | 成立青少年科技兴趣小组 | | 科技夏（冬）令营 | | 科技活动周 | | 重大科普活动次数（次） |
|---|---|---|---|---|---|---|---|
| | 个数（个） | 参加人数（人次） | 举办次数（次） | 参加人数（人次） | 科普专题活动次数（次） | 参加人数（人次） | |
| 全　国 | 232627 | 14111517 | 10648 | 1989450 | 94172 | 82833695 | 21223 |
| 东　部 | 119594 | 6974673 | 6577 | 1330162 | 43512 | 41131635 | 10668 |
| 中　部 | 51066 | 2652719 | 2310 | 419884 | 20653 | 23893072 | 4654 |
| 西　部 | 61967 | 4484125 | 1761 | 239404 | 30007 | 17808988 | 5901 |
| 北　京 | 10030 | 563625 | 644 | 256379 | 3620 | 2360063 | 3051 |
| 天　津 | 4067 | 433354 | 254 | 84901 | 5322 | 1731605 | 173 |
| 河　北 | 19248 | 566943 | 378 | 60707 | 4757 | 5418196 | 1688 |
| 山　西 | 8528 | 243958 | 331 | 51432 | 866 | 342810 | 237 |
| 内蒙古 | 5715 | 216636 | 237 | 32024 | 1077 | 1086364 | 448 |
| 辽　宁 | 13794 | 385228 | 763 | 169022 | 2865 | 5699543 | 871 |
| 吉　林 | 2563 | 311423 | 91 | 35737 | 416 | 1522198 | 154 |
| 黑龙江 | 2083 | 74515 | 299 | 26556 | 1648 | 9165985 | 85 |
| 上　海 | 6265 | 538003 | 636 | 106437 | 2042 | 5545782 | 337 |
| 江　苏 | 10642 | 1033540 | 1186 | 194169 | 7658 | 7108521 | 1010 |
| 浙　江 | 13014 | 941406 | 723 | 134718 | 6551 | 5206391 | 1455 |
| 安　徽 | 6152 | 319681 | 417 | 30799 | 1793 | 1619146 | 586 |
| 福　建 | 7352 | 576180 | 798 | 97771 | 3557 | 2434522 | 618 |
| 江　西 | 5777 | 415751 | 292 | 84182 | 3207 | 1626969 | 630 |
| 山　东 | 14257 | 1010298 | 561 | 105116 | 2012 | 2202675 | 686 |
| 河　南 | 6797 | 295755 | 336 | 65543 | 3232 | 2846223 | 1310 |
| 湖　北 | 4924 | 306875 | 208 | 77142 | 1920 | 2450600 | 558 |
| 湖　南 | 14242 | 684761 | 336 | 48493 | 7571 | 4319141 | 1094 |
| 广　东 | 20671 | 915634 | 567 | 108922 | 4671 | 3117609 | 724 |
| 广　西 | 12408 | 921368 | 233 | 49034 | 3647 | 3186367 | 787 |
| 海　南 | 254 | 10462 | 67 | 12020 | 457 | 306728 | 55 |
| 重　庆 | 2923 | 134734 | 136 | 9632 | 310 | 348364 | 133 |
| 四　川 | 13725 | 1377086 | 116 | 16079 | 4906 | 1641209 | 1083 |
| 贵　州 | 6014 | 309883 | 171 | 15355 | 3621 | 1634454 | 622 |
| 云　南 | 3290 | 207018 | 196 | 36805 | 4042 | 3589011 | 689 |
| 西　藏 | 0 | 0 | 6 | 121 | 16 | 48953 | 29 |
| 陕　西 | 3673 | 465316 | 187 | 21921 | 4435 | 1814523 | 454 |
| 甘　肃 | 7098 | 525240 | 173 | 33810 | 3647 | 2529773 | 1087 |
| 青　海 | 1506 | 103468 | 14 | 2366 | 2171 | 969763 | 78 |
| 宁　夏 | 3651 | 131716 | 131 | 5452 | 663 | 615782 | 428 |
| 新　疆 | 1964 | 91660 | 161 | 16805 | 1472 | 344425 | 63 |

**图书在版编目(CIP)数据**

中国科普统计. 2009 / 中华人民共和国科学技术部政策法规司编著. —北京：科学技术文献出版社，2009.12

ISBN 978-7-5023-6564-6

Ⅰ. ①中… Ⅱ. ①中… Ⅲ. ①科学普及—工作—统计资料—中国—2009 Ⅳ. ①N4-66

中国版本图书馆 CIP 数据核字(2009)第 233978 号

出　版　者　科学技术文献出版社
地　　　址　北京市复兴路 15 号(中央电视台西侧)/100038
图书编务部电话　（010）58882938，58882087（传真）
图书发行部电话　（010）58882866（传真）
邮购部电话　（010）58882873
网　　　址　http：//www.stdph.com
**E-mail**: stdph@istic.ac.cn
策划编辑　周国臻
责任编辑　周国臻
责任出版　王杰馨
发　行　者　科学技术文献出版社发行　全国各地新华书店经销
印　刷　者　北京高迪印刷有限公司
版（印）次　2009 年 12 月第 1 版第 1 次印刷
开　　　本　787×1092　16 开
字　　　数　184 千
印　　　张　11.25
印　　　数　1～4000 册
定　　　价　50.00 元